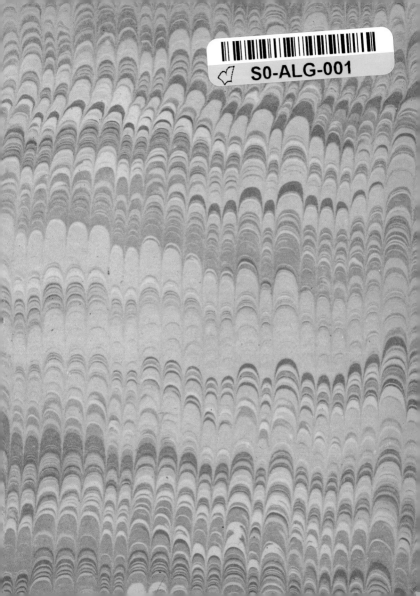

GRANDES GENIOS
DE LA LITERATURA UNIVERSAL
VOLUMEN 20

$4—

GIOVANNI
BOCCACCIO

GIOVANNI BOCCACCIO

EL DECAMERON

(2.ª parte)

© Edita:
S. A. de Promoción y Ediciones
Club Internacional del Libro
Londres, 49 - Madrid-28

I.S.B.N.: 84-7461-224-1 (Obra completa)
I.S.B.N.: 84-7461-223-3 (Tomo II)
Depósito Legal: BI. 1955-1984
Imprime:
Artes Gráficas Grijelmo, S. A.
Uribitarte, 4
Bilbao-1

JORNADA SEXTA

INTRODUCCION

La luna estaba ya en la mitad de la curva del cielo y, tras perder su brillo, empezaba a descender, pálida y apagada, como si se sintiera vencida por la luz del sol que no tardaría en aparecer, cuando la reina despertó, hizo abandonar el lecho a sus compañeros, que pasearon por el hermoso jardín. Se alejaron del palacio comentando la mayor o menor belleza de las historias y fábulas hasta entonces contadas, y rieron de nuevo despreocupadamente, hasta que, al levantarse el sol y empezar el calor, creyeron todos que sería mejor volver a casa.

Las mesas estaban dispuestas y las estancias llenas de flores y hierbas aromáticas. Por consejo de la reina, comieron antes de que el calor creciera con el día. Después de la alegre comida y antes de hacer otra cosa, se divirtieron con cancioncillas picarescas, tras lo cual unos se fueron a reposar y otros a jugar a las damas y al ajedrez. Y llegada la hora de volver a reunirse, mandados llamar por la reina como se acostumbraba, se sentaron alrededor de la fuente.

Al disponer la reina que se diera comienzo al primer cuento de aquel día, he aquí que acaeció algo que hasta entonces no había sucedido, y fue que desde la cocina llegó hasta ellos fuerte rumor de disputa, como si entre cocineros y criadas hubiera surgido una violenta controversia. Mandaron llamar al mayordomo, y habiéndole preguntado la razón de aquella algazara, dijo que la promovían

Licisca y Tíndaro, pero que ignoraba los motivos, pues acababa de entrar en la cocina para hacerles callar cuando le llamaron de parte de la reina.

La reina ordenó entonces que hiciera comparecer inmediatamente a Licisca y a Tíndaro. Los dos querellantes se presentaron, un tanto avergonzados; y al preguntarles Elisa por el motivo de la discusión, como Tíndaro quisiera responder a su manera, Licisca, que era algo entradita en años y un tantillo orgullosa, volviéndose a él con rostro airado, le dijo:

—¿No te dije que eres un bruto? ¿Cómo te atreves a hablar antes que yo? ¡Quítate de ahí y deja que lo explique yo primero!

Y volviéndose a la reina, añadió:

—Señora, este individuo quiere contarme cómo era la mujer de Sicofante, como si no la conociera yo de sobra. Quiere hacerme creer que la primera vez que Sicofante se acostó con ella, micer Mazza entró violentamente en Montenegro con derramamiento de sangre, y yo digo que no es verdad, pues entró pacíficamente y con satisfacción de los de dentro. Este Tíndaro es tan bruto, que se imagina que las jóvenes suelen ser tan estúpidas que pierden el tiempo con facilidad, obedeciendo a sus padres o a sus hermanos, que seis de cada siete veces tardan en casarlas tres o cuatro años más de lo que debieran. ¡Aviadas estarían las pobres si se decidieran a esperar! A fe mía, no conozco vecina que haya ido a casarse doncella; y aun, en cuanto a las casadas, bien sé cómo se burlan de los maridos; este estúpido quiere hacerme conocer a las mujeres, ¡cómo si yo fuese una recién nacida!

Mientras Licisca se desahogaba de tal suerte, las jóvenes del grupo reían sin poder contenerse. Más de seis veces habían intentado inútilmente hacer callar a la criada, pues no cerró la boca hasta que hubo soltado todo lo que llevaba dentro.

Cuando Licisca hubo terminado su discurso, la reina, volviéndose hacia Dioneo, le dijo sonriendo:

—Dioneo, esta cuestión te corresponde resolverla a ti; te ruego que cuando hayamos terminado nuestros cuentos dictes sentencia.

—Señora —apresuróse a replicar Dioneo—, la sentencia está ya dada, sin más oír, y digo que Licisca, tiene razón y las cosas son como ella dice; Tíndaro, pues, es un bruto.

Al oír la sentencia, Licisca rió de buena gana, y volviéndose hacia su contrincante, le dijo:

—¡Vete al diablo, Tíndaro! ¿Creías saber más que yo, tú, que tienes aún la leche en los hocicos? ¡Afortunadamente no he vivido en vano tanto tiempo!

De no haberle impuesto silencio la reina con imperativo gesto y ordenar a ambos querellantes que volvieran a sus ocupaciones, hubieran pasado todo aquel día en escuchar las interminables quejas de la mujer. Después que hubieron salido, la reina ordenó a Filomena que diese comienzo a los cuentos. Esta, gustosa, comenzó así:

EL MAL NARRADOR

*Cierto caballero invita a una dama a subir a su
cabalgadura, con el pretexto de contarle una bellísima
historia pero como la cuenta tan mal y se equivoca
con frecuencia, la dama le ruega que le deje seguir
el camino a pie*

Amigas mías, así como en las noches serenas las estrellas son el
ornato del cielo y en la primavera las flores lo son de los verdes
prados y los poblados rústicos lo son de los collados, de la misma
manera las costumbres laudables y las elocuentes frases son el ador-
no de los pensamientos discretos. Y puesto que semejantes frases
suelen ser breves, más convienen por su brevedad a las mujeres que
a los hombres, porque en aquéllas desdice más que en éstos el
excesivo hablar. Verdad es que, sea cual fuere la causa, pocas mujeres saben hoy usar debida y discretamente el arma sutil de la
ironía, y ello es lamentable. Pero ya que Pampinea ha hablado bastante acerca de esto, no pretendo añadir más. Sin embargo, me
place mostraros de qué cortés manera una gentil dama impuso silencio a un caballero.

Tal vez todas vosotras hayáis conocido de vista, o por su fama, a
una ilustrada dama que no ha mucho tiempo vivía en nuestra ciudad
y cuyos méritos bien merece que no ocultemos su nombre. Llamábase Lauretta y era la esposa de micer Rogerio Spina.

Sucedió un día que, hallándose casualmente en el campo, como
nosotras ahora, paseando con varios amigos y amigas a quienes había
invitado a comer en su casa, siendo distante el lugar donde se pro-
ponían ir a pie, uno de los caballeros que formaban parte del grupo
y montaba un magnífico corcel, le dijo:

—Cuando queráis, señora Lauretta, me sentiré muy honrado si
aceptáis que os lleve en mi caballo todo este largo camino, y celebra-

ré, al mismo tiempo, poderos divertir contándoos una lindísima historieta.

Lauretta contestó:

—Acepto agradecida, caballero; me daréis una gran satisfacción.

El jinete, a quien tal vez no le sentaba tan bien la espada al cinto como el contar historias a la ligera, empezó una que, en realidad, era muy bella; pero al contarla no hacía más que equivocarse; repetía una misma palabra, luego, a cada momento, volvía a comenzar, diciendo: «no lo conté bien»; confundía los nombres y las peculiaridades de cada personaje, y todo ello, además, relatado con pésima pronunciación.

Mientras le escuchaba, aunque comprendía que la historia era interesante, Lauretta sudó y trasudó mil veces, lementando que la estropeara de aquella forma. Y cuando ya no pudo aguantar más, notando que el caballero se había metido en un atolladero del que no podía salir, le dijo con tono afable:

—Vuestro caballo, señor, tiene demasiado duro el trote; os ruego, pues, me permitáis seguir caminando.

El caballero, que por suerte era mejor entendedor que narrador, encajando la indirecta, la tomó a broma. Después echó mano a otra historia, dejando sin terminar la que no supo referir.

LA RESPUESTA DEL PANADERO

*Con sólo dos palabras, el panadero Bienvenido hace
que micer Rogerio Spina se retraiga de una petición
desacertada*

Muy elogiada fue la discreción de la señora Lauretta, y como la
reina ordenase a Pampinea que contara otra historia, ésta dijo:

—No acierto a comprender, hermosas damas, cuál será mayor
desgracia: si tener hermosa alma en feo cuerpo, o un cuerpo,
dotado de noble ánimo, que haya de dedicarse a ingrato oficio,
siendo capaz de otro más elevado. Tal sucedía a nuestro conciudadano Bienvenido, al cual, aun poseyendo mucho ingenio, la
fortuna le hizo panadero.

En verdad que no maldeciríamos a un mismo tiempo a la Naturaleza y a la fortuna, si no supiéramos que la primera es muy discreta,
y que la segunda tiene mil ojos, a pesar de que los tontos la repre-
senten ciega. Yo entiendo que, siendo ambas muy listas, hacen lo que
nosotros, seres mortales, cuando inseguros de lo que ha ocurrido,
escondemos nuestros más valiosos objetos en los rincones más oscu-
ros de la casa, para que nadie los encuentre, y los sacamos en el
momento que nos son necesarios, habiendo quedado mejor guarda-
dos que en las más suntuosas habitaciones. De este mismo modo, las
dos manejadoras del mundo esconden sus más deslumbrantes tesoros
bajo la sombra de las artes tenidas por más humildes, a fin de que,
cuando llega el caso de sacarlos a la luz, aparezca más claro su
esplendor. La verdad de lo que os digo la demostró con dos palabras
el panadero Bienvenido, porque con una breve respuesta hizo abrir
los ojos de la inteligencia a micer Rogerio Spina. Ha traído a mi
memoria este ocurrente caso la historia que acabamos de oír acerca

de la señora Lauretta, esposa de Rogerio, y por eso me place contároslo.

En cierta ocasión el papa Bonifacio —cerca del cual micer Rogerio Spina gozaba de gran valimiento— tuvo que enviar a Florencia a algunos de sus nobles embajadores para atender a unos asuntos de mucha importancia. Se alojaron éstos en casa de micer Rogerio, que les acompañaba a todas partes. Todas las mañanas, cuando se dirigían a la iglesia de Nuestra Señora de los Ughi, pasaban por delante del horno de Bienvenido, donde el buen hombre ejercía personalmente su industria. Aunque la fortuna le había dado profesión humilde, tan propicio le fue en ella que hizo de él un hombre riquísimo, a pesar de lo cual nunca quiso abandonar su oficio ni cambiarlo por otro cualquiera, y lo ejercía orgulloso, al mismo tiempo que vivía espléndidamente, regalándose en su mesa y teniendo en su bodega los mejores tintos y claretes que había por entonces en Toscana.

Viendo pasar todas las mañanas, a la misma hora, a micer Rogerio y a los embajadores del Papa, pensó que, puesto que hacía un calor del diablo, sería muy honroso para él invitarles a un sorbo de su excelente vino blanco. Pero teniendo en cuenta su condición plebeya, tan diversa de la de micer Rogerio, no le parecía bien tomar la iniciativa y creyó oportuno esperar a que micer Rogerio lo hiciera por sí mismo.

Así, pues, a la hora en que poco más o menos suponía iban a pasar los cuatro nobles caballeros, Bienvenido se colocaba a la puerta de su negocio, llevando un delantal blanco como la nieve —que le daba más aspecto de molinero que de panadero—, se hacía traer un gran botijo de agua fresca, una pequeña vasija de barro de Bolonia llena de su delicioso vino blanco y dos vasos tan relucientes que parecían de plata. Allí se sentaba junto a la mesa, y cuando los embajadores pasaban, después de haber tosido dos o tres veces para llamarles la atención, poníase a saborear de tal manera aquel sabroso vino, que hasta los mismos muertos hubiesen sentido deseos de probarlo.

Micer Rogerio reparó dos veces en aquella escena, y a la tercera preguntó:

—¿Qué tal, Bienvenido? ¿Está bueno el vino?

Bienvenido se puso en pie con presteza, y respondió:

—Sí, señor, pero no os podré demostrar su bondad a menos que lo probéis.

Micer Spina, quizá debido al gran calor, tal vez por haber traba-

13

jado más de lo habitual, o, en fin, por ver el deleite con que el panadero saboreaba el vino, sintió una sed extraordinaria, y volviéndose a los embajadores, les dijo sonriendo:

—Señores, bueno será que probemos el vino de este buen hombre; tal vez sea tan sabroso que no nos arrepintamos de haberlo catado.

Y con ellos se acercó a Bienvenido, el cual, haciendo traer un cómodo banco de la tienda, les rogó se sentaran, y a sus criados, que ya se disponían a lavar los vasos, les dijo:

—Dejadme, hijos míos, hacer a mí este trabajo, pues lo mismo sé escanciar que encender el horno.

Esto dicho, dispuso cuatro vasos refulgentes y limpios, mandó traer otra pequeña vasija de su sabroso vino, y diligentemente lo sirvió a micer Rogerio y a sus compañeros, a quienes aquel vino les pareció el mejor que en su vida habían bebido; por lo que, tras elogiarlo mucho, los embajadores prometieron volver cada mañana a saborearlo mientras estuvieran en Florencia. Micer Rogerio les acompañó siempre con mucha exactitud.

Cuando los enviados del Papa terminaron su tarea, micer Rogerio les ofreció un magnífico banquete, al que fueron invitados los más ilustres ciudadanos y también Bienvenido, quien de ninguna manera quiso ir. Mandó, pues, micer Rogerio a uno de sus criados que fuese por una botella del vino de Bienvenido, y que, antes de empezar la comida, sirvieran medio vaso a cada invitado.

El criado, disgustado, quizá, porque nunca había podido beber de aquel famoso vino, se proveyó de un garrafón enorme, y fue a la tienda del panadero con intención de que se lo llenara.

Al ver el garrafón, Bienvenido le dijo:

—Hijo mío, te has equivocado; micer Rogerio no te envía a mi casa.

El criado respondió que sí le enviaba, pero como el panadero no le diera otra contestación, fue a contárselo a su amo, y éste dijo:

—Vuelve allá y dile que te envío yo; si vuelve a responderte como antes, pregúntale a casa de quién te envía.

Volvió el criado a la panadería y se presentó a Bienvenido.

—No te quepa duda, Bienvenido —le dijo—; micer Spina es a ti a quien me envía.

—Por cierto que no —respondió el panadero, con astucia.

Preguntó entonces el criado:

—¿A quién, pues, me envía?

Y Bienvenido repuso:

—Al Arno.

Transmitida por el criado esta respuesta a micer Rogerio, inmediatamente se le abrieron los ojos de la inteligencia, y dijo al criado:

—Déjame ver qué botellas le llevas.

Y cuando la hubo visto, añadió:

—Bienvenido tiene razón.

Y después de haber reprendido severamente al criado, le hizo llevar una botella de tamaño razonable.

Al verla, Bienvenido dijo al criado:

—Ahora sí estoy convencido de que es a mí a quien te envía.

Y se la llenó de buen grado.

Y aquel mismo día, después del convite, hizo llenar una barrica de vino y la mandó a casa de micer Rogerio, a donde se dirigió momentos después. Cuando estuvo en su presencia, le dijo:

—No quisiera que imaginarais, señor que el garrafón de esta mañana me haya asustado; pero como creí que os habíais olvidado de lo que estos días os di a entender al serviros el vino en pequeños jarros, es decir, que este vino no es para que lo beba cualquiera en grandes cantidades, os lo quise recordar. Ahora bien, para que veáis que en adelante es vuestro, os lo traigo todo para que hagáis con él lo que mejor os parezca.

Mucho agradeció micer Rogerio Spina el regalo de Bienvenido y le retribuyó con la misma magnanimidad, considerándole siempre entre sus mejores y más discretos amigos.

MONEDA FALSA

Nonna de Pulci impone silencio con rápida respuesta
a unas bromas del obispo de Florencia

Cuando Pampinea terminó su historia y después que hubieron sido muy elogiadas la respuesta y la generosidad de Bienvenido, quiso la reina que fuese Lauretta quien hablase, la cual comenzó de esta manera:

—Antes Pampinea, y ahora Filomena, estuvieron acertadas al decir que a las mujeres nos falta cierta virtud y agudeza en las palabras; yo, queridas compañeras, no voy a insistir sobre este tema; sólo quiero recordaros que las frases agudas, en nuestros labios, han de ser de índole tal que no sean como mordeduras de perro, pues si lo fueran, las más felices ocurrencias resultarían villanías. Muy discretas fueron a este respecto las palabras de la señora Lauretta y la respuesta de Bienvenido. Si con nuestra respuesta mordemos a quien con nosotras discuta, debemos esperar áspera réplica, sin lamentarnos por ello, o incluso fingir que no la hemos entendido; por eso hay que tener en cuenta, cómo, cuándo, dónde y con quien se bromea, si queremos evitar que nos suceda lo que a cierto prelado de nuestra ciudad, quien, al no reparar en esas circuntancias, recibió un mordisco que no le anduvo en zaga al que dio él; y tal es el hecho de que quiero hablaros en esta breve historia.

Siendo obispo de Florencia el señor Antonio de Orso, ilustre y sabio prelado, vino a nuestra ciudad un caballero catalán llamado micer Diego della Rata, mariscal del rey Roberto. Como era joven, apuesto y mujeriego, acaeció que, entre las damas florentinas, gustóle una bellísima, sobrina de un hermano del obispo.

Habiendo sabido micer Diego que el marido de esa dama era muy avaro y vicioso, aunque rico y de elevada estirpe, convino con él que le daría quinientos florines de oro a cambio de que le dejara pasar una noche con su esposa. Hecho el trato, micer Diego hizo dorar *papolinos* de plata, que entonces circulaban en Toscana, cuyo valor sólo era de dos sueldos y tenían el mismo cuño que el florín. Después de pasar la noche con la señora, que, sin duda, no fue consultada antes, le dejó la suma de dinero acordada con el marido. Cuando éste descubrió el engaño, no tuvo más remedio que aguantar las burlas y los cuernos, pues, sea como fuere, la aventura corrió de boca en boca y los graciosos rieron mucho. El obispo, hombre prudente, fingió que nada sabía de lo ocurrido, y siguió recibiendo al mariscal como siempre, y teniéndole con frecuencia a su lado.

Llegado el día de San Juan, en que el obispo y el mariscal cabalgaban por la ciudad uno junto al otro, al pasar por una calle donde se corre el palio, se acercaron a un grupo de señoras que se entretenían mirando aquel espectáculo. Entre las damas vio el obispo a una mujer joven, que sin duda todas habéis conocido y a quien la peste que azota nuestra ciudad nos ha arrebatado. Se llamaba Nonna de Pulci y era prima de Alejo Rinucci, la cual, siendo entonces una joven lozana y bella, de buen decir y de gran corazón, acababa de casarse en Porta San Piero.

El obispo, que la conocía, mostrósela al mariscal, y cuando estuvieron cera de ella, el prelado puso la mano sobre los hombros de su compañero, y dijo a la dama:

—Nonna, ¿qué te parece este caballero? ¿Te verías con ánimo de vencerlo?

La señora Nonna juzgó que semejantes palabras mordían su honra y podían causar una opinión desventajosa en cuantos las habían oído; por lo que, menos atenta a remediar el daño que a devolver golpe por golpe, respondió con prontitud:

—Tal vez me venciera; pero en todo caso tendría que pagar con moneda buena.

Al oír el mariscal y el obispo esta respuesta, sintiéronse ambos igualmente heridos; el uno como autor de la fechoría cometida con la sobrina del prelado, y el otro porque toda la parentela quedaba injuriada en aquel hecho de las falsas monedas; de manera que, sin mirarse ni replicar cosa alguna, se fueron avergonzados y sin ganas de volver a bromear. Así, pues, habiendo sido mordida la joven, no vaciló en morder a su ofensor.

LAS PATAS DE LA GRULLA

Con una frase oportuna, el cocinero de Conrado
Gianfigliazzi obtiene su salvación; convierte en risa
la ira de su amo y se libra del castigo con que
éste le amenazaba

Callaba Lauretta ya, y por todos era aplaudida la respuesta de Nonna, cuando la reina ordenó a Neifile que continuara, y ésta lo hizo así:

—Aun cuando la agudeza y el ingenio proporcionan con frecuencia respuestas útiles y admirables, de acuerdo con las circunstancias, también la fortuna auxilia algunas veces a los tímidos y pone en boca de los medrosos frases que, aun teniendo reposado el ánimo, no hubieran sabido encontrar. Esto es lo que voy a demostraros con mi historia.

Supongo habéis oído decir que Conrado Gianfigliazzi, ciudadano de Florencia, fue siempre hombre liberal, noble, generoso y magnífico, aficionado a la vida caballeresca, a la caza, a los perros y a los pájaros, sin contar otras aficiones suyas más importantes.

Un día, yendo de caza con su halcón, cobró en las cercanías de Peretola una grulla, y, como la hallase gorda y tierna, la dio a su cocinero, veneciano de origen, llamado Chichibio, para que la asara y aderezara para la cena.

El cocinero, que era alegre de cascos y charlatán, después de aderezar la grulla la puso al fuego y empezó a cocerla con cuidado. Cuando estaba casi cocida y exhalaba un olorcillo muy agradable entró en la cocina una mujer de aquel lugar, llamada Brunetta, de la cual Chichibio estaba muy enamorado; al percibir el aroma del ave, entráronle ganas de probarla, de suerte que le pidió le diera una pata.

El cocinero le respondió, canturreando:

—No la alcanzarás de mí, querida Brunetta, no la alcanzarás de mí...

—Si no me la das —dijo Brunetta, un poco enfadada—, no tendrás desde ahora lo que tanto te gusta.

Pronto se pusieron a discutir, hasta que Chichibio, para no disgustar a su amada, arrancó una de las patas de la grulla y se la dio.

Aquel día Conrado tenía invitados a varios amigos, y cuando la grulla fue puesta a la mesa, asada y con sólo una pata, al notarlo mandó llamar al cocinero y le preguntó qué había hecho con la otra pata. El veneciano, embustero por naturaleza, respondió súbitamente.

—Las grullas no tienen más que una, señor.

Asombrado y enojado a la vez, Conrado replicó:

—¿De dónde diablos sacas que no tienen más qué una pata? ¿Te figuras que ésta es la primera grulla que veo?

Chichibio insistió:

—Es tal como digo, señor, y cuando os plazca os lo haré ver en las vivas.

La presencia de los invitados que con él comían hizo que Conrado no quisiera proseguir la discusión, y se limitó a añadir:

—Puesto que dices que me lo harás ver en las vivas, por más que nunca lo vi ni oí, mañana me lo probarás y me daré por satisfecho. Pero te juro por el cuerpo de Cristo que si no es así, te haré castigar de tal manera que mientras vivas te acordarás de quién soy yo.

Aquella noche no se habló más del asunto.

A la mañana siguiente, al despuntar el día, levantóse Conrado —a quien el sueño no había disipado aún el enojo— y mandó que ensillaran los caballos. Chichibio montó en un mulo y detrás de su amo se dirigió a un riachuelo a cuya orilla solían verse grullas al amanecer. Mientras caminaba, Conrado decía a su cocinero:

—Pronto veremos quién de los dos tenía razón.

El cocinero comprendió que la cólera de su amo duraba aún y que le convenía probar su mentira, pero no sabía cómo hacerlo. Cabalgaba junto a Conrado, presa de indecible miedo; de buena gana hubiera huido, a serle posible; pero como no podía ser, miraba hacia adelante, hacia atrás y hacia los lados, y cuanto veía se le antojaban grullas sosteniéndose en sus dos patas.

Llegados a las cercanías del riachuelo, Chichibio vio, antes que su amo, más de una docena de grullas, todas sobre una pata, como suelen estar cuando duermen. Apresuróse a mostrárselas a Conrado, diciéndole:

—Señor, ahora podéis comprobar que anoche os dije la verdad al asegurar que las grullas tienen sólo una pata. Miradlas ahí.

Al verlas, Conrado contestó:

—Espera, que voy a probarte que tienen dos.

Y acercándose algo a ellas, gritó:

—¡Eh, eh!

A este grito, las grullas, bajando la otra pata, después de dar unos pasos, echaron a volar todas a un tiempo. Volviéndose entonces Conrado al cocinero, le dijo:

—¿Qué te parece, glotón? ¿Tienen una o dos patas?

Espantado Chichibío, no sabía dónde esconderse, pero se rehízo algo y replicó:

—Sí, señor, pero a la de anoche no le gritasteis «¡Eh, eh!»; que, si lo hubieseis hecho, también habría sacado la otra pata, como han hecho éstas.

Tanto gustó a Conrado la ocurrente respuesta del cocinero, que toda su ira se convirtió en risa.

—Tienes razón, Chichibío —le dijo—, esto es lo que debí hacer.

De esta manera, con una pronta y satisfactoria réplica, el cocinero desvió la mala suerte e hizo las paces con su amo.

GIOTTO Y EL JURISCONSULTO

Micer Forese da Rabatta, jurisconsulto, y el maestro
Giotto, pintor, mientras vuelven de Mugello, se burlan el uno
del otro de su respectiva fealdad

Cuando Neifile terminó su historia y todos los reunidos hubieron celebrado con risas la respuesta de Chichibio, la reina ordenó a Pánfilo contara la suya; y él dijo lo siguiente:

—Con frecuencia ocurre, queridísimas damas, que así como algunas veces la fortuna oculta grandes tesoros de virtud en personas que ejercen humildes oficios —como Pampinea nos acaba de demostrar con la historia del cocinero veneciano—, también se observa, en no pocas ocasiones, que la Naturaleza coloca valiosos ingenios bajo la fea apariencia de algunos hombres. Esta verdad resalta en dos conciudadanos nuestros, de quienes brevemente voy a hablaros.

Uno de ellos, que se llamó micer Forese da Rabatta, era pequeño de estatura y contrahecho, de rostro aplastado y chato, superando su fealdad a la del más feo de los Baronci. No obstante su fealdad, fue tan gran jurisconsulto, que los más notables hombres de su tiempo le consideraron como un código viviente de Derecho civil.

El otro, que se llamó Giotto, poseyó tan excelso ingenio, que nada había de la Naturaleza, madre y autora de todas las cosas, que él, con los pinceles o el punzón, no reprodujera con sorprendente parecido; a tal punto llegó su arte, que muchas veces sus obras ilusionaban tanto al espectador, que tomaban por verdadero lo que sólo era pintado. El fue quien resucitó aquel arte que había estado sepultado durante muchos siglos bajo el error de algunos, que más atendían a deleitar la vista de los ignorantes que a complacer el entendimiento de los sabios; y gracias a este mérito le consideramos como una de las lumbreras de la escuela florentina. Y tanto más excelso fue este hombre cuanto con la mayor humildad siempre rechazó el título de maestro que sus conciudadanos le daban, cuando más codiciosamente y con más vivo afán otros inferiores a él lo usurpan con tanta ligereza. Pero, aun cuando en el arte era un gran hombre, en figura y en semblante no le iba en zaga a micer Forese...

Pero pasemos a mi cuento.

Micer Forese y Giotto tenían sus respectivas posesiones en un pueblecito cercano a Florencia, llamado Mugello, y después de haber pasado el primero unos días en la suya aprovechando la época de verano en que los tribunales están de vacaciones, cuando regresaba a Florencia, en un mal rocín, encontróse con el pintor, que también había ido a visitar sus tierras y seguía el mismo camino. No iba éste mejor montado ni vestido que el otro, ni llevaba mejores jaeces su montura, y juntos siguieron a paso lento, como hombres ya avanzados en edad, el resto del viaje.

Andando de esta suerte sorprendióles uno de esos repentinos aguaceros que suelen presentarse en verano, pero que pronto se disipan; y para librarse de la lluvia se refugiaron en la casa de un labriego amigo de entrambos.

Un rato después, como el chaparrón no diera muestras de amainar, y ellos se mostraran impacientes por llegar a Florencia antes de la noche, el labriego les prestó dos viejos capotes de paño pardo y dos sombreros, descoloridos de puro viejos, con que cubrirse, pues no tenía otros mejores; y continuaron su camino.

Después de cabalgar silenciosos un buen trecho, empapados en agua y sucios de barro hasta los ojos, el tiempo comenzó a clarear, devolviendo así la serenidad y la alegría a los dos viajeros, que volvieron a charlar de diversas cosas.

Micer Forese cabalgaba en silencio la mayor parte del tiempo, escuchando al pintor, cuya conversación era sumamente agradable, y contemplándolo de lado y de los pies a cabeza, como lo encontrara tan feo y deforme, sin acordarse de que él no era menos horrible que su compañero, no pudo contener la risa y le dijo:

—Dime, Giotto, si nos saliera al encuentro algún forastero que nunca te hubiese visto, ¿se imaginaría que tú eres el mejor pintor del mundo?

A lo que Giotto replicó, sin titubear:

—Creo, señor, que lo imaginaría, si al mismo tiempo mirándoos a vos adivinara que sabéis el A B C.

Al oír esto, micer Forese reconoció su error, y se vio pagado con la moneda correspondiente al género que había vendido.

LOS BOCETOS DE DIOS

*Miguel Scalza prueba a unos jóvenes que los Baronci
son los hombres más nobles del mundo y de las orillas
del mar, con lo que gana una apuesta*

Todavía reían las damas la propia respuesta de Giotto, cuando la
reina mandó continuar a Fiammetta, la cual comenzó en estos términos:

—Jóvenes compañeras, el haber traído Pánfilo a nuestra memoria
a los Baronci, a quienes tal vez no conozcáis tanto como él, me ha
hecho recordar cierto suceso en el que, sin desviarnos de nuestro
propósito, se demuestra cuánta fue la nobleza de aquella familia. Por
eso me place referíroslo.

Poco tiempo ha vivía en nuestra ciudad un joven, llamado Miguel
Scalza, que era el hombre más agradable y jovial del mundo y
siempre tenía a mano historias nuevas, lo cual hacía que sus compañeros le quisieran mucho y se alegrasen siempre que podían contar
con su compañía.

Un día que se encontraba con varios amigos en Monte Ughi,
suscitóse entre ellos una amena discusión acerca de la antigüedad y
nobleza de las familias de Florencia. Unos decían que los más nobles
y antiguos caballeros eran los Uberti, otros daban la prerrogativa a
los Lamberti, y así, según sus ideas e intereses, cada uno emitía su
opinión.

Oyéndoles Scalza, comenzó a sonreír y por fin intervino, diciéndoles:

—Callad, ignorantes, que no sabéis lo que habláis. Los más
nobles y antiguos, no sólo de Florencia sino de todo el orbe y de la
maresma, son los Baronci. En esto están acordes todos los filósofos

23

y cuantos los conocen como yo. Y lo que de otros no hayáis oído decir, lo digo yo de los Baronci, precisamente de los Baronci vecinos nuestros, que habitan junto a Nuestra Señora la Mayor.

Cuando los jóvenes, que esperaban otra cosa, oyeron tales palabras, se burlaron de él y le dijeron:

—¿Quieres tomarnos el pelo? ¡Cómo si no conociéramos a los Baronci tan bien como tú!

—¡No me chanceo! —replicó Scalza—. Digo la verdad; y si alguno de vosotros quiere apostar una cena con que obsequiar al que venza y a otros seis compañeros que él escoja, aceptaré gustoso la apuesta. Aún haré más: me conformaré con la sentencia del que vosotros queráis.

Uno de los amigos, un tal Neri Mannini, dijo:

—Dispuesto estoy a ganar esa cena.

Y habiendo convenido uno y otro que tendrían por juez a Piero de Fiorentino, en cuya granja se encontraban, fueron todos en tropel a verle, dispuestos a vencer a Scalza y burlarse de él después.

Piero, que era un joven muy discreto, luego que hubo oído hablar a Neri, volvióse a Scalza, y le preguntó:

—Y tú, ¿cómo podrás demostrar lo que aseguras?

Scalza respondió:

—¿Lo dudas? Lo demostraré con tales razones que no sólo tú, sino éste que lo niega y los demás, convendréis en que digo la verdad. Todos sabéis que cuanto más antiguos son los hombres, tanto mayor es su nobleza; esto mismo afirmabais en vuestra discusión. Pues bien, siendo los Baronci los más antiguos de todos los hombres, y por lo tanto los más nobles, indudablemente pienso ganar la apuesta. Vosotros debéis saber que los Baronci fueron hechos por Dios cuando aprendía a pintar; mientras que los demás hombres fueron creados cuando era ya maestro en el arte del dibujo. Para convenceros de que digo la verdad, fijad vuestra atención en los Baronci y en los demás hombres. Mientras estos últimos tienen la cara bien compuesta y debidamente proporcionada, a los Baronci podéis verles a uno con la cara muy larga y estrecha, a otro desmesuradamente ancha, a éste con mucha nariz, a aquél sin nariz, alguno de ellos ostenta una barba larga y vuelta hacia arriba, a aquel otro con unas quijadas que parecen las de un asno; y hay quien tiene un ojo más grande que el otro, y quien los tiene a distinto nivel; en una palabra, los rostros de los Baronci son como los que hacen los niños cuando aprenden a dibujar. Por lo tanto, como he dicho, perfectamente se ve que el Señor no era un gran pintor cuando los hizo, con lo que es evidente que son más antiguos que los demás y, de consiguiente, más nobles.

Piero, que era el juez, Neri, que había apostado la cena, todos los otros del grupo, al recordar que las caras de los Baronci eran como Scalza las acababa de retratar, echáronse a reír y le dieron la razón, afirmando que había ganado la apuesta. Quedó, pues, bien sentado que los Baronci eran no sólo los hombres más antiguos y nobles de Florencia, sino del mundo entero y de cuanto baña el mar.

Por eso habló bien Pánfilo al ponderar la fealdad del rostro de micer Forese, diciendo que hubiera parecido feo incluso a un Baronci.

LA VIRTUD DE HABLAR A TIEMPO

*Felipa, sorprendida con un amante por su marido, es
llevada ante el juez; pero se libra del castigo
gracias a una pronta y agradable respuesta, e induce
a modificar la ley*

Callaba ya Fiammetta, y de buena gana reían todos todavía el
nuevo argumento de Scalza para ennoblecer a los Baronci, cuando la
reina invitó a Filostrato a hablar, y éste dijo:

—Hermosa virtud es, amables damas, saber hablar con tino en
toda ocasión, pero considero virtud hermosísima saber hacerlo cuando la necesidad lo exige. De esto nos dio ejemplo cierta dama, de
quien os quiero hablar, porque no sólo provocó la algazara y la risa
en sus oyentes, sino que, además, se libró de una muerte deshonrosa,
según vais a oír.

Existía en otro tiempo en el país de Prato una ley por la cual, sin
hacer distinción alguna, se condenaba a las llamas a la mujer sorprendida por su marido en flagrante adulterio, lo mismo que a la que
por dinero se entregaba a cualquier hombre.

Mientras regía esta ley, acaeció que una dama llamada Felipa,
hermosa y locamente enamorada, fue encontrada cierta noche en su
propia habitación por Rinaldo de Puglieri, su marido, en compañía
de Lazarino de Guazzagliotri, noble y bellísimo joven de aquel país,
a quien ella idolatraba.

Cuando Rinaldo los descubrió, costóle gran trabajo contener la
ira que le inducía a quitar la vida a entrambos, lo que hubiera hecho
de no haber temido las consecuencias de su crimen. Con un gran
esfuerzo logró dominarse y decidió apelar a la ley del país, que le
concedía lo que a él no le era lícito hacer, esto es, la muerte de su
esposa. Como tenía pruebas suficientes para demostrar la falta co-

metida, al día siguiente, sin más tardanza, acusó a Felipa ante el tribunal.

La mujer, que era animosa y valiente, según suelen ser las que están enamoradas de veras, a pesar de que muchos parientes y amigos se lo desaconsejaban, prefirió presentarse ante el juez y confesar toda la verdad, antes que vivir vergonzosamente en el destierro, dando a entender, con su huida, que era indigna del amante que la suerte le había deparado. De manera que, acompañada de gran número de damas y caballeros —que seguían animándola a negar los hechos— fuese ante el Podestá y le preguntó qué deseaba de ella.

El Podestá, al verla tan joven, bella y decidida, y juzgando por sus finos modales que su grandeza de alma corría parejas con sus gracias y hermosura, se compadeció de ella y temió que confesara, actitud ésta que le obligaría a condenarla, si quería conservar su dignidad de magistrado. Sin embargo, como no podía evitar el interrogatorio, le dijo:

—Como veis, señora, vuestro marido, aquí presente, se querella contra vos y os acusa de haberos sorprendido en flagrante adulterio; por esta razón me exige que, en cumplimiento de lo que dispone la ley del país, os castigue por esa falta condenándoos a muerte, lo que no puedo hacer mientras vos no confeséis el delito; por consiguiente, fijaos bien en lo que vais a contestar, y decid si es cierto lo que alega contra vos vuestro esposo.

La dama, sin alterarse lo más mínimo, contestó con voz afable:

—Es cierto, señor, que Rinaldo es mi marido y que me ha encontrado en brazos de Lazarino; también lo es que, por el gran amor que este hombre me profesa y al que yo correspondo, he estado otras veces en su compañía. Esto jamás lo negaré. Pero estoy segura de que sabéis que las leyes han de ser iguales para todos y hechas con el consentimiento de todos aquellos a quienes alcanzan, lo que no sucede con ésta, puesto que se refiere a nosotras, las mujeres, que, como es bien sabido, nos bastamos para satisfacer a varios hombres. Además, cuando se hizo esta ley, no hubo mujer alguna que diera su consentimiento, pues ni siquiera se nos consultó, por lo cual bien se la puede considerar pérfida. Si vos, en perjuicio de mi cuerpo y de vuestra alma, queréis ser ejecutor de ella, en vuestra mano está; pero antes de que procedáis a emitir un juicio, os ruego me concedáis una gracia, y es que le preguntéis a mi marido si cada vez que satisfacía sus deseos, sin negarme nunca a ello, me he entregado a él gustosamente o no.

Rinaldo, sin esperar a que el Podestá le hiciera la pregunta, contestó ser cierto que su esposa le había satisfecho plenamente siempre que él se lo había pedido.

—Entonces —prosiguió la dama, dirigiéndose al Podestá—, yo os pregunto, señor: si ha recibido de mí siempre lo que ha necesitado y ha querido ¿qué debía yo hacer de lo que me sobra? ¿Había de echarlo a los perros? ¿No era mucho mejor dárselo a un gentilhombre que me ama con toda su alma, antes que dejarlo perder o estropear?

Casi todos los habitantes de Prato habían acudido a aquel juicio, y al oír tan singular respuesta todos a una gritaron que la dama estaba en lo cierto. Y antes de salir del tribunal, a invitación del Podestá, modificaron aquella arbitraria ley en el sentido de que sólo debía aplicarse a aquellas mujeres que por lucro engañaran a sus maridos.

Disgustado Rinaldo por haber salido mal de su loca empresa, se retiró de allí enfurecido, y la dama, liberada de la hoguera, regresó a su casa triunfante.

EL ESPEJO INUTIL

*Fresco da Colatico aconseja a su sobrina que no se
mire al espejo, si, como ella dice, le fastidia ver
personas antipáticas*

El cuento de Filostrato encogió primero el corazón de las damas
que lo escuchaban ruborosas; pero después, cambiando significativas
miradas, siguieron escuchándolo sin poder dominar la risa. Cuando
llegó a su fin, la reina, volviéndose a Emilia, le dijo que era su turno,
y, como si se levantara de dormir en aquel instante, suspiró, y dijo:

—Queridísimas damas, os confieso que mi pensamiento estaba
lejos de aquí desde hace un rato, pero para obedecer a nuestra reina,
aunque sea con un breve cuento, os diré cómo una vanidosa joven
fue corregida por un tío suyo con una frase delicada y cómo no fue
capaz de comprender la sabia lección.

Cierto hombre llamado Fresco da Colatico tenía una sobrina a la
que, por melindrosa, todos llamaban cariñosamente Ciesca, la cual,
aunque era bonita —si bien su rostro no era de esos angelicales que
con frecuencia vemos—, se tenía por tan noble y hermosa, que había
tomado la costumbre de desdeñar a los hombres y a las mujeres, y
todo cuanto veía, sin considerar que si ella se hubiese mirado bien,
no andaba manca de defectos; era sobre todo inquieta, impertinente,
colérica y antipática; nada de cuanto se hacía a su alrededor estaba
bien y de todo se burlaba; eran tan soberbia y altiva como si hubiera
pertenecido a la familia del rey de Francia. Cuando andaba por la
calle, mostraba para todo tanto desdén, que constantemente volvía
la cara, como si cuanto veía o le saliese al paso oliera mal.

Sin aludir a otros defectos censurables y desagradables de esta
joven, que eran bastantes, debo deciros que cierto día regresó a su

casa y fue a sentarse junto a su tío, soplando y bufando como siempre, de tal manera que molestaba a quien estuviera cerca de ella.

—¿Cómo es, Ciesca, que siendo fiesta hoy hayas vuelto tan pronto? —le preguntó Fresco.

Ella, deshaciéndose en melindres, contestó:

—Sí, he vuelto pronto, y es porque no creo haber visto nunca reunida tante gente desagrable y horrible como la que hoy se ve por la calle. No puedes imaginarte cómo me aburre y molesta ver tantos hombres y mujeres antipáticos. Por eso he venido pronto a casa.

El tío, que estaba harto de las afectaciones de su sobrina, replicó:

—Hija mía, si además de esas personas horribles que dices te molestan las antipáticas, si quieres vivir feliz te daré un consejo: no te mires nunca al espejo.

Ciesca, cuya cabeza era hueca como una caña y se creía más sabia que Salomón, lo mismo entendió aquella frase como si se la hubiera dicho en griego. Lo único que contestó, fue que ella quería mirarse al espejo como las demás.

De esta manera siguió, y sigue, tan estúpida como antes.

RESPUESTA DE GUIDO CAVALCANTI

*Guido Cavalcanti vitupera, con discretas palabras,
a varios caballeros florentinos que le habían
provocado*

Al terminar Emilia su historia, la reina se dio cuenta de que sólo quedaban por relatar el cuento de Dioneo y el suyo; y para respetar el privilegio del joven, empezó a hablar así:

—Aunque hoy, queridas amigas, me habéis quitado de los labios dos de los cuentos que tenía preparados, aún me queda otro que contaros, en cuya conclusión hay una respuesta tan ingeniosa que quizá no hayáis oído otra igual.

Existían en otros tiempos en nuestra ciudad varias curiosas y loables costumbres que hoy, debido a la avaricia que entre nosotros crece con el aumento de riquezas, han desaparecido por completo. Entre esas costumbres desaparecidas, había una que consistía en que, en diferentes puntos de Florencia, se reunían los hidalgos de cada barrio formando grupos de un número determinado, procurando que quienes de ellos formaban parte pudieran gastar desahogadamente, y hoy uno, mañana otro, organizaban fiestas y banquetes, con lo que cada día encontraban motivos de jolgorio. En estos convites obsequiaban a veces a algún forastero ilustre, o a notables conciudadanos suyos. Vestíanse todos, a lo menos una vez al año, con el mismo uniforme; en los días más notables cabalgaban por la ciudad; otras veces organizaban justas, especialmente en las principales festividades, o cuando llegaba la agradable nueva de alguna victoria, u otra agradable noticia.

Entre esos diferentes grupos estaba el de micer Belto Brunelleschi, al que, tanto éste como sus compañeros, había hecho todo lo posible por atraer a micer Guido Cavalcanti. Y no sin razón, porque, además de ser uno de los mejores talentos y excelente filósofo —circunstancias que no preocupaban gran cosa al grupo de amigos— era hombre afable, educado, simpático y decidor, capaz de hacer como ningún otro cuanto conviene a un caballero; por otra parte, era riquísimo y sabía obsequiar cumplidamente a quien lo merecía.

Pero micer Belto nunca había podido lograr atraerlo a su grupo; él y sus compañeros llegaron a pensar que era porque Guido, abstraído en sus estudios, se retraía del trato social. Y a causa de que participaba algo de la opinión de los epicúreos, decíase entre el vulgo que en sus estudios trataba sólo de llegar a convencerse de que Dios no existe.

Cierto día en que Guido había salido de Porta San Michele, pasó por el Corso de los Admari y llegó hasta San Juan, camino que hacía con frecuencia, alrededor de cuyo templo estaban las grandes tumbas de mármol que hoy se ven en Santa Reparada. Se detuvo ante algunos mausoleos y, mientras meditaba entre los pórticos, llegaron a caballo micer Belto y sus compañeros. Como le divisaran entre aquellas sepulturas, dijeron algunos:

—Vamos a divertirnos a su costa.

Y espoleando los caballos como para un asalto en broma, antes de que el filósofo tuviese tiempo de verles, estuvieron a su lado y le dijeron:

—Tú, Guido, te niegas a ser de nuestro grupo; pero, dinos: ¿crees, acaso, encontrar que Dios no existe? Y si averiguas que no hay Dios ¿de qué te serviría?

Viéndose cercado por aquella turba, Guido se apresuró a contestarles:

—Señores, estáis en vuestra casa y podéis decirme lo que os plazca.

Y apoyándose en una de aquellas sepulturas, dio un ligero salto y se marchó por la parte contraria, dejándoles asombrados.

Los jinetes se miraron unos a otros, y comenzaron a decirse que Guido estaba poco menos que loco, porque su respuesta no tenía sentido, y el sitio donde estaban lo mismo pertenecía a ellos que a él y a los demás ciudadanos; hasta que micer Belto, volviéndose a sus compañeros, les dijo:

—Vosotros sois los que no tenéis sentido, amigos míos, porque no le habéis comprendido. Con buenas y pocas palabras nos ha dirigido la mayor ofensa del mundo; pues, si os fijáis bien, estas tumbas son la casa de los muertos, puesto que en ellas se les coloca y se les deja; y al decir que estamos en nuestra casa, ha querido dar a entender que nosotros y todos los demás ignorantes de la ciudad, comparados con él y con los demás filósofos, somos como los muertos. Por esto, con esa intención, ha dicho que se encontraba en nuestra propia casa.

Todos comprendieron entonces el sentido de las palabras de Guido; avergonzados, nunca más bromearon con él, y en lo sucesivo consideraron a micer Belto como sutil y sesudo caballero.

LA PLUMA DEL ARCANGEL

*Fray Cebolla promete a unos campesinos mostrarles
una pluma del arcángel Gabriel, y como en lugar de
ésta encuentra unos carbones, les dice que son de los
que sirvieron para asar a San Lorenzo*

Habiendo contado todos su historia, ya no quedaba por hablar
más que Dioneo, y sin aguardar la orden solemne de la reina, cuando
cesaron los comentarios acerca de la agudeza de Guido Cavalcanti,
dijo:

—Aunque tengo, bellas señoras, el privilegio de poder hablar de
lo que mejor me acomode, no quiero apartarme del tema sobre el
cual tan acertadamente habéis hablado; antes al contrario, siguiendo
vuestros pasos, deseo mostraros la cautela, con que uno de los frailes
de San Antonio evitó con súbita observación la burla que dos jóvenes
le habían preparado. No os impacientéis si me detengo en algunos
detalles y me extiendo un poco, pues, como veis, el sol todavía está
alto y el tiempo no me faltará.

Según habréis oído decir, Certaldo es un lugar del Val de Ebra,
situado en nuestra campiña, que, aunque pequeño, en otro tiempo
fue habitado por gran número de caballeros y gente acomodada.

Uno de los frailes de la Orden de San Antonio solía visitarlo todos
los años, para recoger los excelentes pastos que en el pueblecillo
encontraba, al mismo tiempo que las limosnas de aquellas gentes
sencillas. Llamábase el religioso fray Cebolla, y era bien visto por
allí, sea por devoción o por su propio nombre, pues esa comarca
produce las mejores cebollas de toda Toscana. Era un hombre de
baja estatura, rostro afable, cabello rubio, y el más jovial camarada
del mundo; además, aunque en el fondo no tuviera conocimiento de

34

las leyes divinas y humanas, hablaba tan bien y con tal facilidad, que quien no le hubiese conocido lo habría tomado por un gran orador, tal vez por el mismo Cicerón o por Quintiliano. Sin contar con que era amigo y compadre de casi todos los habitantes de la comarca, que le apreciaban mucho.

Como tenía por costumbre, la mañana de un domingo de agosto en que los buenos feligreses habían acudido a oír misa a la iglesia, subió al púlpito y habló en los siguientes términos:

—Ya sabéis, damas y caballeros, que todos los años tenéis la costumbre de enviar a los pobres religiosos del noble señor San Antonio parte de vuestro grano y de vuestro trigo, quien poco, quien mucho, según sus posibilidades y su devoción, a fin de que el santo guarde vuestros bueyes, vuestros asnos, cerdos y rebaños. Además, soléis pagar, especialmente los que pertenecen a nuestra cofradía, el pequeño óbolo que se os pide una vez al año. A recoger vuestras acostumbradas limosnas me envía hoy aquí mi superior, micer el abad; y a este fin, con la bendición de Dios, cuando después de la hora de nona oigáis sonar la campana, vendréis a la puerta de la iglesia, donde os haré la plática de costumbre y besaréis la cruz. Y como sé que sois muy devotos del noble señor San Antonio, os mostraré, por gracia especial, una santísima y bella reliquia que yo mismo traje de los Santos Lugares: es una de las plumas del arcángel Gabriel, que quedó en la estancia de la Virgen María cuando se presentó ante ella en Nazaret.

Dichas estas palabras, el religioso volvió al altar para seguir el rezo de la misa.

Entre los que habían oído cuanto el fraile acababa de decir al pueblo estaban dos jóvenes bromistas, conocidos en Certaldo con los nombres de Juan de la Brogoniera y Blas Pizzini. Estos, después de haberse reído un buen rato de la reliquia de Fray Cebolla, aun cuando fueran amigos y camaradas suyos, determinaron jugarle una mala pasada con aquella pluma. Y habiendo sabido que el buen fraile almorzaba aquella mañana en el castillo, en compañía de un amigo, cuando calcularon que estaba a la mesa se encaminaron a la posada donde se hospedaba fray Cebolla, y convinieron que mientras uno entretendría al criado del fraile, el otro buscaría la pluma hasta dar con ella y se la quitaría; así verían cómo se las compondría al llegar la hora de mostrársela al pueblo.

Pero antes de seguir adelante, debo daros a conocer al criado de fray Cebolla, a quien había de entretener uno de aquellos bromistas.

Su nombre era análogo a su facha. Algunos le llamaban Guccio Ballena, otros Guccio Imbrata, y los más Guccio Marrano. Tenía una cara tan grotesca, que el célebre pintor Lippo Topo nunca hizo una caricatura tan estrambótica. Fray Cebolla solía decir de él a sus amigos, para divertirles:

—Mi criado tiene nueve cualidades tales, que una sola de ellas bastara en Salomón, en Aristóteles o en Séneca para eclipsar sus virtudes, sus juicios y su moral. ¡Imaginad, pues, qué hombre es!

Una vez le preguntaron cuáles eran las nueve cualidades que le conocía, y respondió:

—Os las diré: es perezoso, sucio y embustero; negligente, desobediente y maldiciente; distraído, grosero y mal criado. —Y añadió—: Esto sin contar otros defectillos que prefiero pasar por alto. Lo más gracioso de él es que dondequiera que llegue, se empeña en casarse y poner casa, y como tiene esa gran barba negra y reluciente, se imagina ser tan guapo que en cuanto las mujeres le ven se enamoran de él sin remedio; en fin, si le dejara hacer correría detrás de todas como los perros tras las liebres. Sin embargo, debo confesar que me sirve con mucho celo, pues nadie me comunica un secreto sin que en seguida quiera enterarse de lo que han dicho, y cuando alguien me hace una pregunta, le entra tal miedo de que yo no sepa responder, que lo hace él en mi lugar, según le parece más conveniente.

A este criado había dejado fray Cebolla en la posada, con el encargo de que evitara cuidadosamente que nadie tocara su equipaje, sobre todo la alforja, donde guardaba los objetos sagrados.

Pero Guccio Imbratta o Guccio Marrano o como diablos se llamara, estaba más a gusto en la cocina que el ruiseñor en las verdes ramas, mayormente si había de por medio alguna criada; y como había visto una regordeta, baja, con la cara más fea que un Baronci y dos pechos grandes como cestos de basura, sucia, grasienta y sudada, dejando abierta la habitación de fray Cebolla y cuanto en ella tenía a su cuidado, colóse en la cocina, y a pesar de estar en pleno mes de agosto, fue a sentarse junto al fuego y entabló conversación con la mujercilla, que se llamaba Nuta. Empezó a decirle que era un caballero por procura y que tenía más de mil florines, sin contar los que había prestado para salvar ciertos créditos; se extendió luego en contarle grandes cosas, sin parar mientes en su capuchón grasiento y deshilachado, en su chupa remendada, mugrienta alrededor del cuello y en las sobaqueras, con más manchas y colorines que paño tártaro o indio, en sus zapatillas rotas, en sus calzas de diversas piezas; y le dijo, como si fuese el señor de Castiglione, que quería vestirla de galas, sacarla de aquel miserable estado, y procurarle un bienestar, y muchas otras cosas por el estilo; y como le ocurría en casi todas sus aventuras, ésta acabó en nada.

Los bromistas Juan de la Brogoniera y Blas Pizzini se alegraron al ver a Guccio Marrano ocupado en cortejar a la criada, pues eso les ahorraba la mitad del trabajo. Sin tener que salvar ningún obstáculo penetraron en la habitación de fray Cebolla, que estaba de par en par abierta, y la primera cosa que les vino a las manos fue la alforja donde estaba la pluma. Abriéronla y hallaron una cajita, envuelta en un gran trozo de tafetán, dentro de la cual encontraron una pluma como de cola de loro, que seguramente debía ser la que el fraile había prometido mostrar a los feligreses. Y realmente, en aquellos tiempos, lo podía hacer sin peligro, porque entonces no habían bajado hasta Certaldo todavía ciertos refinamientos de Egipto que después han venido en abundancia con detrimento de toda la Italia. Pero en Certaldo no se sabía nada de eso, pues sus habitantes vivían en la honesta sencillez de sus abuelos, ni habían visto loros ni recordaban tan siquiera haber oído hablar de ellos.

Luego que los jóvenes se hubieron apoderado de la pluma, no queriendo dejar vacía la caja y con el fin de dar una sorpresa a fray Cebolla, la llenaron con unos carbones que había en la chimenea de la habitación, y salieron muy alegres, pensando en lo que haría el fraile cuando al abrir la caja encontrara los carbones en lugar de la pluma.

Los sencillos hombres y mujeres que estaban en la iglesia, cuando oyeron que a la hora de nona verían la pluma del arcángel Gabriel, volvieron a sus casas y contaron lo dicho por el fraile a sus vecinos; de manera que en poco tiempo corrió la noticia por el pueblo y a la hora señalada, una gran muchedumbre esperaba para ver la reliquia.

El fraile, tras haber comido bien y dormido un rato, levantóse poco después de nona y, enterado de que una gran multitud estaba en la plaza, mandó recado a Guccio para que fuera por la alforja y le acompañara a la iglesia con la campanilla.

Trabajo le costó al torpe criado abandonar la cocina y el asedio de Nuta, pero hubo de obedecer. Y habiendo llegado jadeante, porque la mucha agua bebida le pesaba en el vientre, se situó delante de la iglesia y empezó a tocar la campana.

Cuando todo el pueblo estuvo reunido, fray Cebolla —sin antes asegurarse que todo estuviera en su sitio— comenzó el sermón, que fue muy largo, y cuando llegó el momento de mostrar la venerable pluma del arcángel, después de haber rezado con gran solemnidad el acto de contrición, hizo encender dos velas y desenvolvió cuidadosamente el tafetán, se descubrió la cabeza echándose la capucha a la espalda, sacó la cajita, dijo algunas palabras en alabanza del arcángel Gabriel, y finalmente la abrió.

Al ver el carbón en vez de la pluma, no sospechó de Guccio porque no le creía capaz de tanto, ni tuvo tiempo de maldecirle por no haber vigilado mejor, antes bien, se censuró a sí mismo por haber encomendado la custodia de sus cosas a un bestia como aquél, sabiendo como sabía que era desobediente, descuidado, perezoso, y estaba desprovisto de toda inteligencia. Sin embargo, sin que se alterase el color del rostro, alzando las manos y los ojos al cielo, exclamó con voz que fue por todos oída:

—¡Bendito sea, oh Dios, tu infinito poder!

Después, cerrando la cajita y volviéndose hacia sus oyentes, dijo:

—Hermanos míos, debéis saber que siendo yo aún muy joven fui enviado por mi superior a aquellas partes del mundo donde nace el sol, y se me dio la orden expresa de buscar, hasta encontrarlos, los privilegios del Porcellana, los cuales son mucho más útiles a otros que a nosotros mismos. Púseme, pues, en camino, partiendo de Venecia; pasé por el Borgo de los Griegos y cabalgué desde allí por el reino del Garbo y por Baldacca, hasta llegar a Parione, donde, no sin grandes trabajos, encontré el camino de Cerdeña. Pero ¿para qué necesito daros la noticia detallada de todos esos países? Pasado el estrecho de San Jorge, llegué a Truffia y a Bufia, países muy habitados. Después viajé por las tierras de la Mentira, donde encontré un sinnúmero de frailes y otros eclesiásticos que iban huyendo de las privaciones por amor de Dios, cuidándose muy poco de las cuitas de los demás, a no ser que les reportaran algún provecho, y no gastando en aquel país otra moneda que la que no tiene cuño. De allí me trasladé a la tierra de los Abruzzos, donde hombres y mujeres andan en zuecos por los montes, y revisten a los puercos con sus mismos intestinos; un poco más adelante me encontré con gentes que acarreaban el pan en los barriles y el vino en los sacos. Luego pasé a las montañas de los Bachi, donde todas las aguas corren hacia abajo. Y tanto me interné en poco tiempo, que llegué incluso a la isla Pastinaca, donde, por el hábito que llevo encima, os juro que vi volar las podaderas (1), cosa increíble para quien no lo haya visto, en lo cual no me dejará mentir Maso del Saggio, el acaudalado comerciante que encontré en aquellos lugares cascando nueces y vendiendo las cáscaras al por mayor y al menudeo. Pero, por lo que a mí toca, no encontrando en ninguna parte lo que iba buscando, y como desde las Indias para allá adelante se ha de ir en barca, volví atrás y llegué a aquelllos santos lugares donde en el verano el pan frío os cuesta cuatro dineros y el caliente os lo regalan, y allí encontré al venerable padre Nonmiblasmete Sebospiace, dignísimo patriarca de Jerusalén, el cual, por respeto al hábito que he llevado siempre del noble señor San Antonio, quiso mostrarme todas las santas reliquias que consigo tenía; y fueron tantas que, si os las quisiera contar todas, acudirían a mi mente muchos millares. Sin embargo, en vuestro obsequio os hablaré de algunas. En primer lugar me mostró el dedo del Espíritu Santo, tan fresco y sano como si acabara de ser cortado; el copete del Serafín que apareció a San Francisco; una de las uñas de los Querubines; una de las costillas del Verbumcaro-fatti-a-las-ventanas; ropas de la Santa Fe católica; unos cuantos rayos de la estrella que apareció a los tres Magos de Oriente; un frasquito con el sudor de San Miguel cuando combatió con el diablo; la mandíbula de la Muerte de San Lázaro, y otras varias. Y como yo le di generosamente las Zalamerías de Monte Morello en lengua vulgar y algunos capítulos del Caprezio (2) —que él había buscado durante mucho tiempo— me hizo partícipe de sus santas reliquias, entregándome uno de los dientes de la Santa Cruz, y, en un frasquito, un poco del sonido de las campanas del templo de Salomón, así como la pluma del arcángel Gabriel de que ya os he hablado y una de las sandalias de San Gerardo de Villa Magna, la cual regalé no hace mucho en Florencia a Gerardo de Ronsi, que la tiene en gran devoción. Diome, además, algunos de los carbones que sirvieron para asar al beatísimo mártir San Lorenzo. Todas esas cosas las traje de allí devotamente y las tengo todas. Es verdad que mi superior nunca ha consentido que se las enseñara al pueblo hasta tener la absoluta certeza de que sean las auténticas; ahora que se ha convencido de esto, por ciertos milagros y por cartas llegadas del Patriarca, me ha concedido licencia de mostrarlas. Debo añadir que, temeroso de confiarlas a otro, las llevo siempre conmigo. A fin de que no se estropeen, suelo llevar la

(1) Boccaccio usa *pennati*, que significa *podadera*, en forma equívoca, en lugar de *pennuti*, que equivale a animales con plumas, es decir, pájaros.

(2) Obra ridícula de aquellos tiempos.

pluma en una cajita, y los carbones en otra; pero tan parecidas son las dos cajas, que me acaece con frecuencia tomar una por otra, y esto es lo que me ha sucedido ahora, pues, figurándome haber sacado la cajita en que está la pluma, he sacado aquélla en que están los carbones. Pero considero que en esta equivocación no ha habido error, sino que todo ha sido voluntad de Dios, que ha puesto en mis manos la cajita de los carbones para recordarme que la fiesta de San Lorenzo se celebra dentro de dos días, y con ello, deseando la Divina Providencia encender en vosotros más y más la devoción que debéis tener por el santo mártir, me ha hecho traeros, no la pluma que yo pensaba, sino los benditos carbones que sirvieron para martirizarlo. Descubríos, queridos hijos míos, y acercaos devotamente para contemplarlos. Pero antes quiero que sepáis que todo aquel que toque estos carbones y haga con ellos la señal de la cruz, puede vivir seguro de que en todo el año no le tocará fuego que no le escueza.

Terminado este discurso, comenzó a cantar un himno a San Lorenzo, abrió la cajita y enseñó los carbones. Cuando la ingenua muchedumbre los hubo admirado con reverente admiración, todos se aproximaron atropelladamente a fray Cebolla, ofreciéndole mayores limosnas de las que solían dar, para que les tocara con los carbones benditos. Por lo cual, levantando los carbones, fray Cebolla comenzó a trazar grandes cruces sobre las camisas de los hombres y los corpiños y velos de las mujeres, afirmando que a medida que los carbones se consumían haciendo aquellas cruces, renacían en la caja, según ya había sucedido otras veces.

Y de esta suerte, habiendo llenado de cruces a todos los presentes, no sin grandísima utilidad suya, dejó burlados a los dos jóvenes que pensaban burlarse de él; los cuales, como asistieron a su sermón y vieron el giro que le había dado al asunto, creyeron morir de risa. En cuanto la gente se hubo marchado, se acercaron a fray Cebolla, le revelaron lo que habían hecho y le devolvieron la pluma, la cual al año siguiente le valió tanto, por lo menos, cuanto éste le produjeron los carbones.

CONCLUSION

Mucho gustó este cuento a todos; rieron regocijadamente las damas las peregrinaciones de fray Cebolla y las reliquias vistas y entregadas por él y después de diversos comentarios, la reina se puso en pie, y, sin dejar de reír, quitóse la guirnalda y la puso en la cabeza de Dioneo, diciendo:

—Hora es, Dioneo, que pruebes la responsabilidad de tener mujeres a tu mando; sé, pues, rey y reina de tal manera, que al fin de tu jornada todos podamos alabarte.

Dioneo tomó la corona y contestó, sonriendo:

—Bastantes veces habéis visto reyes de ajedrez que valen más que yo; y, en verdad, si me obedecéis como se debe obedecer a un rey de veras, os haré gozar de algo sin lo cual no hay fiesta completa ni alegre. Pero dejémonos de palabras: gobernaré como sepa.

Y mandando llamar al mayordomo, según ya era costumbre, le ordenó lo que debía hacer al día siguiente. Después prosiguió:

—De tan distintas maneras hasta ahora, bellas damas, hemos hablado de los sucesos humanos y de los caprichos de la fortuna, que de no haber venido aquí Licisca, dándome su discusión tema para los cuentos de mañana, mucho temo que no hubiese hallado un argumento digno de vuestra atención. Según habéis oído, Licisca ha dicho que nunca en su vida ha conocido a una sola de sus vecinas que doncella se hubiese casado; y ha añadido que bien sabe cómo ponen los cuernos las casadas a sus maridos. Dejando aparte las solteras, que sería pueril, considero que debe ser agradable hablar sobre la segunda parte, y, por tanto, quiero que mañana —aprovechando la ocasión que nos ha ofrecido Licisca— se trate de las burlas que por amor o por sustraerse al castigo les han hecho a sus maridos las mujeres, sabiéndolo ellos o ignorándolo.

A las damas les parecía que el tema era muy escabroso y rogaron a Dioneo que lo cambiara, pero él les respondió:

—Conozco como vosotras la amplitud del tema propuesto, pero no veo motivo que justifique haberlo de modificar por otro, y mayormente al pensar que los tiempos que corremos son tales que, a condición de que la gente se abstenga de obrar deshonestamente, de todo se puede hablar. Además, ¿no sabéis que a consecuencia de la actual epidemia los jueces se han visto obligados a abandonar los tribunales y las leyes así divinas como humanas, y que se nos da a todos libertad para conservar la vida? Aunque en nuestros cuentos os extralimitéis algo en cuanto a lo honesto, nada malo vendrá de ello, sino que, por el contrario, os procuraréis un poco de solaz a vosotras mismas y a quien os escuche, y nadie podrá ofenderos por ello en el porvenir. Por otra parte, esta reunión ha sido honesta desde el primer día, y nuestra buena fama no sufrirá detrimento alguno, Dios mediante, por lo que digamos en nuestras reuniones. Además, ¿quién no os conoce ya? Nadie pone en duda vuestra honestidad; ni ligereza alguna ni el espanto de la muerte deben desanimaros. Y a decir verdad, quien supiese que os abstuvisteis de hablar alguna vez de tales bromas, tal vez sospecharía que sois culpables de alguna falta y que por esto os asustáis. Sin contar que estaría bueno que me hubierais elegido rey para imponerme después vuestra voluntad, negándoos a hacer lo que yo disponga. Renunciad, pues, a estas nimiedades, más propias de ánimos mezquinos que de vosotras, y procure cada uno contar la historia que crea más bella.

Cedieron las damas a las razones de Dioneo, y éste dio licencia a todos hasta la hora de la cena.

Muy alto estaba el sol aún, porque la sesión de aquella jornada había sido corta; por consiguiente, como Dioneo había empezado una partida de ajedrez con los otros jóvenes, Elisa llamó aparte a sus compañeras y les dijo:

—Desde que estamos aquí deseo llevaros a un lugar donde, seguramente, ninguna de vosotras ha estado. Es el Valle de las Damas, y puesto que nos queda tiempo, si queréis que vayamos, no dudo que os gustará.

Sus compañeras respondieron que irían gustosas; llamaron a una de las criadas y se pusieron en camino sin descubrir sus intenciones a los jóvenes. Apenas habían caminado una milla, cuando llegaron al valle, por el cual corría un arroyuelo clarísimo, tanto más agradable y delicioso a la vista, cuanto que el calor era intenso a aquella hora.

El fondo del valle era tan redondo como si hubiese sido trazado a compás, como si en vez de ser obra de la Naturaleza lo fuera del hombre; tenía en círculo poco más o menos milla y media, y estaba rodeado de seis colinas de poca elevación, en cuyas cimas surgían otros tantos palacios semejantes a castillos. Las laderas de las colinas descendían formando graderío, como en los teatros, donde las gradas bajan sucesivamente ordenadas hasta lo más bajo. Por la parte del mediodía, las laderas estaban cultivadas de cepas, olivares, almendros, cerezos, higueras y otros árboles frutales; no había un solo palmo de terreno sin aprovechar. Las del norte estaban cubiertas de bosquecillos de encinas, fresnos y otros árboles, altísimos y umbrosos. La llanura, sin otro sendero que el seguido por las damas, estaba llena de abetos, cipreses, laureles y pinos, todos tan ordenados, que parecían plantados por el más hábil jardinero del mundo. Por entre ellos, poco o nada podía penetrar el sol, aun en las horas en que estaba alto. La hierba, menuda y tierna, y florecillas de mil variados colores esmaltaban el prado y crecían junto a los añosos troncos. Delicioso también era el arroyuelo que se precipitaba desde lo alto entre la piedra viva, y que, visto de lejos, parecía de plata; al llegar al fondo del valle formaba un pequeño lago, como los estanques que tienen en sus jardines algunos grandes señores. El lago no era tan profundo que sus aguas llegaran al pecho de un hombre, y siendo tan límpidas, a través de ellas veíase un clarísimo fondo de finísima arena, y también los innumerables pececillos que nadaban graciosamente de un lado a otro. El agua sobrante seguía por un canalillo, hasta perderse, quién sabe dónde, a la otra parte del valle.

Llegadas las jóvenes damas a aquel lugar, quedaron maravilladas por la delicia del paisaje, y como el calor era intenso y vieron ante sí el lago, decidieron bañarse. Después de encargar a la criada que permaneciera en el sendero por donde habían llegado y las avisara si se acercaba algún importuno, se desnudaron y entraron en la límpida agua, que no de otra manera ocultaba sus esbeltos cuerpos como ocultaría el cristal una rosa purpúrea. Y como a pesar de ello el agua no se enturbiara, corrieron de un lado a otro, cogiendo peces; cuando tuvieron pesca abundante, salieron del lago, se vistieron, y, pareciéndoles llegada la hora del regreso, emprendieron el camino de la casa, despacio, sin cesar de elogiar la belleza de aquel paraje.

Llegaron a buena hora al palacio, observando que los tres jóvenes seguían jugando en el mismo sitio en que les dejaran al partir.

Pampínea les dijo, sonriendo:

—Hoy sí que os hemos engañado.

—¡Cómo! —exclamó Dioneo—. ¿Empezáis antes con los hechos que con las palabras?

—Ni más ni menos —respondió Pampínea.

Y les contó de dónde venían y cuán delicioso era el lugar que habían visitado.

Deseoso de conocerlo, el rey ordenó se sirviese la cena en seguida; y una vez hubieron cenado, los tres jóvenes se encaminaron al valle con sus criados, dejando en casa a las damas. Cuando llegaron al lugar, que les era desconocido, lo elogiaron como una de las cosas más bellas del mundo. También se bañaron, y luego, porque era muy tarde, regresaron a casa, donde encontraron a sus compañeras que aún comentaban la belleza del Valle de las Damas. Por ese motivo, el rey mandó llamar al mayordomo y le ordenó que a la mañana siguiente se sirviera allí la comida, disponiendo también algún lecho, por si alguien deseaba descansar a mediodía.

Después trajeron las antorchas, vinos y dulces, y el rey ordenó que comenzara el baile.

Habiéndose encargado voluntariamente Pampínea de una danza, el rey, volviéndose a Elisa, le dijo con tono afable:

—Tú, hermosa joven, me has dispensado hoy el honor de la corona; yo quiero corresponderlo con el de una canción. Canta, pues, una que sea de tu agrado.

Elisa aceptó gustosa, y cuando la hubo terminado con un tierno suspiro, el rey, que estaba de excelente humor, hizo llamar a Tíndaro, le ordenó que trajera su cornamusa y al son de ésta ejecutaron varias danzas. Cuando hubo transcurrido buena parte de la noche. Dioneo dispuso que todos se retiraran a descansar.

JORNADA SEPTIMA

INTRODUCCION

Todas las estrellas de la parte de Oriente habían desaparecido del cielo, a excepción del Lucero del Alba, que todavía brillaba en la blanquecina aurora, cuando el mayordomo se encaminó con abundantes provisiones al Valle de las Damas, para disponer las cosas según las órdenes recibidas de su señor.

No tardó en despertar el rey, a quien había desvelado el estrépito de los que cargaban las cosas, y las mulas que esperaban en el patio. Hizo levantar a todos sus compañeros, y aún no asomaban los primeros rayos del sol cuando se pusieron en camino. Nunca habían oído cantar tan alegremente a los ruiseñores y demás pajarillos como aquella mañana; y acompañados de sus trinos anduvieron hasta el Valle de las Damas, donde aún mayor número de aves parecían darles la bienvenida.

Recorriendo y examinando de nuevo todo el valle, les pareció todavía más bello que el día anterior, cuanto que la hora convenía mucho más a su belleza. Se sirvieron vinos y dulces y desayunaron alegremente. Después, para que no se dijera que en el canto les aventajaban los pájaros, entonaron varias baladas, cuyos ecos repetía el valle. Los pajarillos, cual si no quisieran verse derrotados, emitían nuevos y dulces gorjeos; hasta que, llegada la hora de comer, puestas las mesas bajo los árboles inmediatos al lago, a indicación del rey sentáronse en torno de ellas y, mientras comían, contemplaban los pececillos que nadaban veloces.

Cuando hubieron terminado los exquisitos manjares, retiraron las mesas, y con mayor alegría que antes cantaron y bailaron.

Y como en distintos lugares del pequeño valle se hubieran dispuesto lechos discretamente cubiertos de tupidos cortinajes, pudo, quien quiso, descansar un rato y dormir.

Llegada la hora de dar principio a los cuentos extendieron alfombras sobre la hierba, junto al lago, donde cómodamente se sentaron, y el rey ordenó a Emilia que comenzara a contar. Esta lo hizo gustosa, y con alegre sonrisa dijo así:

JUAN LOTTERINGHI Y EL FANTASMA

*Juan Lotteringhi oye llamar de noche a su puerta;
despierta a su esposa, y ésta le hace creer que se
trata de un fantasma; van ambos a conjurarlo con unas
oraciones, y el fantasma no vuelve a llamar*

Mucho habría preferido, señor, que con vuestra licencia hubierais encargado a otro que fuera el primero en tratar la bella materia dispuesta para hoy; pero puesto que os place sea yo quien anime a los demás, lo haré con gusto y procuraré, queridísimas damas, deciros algo que pueda seros útil en el futuro; porque si todas sois miedosas como yo, pienso que, lo mismo que a mí, os inspirarán pánico los fantasmas, aunque, a decir verdad, no he visto nunca ninguno. Pero sé de alguna persona que también los temía y tuvo ocasión de verlos; de manera que, por si acaso se presentasen a alguna de vosotras, podréis espantarlos con una devota oración que sirve mucho para eso.

Vivía en otro tiempo en Florencia, en la calle de Borancazio, cierto latonero que se llamó Juan Lotteringhi, hombre más afortunado en su oficio que listo en otras cosas, pues con todo y ser muy simple, alcanzó varias veces el nombramiento de director de las Laudes de Santa María la Nueva, y tenía superintendencia y ejercía varios otros pequeños cargos de que estaba muy ufano. Como gozaba de buena posición, solía convidar a comer a los frailes, regalándoles a uno un pantalón, a otro una sotana, a aquél unas sandalias, y ellos, en correspondencia, enseñábanle buenas oraciones, le daban el Pater Noster en lengua vulgar, el cántico de San Alejo, los discursos de San Bernardo, las laudes de Santa Matilde, y otras coplas que él estimaba en mucho y aprendía cuidadosamente para la salvación de su alma.

Ese hombre tenía una hermosa mujer, llamada Tessa, hija de Mannuccio de la Cuculia, tan prudente y diestra como simple era su marido. No ignorando Tessa la superioridad que sobre él tenía a este respecto y estando enamorada de un tal Federico de Neri Pegolotti, joven guapo y lleno de vida, que la correspondía con idéntica pasión, se las ingenió para conseguir, por medio de su criada, que Federico la fuese a ver a una hermosa villa que su esposo tenía en Camerata cerca de Florencia, en la que Tessa solía pasar el verano. Algunas veces iba Juan a cenar y a dormir, para volver a la mañana siguiente a su almacén y a sus laudes en la iglesia.

Federico, que no deseaba otra cosa que tener una entrevista con su adorada, al anochecer del día señalado se dirigió a Camerata, y como el marido no se presentara, el galán cenó a gusto con Tessa y se dispuso a pasar con ella la noche. Tessa le enseñó, mientras abrazaba al amante, media docena de las laudes que recitaba su marido; y puesto que ninguno de los dos deseaba que aquella primera ocasión fuese la última, tomaron sus medidas para repetirlas lo más posible; y con el buen fin de evitar el ir y venir a la criada para darle recado, acordaron lo siguiente: cada día cuando Federico volviera de una quinta suya que estaba un poco más arriba, fijaría su atención en una viña que crecía junto a la casa de Tessa; si veía atada en la punta de un rodrigón una calavera de asno con el hocico vuelto hacia Florencia, era indicio de que el marido estaría ausente y podía pasar con ella la noche, y en este caso, si encontraba cerrada la puerta de la casa, debía dar tres golpes, que ella saldría a abrirle; cuando el hocico del asno estuviese vuelto hacia Fiésole, sería señal de que Federico debía abstenerse de ir, porque el marido estaba en casa.

Gracias a esta estratagema los amantes siguieron viéndose varias veces; pero un día sucedió que, como Federico había de cenar con Tessa y ésta hubiera mandado guisar dos magníficos capones, el marido, que no debía ir aquella noche con la esposa, pidió que le sirvieran la cena y Tessa no le dio más que un trozo de carne salada que había hecho dejar aparte. En cuanto a los dos magníficos capones, varios huevos frescos y una botella de buen vino, encargó a la criada que lo llevara todo envuelto en un mantel a un pequeño huerto, al que se podía penetrar sin pasar por la casa y donde alguna vez solía cenar Federico. Pero con la precipitación con que obró para que el marido nada observara, olvidó de encargar a la criada que aguardase en el huerto hasta que su amante llegara, para contarle lo ocurrido y decirle que comiera lo que le había preparado. Así, pues, marido y mujer, después de su frugal y triste cena, se fueron a la cama, y la criada se encerró en su alcoba sin preocuparse más.

Poco tardó Federico en llamar a la puerta, y como ésta se hallaba muy cerca de la habitación ocupada por los esposos, tanto ella como él oyeron los golpes; pero, a fin de que Juan no pudiese sospechar de ella, la mujer fingió dormir.

Al cabo de un rato Federico golpeó por segunda vez; y Juan, muy sorprendido, pellizcó ligeramente a su mujer y le dijo:

—¿Oyes, Tessa? Parece que llaman a nuestra puerta.

La mujer, que lo había oído mejor que él, fingió despertar en aquel momento y preguntó:

—¿Qué dices?

—Digo —repuso Juan—, que me parece que alguien llama.

—¿Alguien llama? —repitió la mujer—. ¡Ay, Juan mío! ¿No sabes lo que es esto? Es el fantasma que estas últimas noches me ha dado tanto miedo, que la primera vez que lo vi me tapé la cabeza con las sábanas, sin atreverme a sacarla hasta la mañana siguiente.

Juan dijo entonces:

—Si es eso, mujer, no tengas miedo, que yo, al acostarme, he rezado el *Te lucis* y la *Intemerata*. Además, he hecho tantas cruces a ambos lados de la cama, que no hay temor de que por mucho poder que tenga nos haga daño alguno.

Para que Federico no sospechara otra cosa y se enojara con ella, Tessa resolvió que sería mejor levantarse y dar a entender a su galán que Juan estaba con ella; por lo que dijo al marido:

—Tú le dices tus oraciones y has hecho las cruces; pero yo no estaré tranquila hasta que hayamos conjurado el alma en pena, ya que estás aquí.

—¿Y cómo se hace eso? —preguntó Juan.

A lo que dijo la mujer:

—Sé cómo se conjura, pues el otro día, cuando fui a Fiésole para ganar mis indulgencias, encontré a una religiosa a quien participé el secreto; al verme tan asustada, aquella santa mujer me enseñó una piadosa oración, que ella había recitado varias veces para librarse de los aparecidos, y dijo que siempre le habían resultado bien. Pero, lo que es yo, nunca me hubiera atrevido a ir al fantasma sola a probarlo; ahora que estás conmigo, podremos hacerlo.

Juan dijo que consentía con gusto; y ambos se encaminaron a la puerta, al otro lado de la cual estaba Federico aguardando receloso; llegados allí, Tessa le dijo a Juan:

—Ahora, en cuanto te lo advierta, escupe.

—Está bien —contestó Juan.

Y la mujer comenzó esta secreta oración:

—Fantasma, fantasma que corres de esta suerte toda la noche, con la cola tiesa viniste y con la cola tiesa volverás; ve al huerto, que al pie del albérchigo grande hallarás unto y visunto y cien huevos de mi gallina; aplica la boca a la botella y márchate; no nos hagas daño ni a mí ni a mi Juan.

Y volviéndose al marido, añadió:

—Escupe, Juan.

Juan escupió.

Y Federico, que oía estas palabras desde la otra parte de la puerta, desvanecidos sus celos y a pesar de su melancolía, tenía tanto deseo de reír, que no podía contenerse; cuando la mujer le decía a Juan que escupiera, murmuraba para sí: «¡Ojalá escupas hasta las muelas!»

La mujer, después que por tres veces hubo conjurado así al fantasma, se volvió a la cama con su marido. Y Federico, que contando cenar con ella no había cenado, habiendo comprendido perfectamente el sentido de la oración, fue al huerto, recogiendo los dos capones, los huevos y el vino que estaban junto al albérchigo, se lo llevó todo a su casa y cenó como un príncipe.

No pocas noches después, hallándose juntos, rieron de buen grado la eficacia de aquel conjuro.

Algunos dicen que aquella tarde la mujer no había olvidado poner la cabeza del asno en dirección hacia Fiésole, pero que un campesino que acertó a pasar por la viña le había dado con un palo, haciéndole dar varias vueltas, con lo que la cabeza quedó vuelta hacia Florencia, y por eso Federico creyendo que Tessa le aguardaba, fue a la casa aquella noche. Los mismos que esto dicen aseguran también que el conjuro de la mujer había sido pronunciado en estos términos: «Fantasma, fantasma, vete y no me quieras mal; no fui yo, sino otro, quien volvió la cabeza del asno. ¡Que Dios castigue al que lo hizo! Yo estoy aquí con mi Juan». Y por esta razón Federico, sin albergue y sin cena, se volvió tristemente y hambriento por donde había venido.

Pero una mujer anciana, vecina mía, me dijo que ambos conjuros eran verdaderos, según oyera contar cuando ella era niña, pero que este último no había ocurrido en casa de Juan Lotteringhi, sino en la de un tal Juan de Vello, que vivía en Puerta San Pedro, y era tan tonto como Lotteringhi.

Por lo tanto, queridas damas, dejo a vuestra elección tomar de estos conjuros el que mejor os plazca, o quedaros con los dos. Tienen, como habéis oído, grandísima eficacia contra los fantasmas; aprendedlos, y tal vez os puedan ser de provecho.

EL TONEL

*Peronella esconde a su amante en un tonel cuando
regresa su marido, y dice a éste que ha vendido el
tonel a un individuo que está dentro para comprobar si
lo parece sólido; el individuo sale del tonel, lo
hace cepillar por el marido y le ordena que se lo
lleve a su casa*

Con grandes risas fue celebrada la historia de Emilia y elogiada
por todos la ocurrencia de los conjuros. Acto seguido, el rey ordenó
a Filostrato que contara otra, y éste lo hizo así:

—Son tantas, queridísimas señoras, las burlas que los hombres,
y especialmente los maridos, os hacen, que cuando alguna mujer hace
una mala jugada al esposo, no sólo debierais alegraros de saberlo u
oírlo, sino que vosotras mismas tendríais que pregonarlo, a fin de
que los hombres comprendan que, si ellos saben, no menos saben
ellas; lo cual no dejaría de seros provechoso, puesto que cuando uno
sabe que otro es tan astuto como él, no se aventura tan a la ligera a
quererle engañar. ¿Quién duda, pues, que lo que hoy acerca de esta
materia diremos no sirva para refrenar sus burlas, sabiendo que
vosotras, si queréis, también sabéis burlaros? Es mi intención contaros lo que a su marido hizo una jovencita ingeniosa, a pesar de su
humilde origen, inventando en poco tiempo una graciosa historia,
con la que se libró de serios disgustos.

Poco tiempo atrás vivía en Nápoles un hombre pobre, que tenía
por esposa a una bella y graciosa jovencita, llamada Peronella. El con
su oficio de albañil, y ella hilando, ganaban apenas para mantenerse.

Ocurrió que cierto día un joven vio a Peronnella, gustóle y pensó
conquistarla. Tanto la solicitó con palabras y atenciones, que al fin
logró que ella compartiera su pasión. A fin de poder verse a solas,
convinieron que, como el marido se levantara cada día temprano para
ir al trabajo, el joven se colocaría en un lugar donde le viera salir; y

puesto que el barrio del Avorio donde ella vivía era muy solitario, una vez saliera el marido entraría él en la casa. Y así lo hicieron repetidas veces.

Pero cierta mañana, habiendo salido el buen hombre y entrando Juanito Strignario, que así se llamaba el joven, mientras éste estaba en compañía de Peronella, contrariamente a su costumbre el marido volvió a la casa poco después de haber salido. Encontrando cerrada la puerta por dentro, comenzó a golpear, y dijo para sí: «¡Loado sea Dios, que si no me ha dado riquezas, al menos me ha consolado dándome mujer buena y honesta! Bien veo cómo ha cerrado la puerta para que nadie pueda entrar a importunarla».

Peronella, que reconoció a su marido en el modo de llamar, dijo a Juanito:

—¡Ay de mí! ¡Estoy perdida; mi marido acaba de llegar! No sé que significa esto, pues nunca vuelve a esta hora. ¿No te habrá visto entrar? Pero, como quiera que sea, métete en este tonel que aquí ves. Yo iré a abrirle. Ya veremos lo que significa su pronto regreso esta mañana.

Juanito se apresuró a entrar en el tonel, y Peronella fue a abrir la puerta a su marido, al que dijo con maliciosa sonrisa:

—¿Qué novedad es ésta de que tan pronto vuelves a casa? Según me parece ver, pocas ganas tienes de trabajar, pues traes todas las herramientas. ¿De qué nos mantendremos? ¿De dónde sacaremos el pan? ¿Crees que consentiré que empeñes mis ropas? Todo el santo día me lo paso hilando, hasta despegárseme la carne de las uñas, para poder ganar al menos el aceite para que arda nuestra lámpara. Te digo que esto no puede seguir así. No hay vecina que no se burle de las fatigas que paso, y tú vuelves a casa con los brazos cruzados, cuando deberías estar trabajando.

Dicho esto comenzó a llorar, y luego añadió:

—¡Desdichada de mí! ¡En qué mala hora vine al mundo, en qué mala hora vine aquí! ¡Yo, que habría podido tener un joven de porvenir y no lo quise, para caer en manos de éste que no aprecia lo que tiene en la casa! Las otras se apañan con sus amantes, pues no hay ninguna que no tenga dos o tres, haciéndoles ver al marido una cosa por otra. Yo, porque soy buena y no atiendo a tales locuras, sufro todas las desgracias. No sé cómo no me decido a hacer lo que las demás. Y ten entendido que si quisiera hacer el mal, no faltaría quien me quisiera, pues conozco varios jóvenes que me aman y me mandan recados, ofreciendo mucho dinero, vestidos y alhajas, sin que haya jamás querido escucharles, pues no soy hija de mujer capaz de hacer tales cosas. ¡Y tú vuelves a casa cuando debieras estar en tu trabajo!

—Pero mujer —añadió el marido—, no sufras, por Dios. Tal vez creas que no te conozco. Esta misma mañana he tenido buena ocasión de comprender quién eres. La verdad es que he salido temprano para el trabajo, pero por lo visto tú no sabes, como también yo lo ignoraba, que hoy es la fiesta de San Galeón y no se trabaja; por eso he vuelto antes. No te quejes, porque he encontrado la manera de que tengamos pan para un mes; acabo de vender el tonel que hace tanto tiempo nos estorbaba en casa, y me dan por él cinco escudos.

—¡Cómo es eso! —exclamó Peronella—. Tú que eres hombre y vas por el mundo deberías conocer el precio de las cosas; has vendido el tonel por cinco escudos, mientras que yo, una pobre mujer que apenas ha salido de su casa, viendo los apuros que pasamos, lo he vendido en siete a un buen hombre, que, cuando tú llegaste, se ha metido dentro de él para ver si era sólido.

Llegó en este momento el que venía a por el tonel, y el marido muy contento, le dijo:

—Amigo mío, ve con Dios, pues mi mujer, durante mi ausencia, ha vendido el tonel por siete escudos, y tú no dabas más que cinco.

—Está bien —repuso el buen hombre, y se marchó.

Entonces dijo Peronella a su marido:

—Vamos arriba, ya que estás aquí, y arregla el asunto con el comprador.

Juanito, que se había vuelto todo oídos por si tenía que prevenirse contra algo, en cuanto oyó las palabras de Peronella diose prisa en salir del tonel, como si nada supiera del regreso del marido y comenzó a decir:

—¡Eh! ¿Dónde estáis, buena mujer?

A lo que el albañil, que en aquel momento subía la escalera, contestó:

—Aquí estamos, ¿Qué se te ofrece?

—¿Quién eres tú? —preguntó Juanito—. Yo llamo a la mujer con quien he tratado la compra de este tonel.

—Puedes hacer los tratos conmigo —repuso el buen hombre—, porque soy su marido.

Entonces Juanito dijo:

—El tonel me parece sólido, pero debe haber tenido dentro basura, pues está todo embardunado de algo tan seco, que ni aun con las uñas lo puedo arrancar. No me lo llevaré si antes no lo veo limpio.

—Si no es más que eso, no creo que haya de deshacerse el trato. Mi marido lo limpiará todo.

—Con mil amores —observó el albañil.

Dejando a un lado las herramientas y aligerándose de ropa, encendió una luz, y empuñando una raedera se metió en el barril y se puso a rascar el interior. Entretanto, Peronella, como si quisiera ver lo que su marido hacía, asomó la cabeza por la boca del tonel, que no era muy grande, y, avanzando un brazo, le iba diciendo:

—Raspa aquí, raspa allá; y ahí también... Mira, este lado está todavía sucio...

Y mientras así indicaba al marido las paredes que debían ser limpiadas, Juanito, que con la llegada del albañil no había podido acabar a su gusto la obra empezada, arreglóselas para volver a la carga y terminar como pudo. Casi a un mismo tiempo acabaron su tarea el amante y el marido. Sacó entonces Peronella la cabeza y el brazo del tonel para que saliera su marido, y dijo a Juanito:

—Tomad esta vela, buen hombre, y ved si ha quedado limpio.

Juanito examinó el interior del tonel, dijo que estaba limpio, y después de pagar los siete escudos se lo hizo llevar a su casa.

LA ORACION CONTRA LAS LOMBRICES

Fray Rinaldo se acuesta con su comadre; encuéntrale
el marido de improviso, pero le hace creer que
exorcisaba las lombrices a un hijo de ella

Cuando Filostrato dejó de hablar, el rey pidió a Elisa que contara otro cuento, y ella comenzó así:

—Agradables compañeras, el conjuro del fantasma de Emilia ha traído a mi memoria un cuento de otro conjuro que os referiré, aun cuando no sea tan bello como el suyo; a decir verdad, no se me ocurre otro que no se aparte del tema propuesto para hoy.

Hace algún tiempo vivió en Siena un joven de distinguida familia, bien educado y de porte gallardo llamado Rinaldo, el cual, enamoradísimo de una vecina suya, bellísima mujer casada con un hombre rico, buscaba la manera de encontrarse con ella a solas, porque estaba seguro de que si podía hablar sin hacerse sospechoso, obtendría cuanto deseaba. Pero, no hallando medio alguno y viendo que la mujer estaba encinta, se le ocurrió ser el padrino de la criatura. Un día abordó al esposo y le expresó de la más honesta manera su deseo, y quedaron acordes.

Al verse Rinaldo convertido en compadre de la señora Inés, y teniendo así un medio más disimulado de poder encontrarse con ella, aprovechó la primera ocasión para decirle con palabras ardientes lo que tantas veces le diera a entender con miradas y suspiros; pero de nada le valió, aunque a la mujer no le desagradara haberle oído.

Poco después acaeció que, no se sabe por qué causa, Rinaldo se hizo fraile, y por más que hallara buenos puestos en otros lugares, no cejó en su empeño. Cierto es que en los primeros tiempos de su nueva vida dejó de lado su antigua pasión y demás vanidades mundanas; pero poco después las recobró con renovado fuego. Así se complacía en figurar y vestir buenas ropas, en ir elegante y aseado, recitaba versos galantes y componía sonetos, cancioncillas, y otras frivolidades parecidas.

Pero, ¿qué digo de nuestro fray Rinaldo? ¿Acaso otros frailes no hacen lo mismo? ¡Oh corrompido siglo! No les avergüenza aparecer gruesos, con el rostro sonrosado, vestidos con lujosos paños y engalanados no como cándidas palomas, sino como orgullosos gallos, erguida la cresta y henchido el pecho. Y lo que es peor aún —dejando de lado el que en sus celdas guarden vasos con mieles y pomadas, dulces, botellas y garrafas con aguas de olor y aceites, malvasía y vinos griegos u otros licores preciosos, hasta tal punto que más que celdas de fraile parecen boticas y bodegas—, no les avergüenza que otros sepan que son gotosos, cuando el ayuno, la comida frugal y el poco y sobrio beber hacen delgado al hombre y, casi siempre, de buena salud. Aunque cierto es que tales penitencias pueden enfermar a algunos, por lo menos no les enferman de gota, cuyo remedio está en la continencia y en las demás virtudes propias de un buen religioso. Los muy necios creen que los demás ignoramos que la vida parca, las largas vigilias, las oraciones y disciplinas vuelven pálidos y austeros a los hombres, y que ni Santo Domingo ni San Francisco poseyeron cada uno cuatro capas de fino paño, sino de grosera lana, de su color natural, más para evitar el frío que para vana presunción. Quiera Dios remediar tantos escándalos y abrir los ojos a los simples y beaturrones que proveen a tales gastos.

Habiendo, pues, vuelto Rinaldo a sus primeras inclinaciones, comenzó desde entonces a visitar con frecuencia a su comadre; de día en día se volvía más atrevido y la instaba con más perseverancia que antes. La buena mujer, al verse tan solicitada y pareciéndole fray Rinaldo más atractivo con los hábitos que sin ellos, cierto día en que los ruegos subieron de punto, recurrió a las expresiones vagas a que acuden las mujeres inclinadas a conceder lo que se les pide:

—¡Cómo! —exclamó—, ¿Acaso los frailes hacen esto?

Fray Rinaldo repuso:

—En cuanto me quite el hábito que llevo puesto, que fácilmente puedo quitarme, os pareceré un hombre como los demás y no un fraile.

Dijo la mujer, sonriendo:

—¡Ay, triste de mí! Vos sois mi compadre; ¿cómo es posible hacer lo que pedís? He oído decir que es un pecado grave. Si así no fuese, haría lo que vos queréis.

—Seríais una tonta si por tan poca cosa lo dejarais. No digo que no sea pecado; pero Dios perdona otros mayores al que se arrepiente. Y decidme, ¿quién es más cercano pariente de vuestro hijo, yo, que le tuve en el bautismo, o vuestro marido que lo engendró?

—Mi marido es más pariente suyo —dijo la mujer.

—Claro que sí —repuso el fraile—. ¿Y esto impide que vuestro marido se acueste con vos?

—No por cierto —respondió la mujer.

—Pues entonces —arguyó el fraile—, yo, que soy menos pariente de vuestro hijo que vuestro marido, bien podré hacer con vos lo mismo.

La mujer, que nada entendía de lógica, creyó o fingió creer que aquellos argumentos eran verdad y dijo:

—¿Quién sería capaz de responder a vuestras sabias palabras?

Y sin más atender al compadrazgo, accedió a lo que el muy taimado quiso.

Fácil es comprender que, so capa de ese parentesco, que les ofrecía mayor soltura y les ponía al abrigo de toda sospecha, fueron muchas las veces que se encontraron a solas.

Pero en una de esas ocasiones, habiendo ido fray Rinaldo a casa de la mujer y viendo que no había con ella más que una joven y linda criada, envió a su compañero con la sirvienta para que subieran al granero y le enseñara el padrenuestro, y él entró en la alcoba con la dama, que tenía el niño en brazos. Después de haber cerrado la puerta, y mientras se prodigaban sus caricias sobre un diván, volvió el marido sin que nadie reparase en él, fue a la puerta de su alcoba y dio unos golpes, llamando a su esposa.

Inés —que así se llamaba ella—, al oírle, esclamó:

—¡Pobre de mí! ¡Estoy perdida! Ahora mi marido comprenderá el motivo de nuestra intimidad.

Fray Rinaldo, que estaba sin capuchón y sin sotana, al oír lamentarse a la mujer, dijo:

—Tenéis razón; si al menos yo estuviese vestido, de algún modo lo arreglaríamos, pero si le abrís y nos encuentra así, ¿qué excusa podré darle?

Acudióle a la mujer una rápida idea y repuso:

—Vestíos en seguida; luego tomad en brazos a vuestro ahijado y fijaos bien en lo que yo le diga a mi marido, para que vuestras palabras estén acordes con las mías; dejadme hacer a mí.

El marido todavía llamaba a la puerta, cuando la esposa respondió que iba a abrirle. Y, levantándose y con la cara más sonriente del mundo, abrió la puerta, y añadió:

—Sabe, marido mío, que nuestro compadre fray Rinaldo ha venido aquí en buena hora y Dios nos lo ha enviado; de no haber sido por él, hoy habríamos perdido a nuestro hijo.

Al oír estas palabras, el tonto del marido estuvo a punto de desmayarse, y sólo pudo exclamar:

—¡Cómo!

—¡Ay, marido mío! —dijo Inés—. A esta pobre criatura le dio un pasmo tal, que me figuré que estaba muerto. No sabía qué hacer para volverle en sí, cuando en eso llegó nuestro compadre Rinaldo, quien, tomando en seguida al niño en sus brazos y examinándolo, me dijo: «Comadre, esto es debido a las lombrices que tiene en el cuerpo, que le oprimen el corazón y que indefectiblemente le matarán; pero no temáis, que yo diré un conjuro y acabaré con ellas. Antes de que me vaya de aquí, veréis a vuestro hijo tan bueno y sano como antes». Y como te necesitábamos para decir ciertas oraciones y la criada no ha podido encontrarte, se las he hecho decir a su compañero en el sitio más alto de la casa, mientras nosotros nos quedábamos aquí. Todavía tiene al niño en brazos, no esperando otra cosa sino que su compañero acabe de decir las oraciones; y seguramente las ha dicho, porque el niño ya está bien.

El crédulo marido, que idolatraba a su hijo, creyó verdad todas aquellas mentiras, y dejando escapar un gran suspiro, dijo:

—¡Ay! ¡Quiero ver a mi hijito!

—No vayas —objetó la esposa—, pues echarías a perder cuanto se ha hecho. Espera; voy a ver si puedes ir y te llamaré.

Fray Rinaldo, que había oído todo y estaba ya vestido, tomó al chiquillo en brazos y llamó desde dentro.

—Comadre, ¿es el compadre quien habla?

Y como el buen hombre respondiera afirmativamente, añadió:

—Pues entrad.

Así lo hizo el marido, y dijo Fray Rinaldo:

—He aquí a vuestro hijo sano, cuando hace poco no creíamos que le volvierais a ver vivo. Debéis llevar una imagen de cera de su mismo tamaño, en acción de gracias, al altar del señor San Ambrosio, por cuyos méritos la curación ha sido concedida.

Al ver a su padre, el niño corrió hacia él y le acarició como hacen todos los pequeños, y el buen hombre, tomándole en brazos como si acabara de sacar a su hijo de la tumba, lo besó repetidas veces, dando gracias al caritativo compadre que se lo había devuelto curado.

El compañero de fray Rinaldo, que, no uno sino por lo menos cuatro padrenuestros había enseñado a la joven criada, regalándole además una bolsa de hilo blanco que le había dado una monja devota suya, al oír que el marido llamaba a la puerta de la alcoba de su mujer, bajó del granero y fue a colocarse en un sitio desde donde podía ver y oír lo que pasaba; viendo que todo salía a pedir de boca, entró en la habitación diciendo:

—Fray Rinaldo, ya he dicho las cuatro oraciones que me recomendasteis.

—Buen aliento tienes, hermano —contestóle fray Rinaldo—, y has hecho bien. En cambio yo, cuando llegó mi compadre, no había rezado más que dos; pero con tu trabajo y el mío hemos obtenido la gracia de sanar al niño.

El marido de Inés hizo traer dulces y unas botellas de excelente vino, con los que obsequió a su compadre y al compañero de éste, que por cierto más falta les hacía a ellos que a los demás. Después, acompañándolos fuera de la casa, les encargó inmediatamente la imagen de cera, que hizo colocar con otras en el altar de San Ambrosio, pero no en el de Milán.

EL CELOSO BURLADO

*Tofano deja una noche a su mujer fuera de casa, y
ésta, no pudiendo hacerse abrir a ruegos, finge que se
arroja a un pozo, echando en él una gran piedra,
a cuyo ruido Tofano sale de la casa corriendo.
La mujer, que se había escondido, entra y cierra,
dejándole a la intemperie, y le injuria desde
la ventana*

En cuanto el rey vio que había terminado el cuento de Elisa, sin
más esperar indicó a Lauretta que tomase la palabra, por lo cual ésta
empezó a hablar en seguida, diciendo:

—¡Oh amor, cuántas son tus fuerzas, cuántos tus recursos, cuántas tus previsiones! ¿Qué filósofo o qué artista hubiera podido mostrar jamás esas previsiones, esas perspicacias, esas demostraciones
que súbitamente sugieres a quien te sigue? En realidad, cualquier
otra doctrina queda pospuesta a la tuya, según hemos podido comprender en lo que hasta ahora hemos dicho. A lo cual, queridísimas
compañeras, quiero agregar una nueva historia, por la que veréis la
ocurrencia que tuvo una mujer muy sencilla, que no sé quién podía
habérsela inspirado como no fuera el Amor.

Vivió en otro tiempo en Arezzo un hombre rico llamado Tofano,
que tuvo por esposa a una hermosísima mujer llamada Ghita, de la
cual, sin saberse por qué, no tardó en estar celoso. La joven se dio
pronto cuenta de ello y se sintió muy ofendida. Habiéndole preguntado al marido a qué se debían sus celos y como no supiera él
explicarlo, resolvió hacerle morir del mismo mal del que, sin razón
alguna tenía miedo. Sabiendo que cierto galán, al que creía buen
sujeto, la cortejaba discretamente, comenzó a entenderse con él, y
habiendo llegado a tal punto las cosas que sólo les faltaba convertir
en obras las palabras, la mujer se dispuso también a esto.

La joven sabía que entre los defectos de su marido sobresalía su
afición a la bebida, con lo que no sólo empezó a encomiarle los

deleites del vino, sino que con astucia le incitaba frecuentemente a beber; y tanta fue la costumbre adquirida por Tofano, que cada vez que ella quería le llevaba hasta la embriaguez; luego, cuando estaba borracho, le hacía acostar, e iba a encontrarse con su amante, lo que se repitió muchas veces.

Tanta confianza puso Ghita en la embriaguez de su esposo, que no sólo se había atrevido a llevar a su propia casa al amante, sino que más de una noche comenzó a ir a la de él, que no estaba distante de la suya. Sin embargo, habiendo observado el desgraciado marido que al invitarle a beber ella nunca bebía, empezó a tener sospechas de lo que en realidad sucedía, esto es, que su mujer le emborrachaba para poder luego hacer lo que le acomodara cuando estuviese dormido.

Para comprobar la verdad de la sospecha, una noche, sin haber bebido en todo el día, fingió, en el hablar y en el hacer, que estaba completamente ebrio. Creyólo la mujer, y no juzgando que necesitara más vino, se apresuró a llevarle a dormir la borrachera. Luego salió de casa como otras veces, fue a la de su amante y allí estuvo hasta la medianoche. Tofano, en cuanto notó que ya no estaba su mujer, se levantó del lecho y cerró la puerta por dentro. Después se asomó a la ventana y se dispuso a esperar a que Ghita volviera, para darle a entender que conocía perfectamente sus engaños.

Al llegar Ghita a su casa y encontrar cerrada la puerta, quedó muy preocupada y comenzó a probar con todas sus fuerzas si podía abrirla; hasta que Tofano, después de haberla dejado esforzarse un buen rato, le dijo:

—En vano te fatigas, mujer, pues no podrás volver a entrar aquí dentro. Anda, regresa a donde estuviste hasta ahora, y ten por seguro que no volverás a entrar aquí hasta que, en presencia de tus parientes y de tus vecinos, te haya impuesto el castigo que mereces.

La mujer le suplicó que por el amor de Dios le abriese; dijo que no venía de donde tal vez se figuraba, sino de velar con una vecina suya, porque las noches eran largas y no podía dormir todas sus horas ni aburrirse sola en su casa. Sus súplicas fueron inútiles, porque aquel estúpido prefería que todos los arezinos se enteraran de su propia deshonra, de la que aún no sabían nada.

Viendo la mujer que de nada servían sus ruegos, recurrió a las amenazas, y dijo:

—Si no abres la puerta, te haré el hombre más desgraciado del mundo.

—¿Qué es lo que puedes hacerme tú? —replicó el marido.

La esposa, a la que ya el Amor había aguzado el ingenio con sus consejos, respondió:

—Antes de que consienta pasar por la vergüenza que sin razón quieres imponerme, me arrojaré de cabeza al pozo que hay aquí cerca; y cuando en él me hallen muerta, todos creerán que me has echado tú en una de tus borracheras; así te verás obligado a huir, y perderás todo lo que tienes; te perseguirán y te cortarán la cabeza como homicida de tu mujer, que es lo que realmente eres.

Estas palabras no lograron sacar de su terquedad al marido, por lo cual la mujer exclamó:

—No puedo soportar esta situación por más tiempo; que Dios te perdone; haz que guarden la rueca que dejo aquí.

Y dicho esto, como la noche era tan oscura que difícilmente habrían podido verse uno a otro en el camino, la joven se encaminó al pozo, y cogiendo una enorme piedra que estaba apoyada junto a él, la echó dentro, y gritó en voz alta:

—¡Perdóname, Dios mío!

Al llegar la piedra al agua hizo tal ruido que no le cupo la menor duda a Tofano de que Ghita se había tirado de cabeza al pozo; por lo que, tomando un cubo y una cuerda, salió rápidamente para acudir en su auxilio. La mujer, que se había escondido junto a la puerta de la casa, en cuanto le vio correr hacia el pozo, entró, echó los cerrojos y fue a colocarse junto a la ventana, desde donde comenzó a gritar:

—¡Al vino hay que echarle agua cuando se bebe, y no después de haberlo bebido!

Grande fue la sorpresa de Tofano al oír estas palabras. Volvió corriendo a la puerta, y hallándola cerrada, rogó a su mujer que la abriera.

Ella, dejando de hablar en voz baja, como hasta entonces había hecho, gritó con toda la fuerza de sus pulmones:

—¡Maldito borracho, bribón! ¡Esta noche no entrarás! ¡Estoy harta de tus groserías! ¡Quiero que todos vean quién eres y a qué horas llegas!

Por su parte, Tofano, irritado, comenzó a insultarla y a gritar. Oyendo aquel alboroto, los vecinos se levantaron y se asomaron a las ventanas, preguntando qué era aquello.

La joven dijo en tono plañidero:

—Este hombre es un malvado que cada noche vuelve a casa borracho, o se duerme en la taberna y regresa a estas horas; ya he soportado demasiado y no aguanto más; he decidido hacerle pasar la vergüenza de dejarle al fresco, para ver si así enmienda.

Enfurecido, Tofano trataba de explicar cómo en realidad habían sido las cosas y profería grandes insultos contra ella. Pero Ghita seguía diciendo a los vecinos:

—¡Ya veis lo descarado que es! ¿Qué pensaríais de mí si estuviese en la calle como él, y él estuviera en casa como yo? A fe mía, estoy segura de que creeríais que él decía la verdad. En esto podéis conocer bien su juicio. Precisamente se le ocurre decir que yo hice lo que él ha hecho; ha querido asustarme echando no sé qué al pozo; ¡ojalá se hubiera echado de verdad, pues así el vino que ha bebido de más estaría bien aguado!

Los vecinos, hombres y mujeres, empezaron a reprender a Tofano, a culparle de lo que ocurría y a insultarle por lo que decía contra su mujer. Y tanto fue el rumor de vecino a vecino, que pronto llegó a oídos de los parientes de la mujer. Acudieron éstos, y enterados de lo que ocurría por varios vecinos, le dieron a Tofano tal paliza que lo dejaron molido. Después entraron en la casa, tomaron las cosas de su mujer y se marcharon con ella, no sin advertir antes al marido que aún no había recibido bastantes palos.

Al verse tan mal parado Tofano y comprendiendo que los celos le habían llevado a aquella situación, como quería mucho a su esposa, pidió a algunos amigos que intercedieran por él; y tanto insistió, que al fin lograron que la mujer volviera a su casa, con la promesa de no molestarla más con sus celos. Además, su complacencia, llegó al extremo de darle licencia para que satisfaciera todos sus deseos, pero con tal prudencia que él no lo notara.

He aquí cómo, después de recibido el daño, aún entró en componendas.

EL CELOSO CONFESOR

Un celoso se finge cura y confiesa a su propia esposa; ésta le declara que ama a un sacerdote que va a verla todas las noches. Mientras el celoso vigila la puerta, la mujer introduce por el tejado a un amante

Había terminado el relato de Lauretta y todos los oyentes comentaban la buena ocurrencia de aquella mujer para corregir los celos de su marido, cuando el rey, no queriendo perder tiempo, volvióse hacia Fiammetta y le pidió afablemente que contara su historia. Esta lo hizo en los siguientes términos:

—Nobles damas, la precedente historia me inclina a hablaros también de una parecida acerca de otro celoso, porque opino que lo que hacen las mujeres con semejantes maridos, sobre todo cuando no tienen justificado motivo, está bien hecho; y si los legisladores hubieran reparado en ello, juzgo que en tales casos no debieran imponer a la mujer más pena que la que señala al que ofende a otro en defensa propia, pues los celos son la pesadilla de las pobres esposas y ponen todo su empeño en buscar su muerte.

Toda la semana viven ellas encerradas, atendiendo a las necesidades de la casa y de la familia, deseando, como todo el mundo, tener algún solaz y descanso en los días festivos y poder proporcionarse alguna distracción, como lo hacen los campesinos, los obreros de la ciudad y los magistrados; como hizo Dios, que en el séptimo día descansó de sus fatigas; y como lo quieren las leyes santas y las civiles, las cuales, atendiendo al honor de Dios y al bien común de todos, han establecido distinción entre los días de trabajo y los de descanso.

Los maridos celosos no consienten nada de esto; antes al contrario, al llegar los días de gozo y descanso, que para todos son alegres, hacen que sean más tristes y dolorosos para ellas; encierran aún más a sus mujeres no sólo en su casa, sino hasta en su habitación; cosa que sólo las infelices que lo han probado saben cuánto entristece esa conducta. Por eso, en conclusión, lo que una mujer le haga a su marido, celoso sin motivo, no debiera condenarse, sino alabarse.

Hubo en otra época en Rímini un mercader, rico en haciendas y en dinero, que, casado con una bellísima mujer, se volvió desmesuradamente celoso, sin otra razón que ser la joven hermosa y saber que del todo se dedicaba a él, lo que le hacía pensar que, igual como él la amaba, también los otros hombres la amarían por su singular belleza, y que a todos demostraría ella la misma complacencia que al marido, argumento que revela poco seso y mucha malicia. Hostigado por sus celos, la tenía tan vigilada y encerrada como lo están por los carceleros los criminales sentenciados a la pena capital.

Huelga decir que la pobre joven no podía ir a bodas, ni a fiestas ni a la iglesia, ni siquiera sacar el pie fuera de su casa, y ni aun osaba asomarse a ventana alguna o mirar a la calle por cualquier motivo; llevaba, pues, una vida desdichada, y con tanta mayor impaciencia la soportaba cuanto que se sabía libre de culpa.

Por lo cual, viéndose injuriada sin motivo por su marido, comenzó a aborrecerlo y a pensar, para su propio alivio, en hacerle celoso con razón. Y como las ventanas permanecían continuamente cerradas, no teniendo medios de echar el anzuelo a algún joven que pasara por su calle, al recordar que en la casa contigua a la suya habitaba un hombre guapo y bien educado, se las ingenió para hallar algún medio de comunicarse con él a través de la pared, y ofrecerle sus favores —en el caso de que no los rechazara—, y quién sabe si más tarde incluso llegaran a encontrarse a solas para poder consolarse de aquella triste vida, hasta que se le quitara a su marido el diablo de encima.

Recorriendo la casa de un lado a otro cuando el marido no la espiaba, encontró por casualidad, muy disimulada en un ángulo de la pared, una pequeña hendidura, aunque lo suficientemente ancha para ver que en la parte opuesta había una alcoba, y pensó: «Si ésta fuera la habitación de Felipe (que tal era el nombre del joven vecino), tendría ganada la mitad de la empresa».

Gracias a la vigilancia de una criada —que se había aliado con ella por haberse apiadado de su mala suerte— supo que el joven dormía en aquella alcoba. Ya no esperó más; en cuanto percibía rumor de pasos al otro lado de la pared, corría a la hendidura y, haciendo caer pedazos de revoque, logró atraer la atención del joven, que un día quiso averiguar el motivo de aquella continua caída de polvillo. La mujer aprovechó la ocasión para llamarle por su nombre, y aunque lo hizo en voz muy baja, el otro la reconoció y le contestó. De esta forma, ella pudo contarle toda la tristeza de su alma.

Feliz por el descubrimiento, tanto trabajó Felipe por su parte, que logró agrandar el boquete, arreglándolo de manera que nadie pudiera reparar en él; por allí se hablaban y se cogían de las manos apasionadamente, no pudiendo ir más adelante a causa de la cruel vigilancia del celoso.

Como se acercaba la fiesta de Navidad, la mujer dijo a su marido que deseaba ir a la mañana de la Pascua a la iglesia para confesar y comulgar como hacen los otros cristianos. El celoso preguntó:

—¿Y qué pecados son los tuyos, que te quieres confesar?

—¡Cómo! —exclamó la mujer—. ¿Crees que porque me tienes encerrada he de ser una santa? Bien sabes tú que peco como las demás; pero no te los diré a ti, que no eres sacerdote.

El celoso sintió sospechas al oír estas palabras y pensó que de una manera u otra habría de saber qué pecados había cometido ella; así que dijo que le daba licencia, pero a condición de que no fuese a otra iglesia que a la de su parroquia, y precisamente a primera hora de la mañana, y se confesara con su capellán o con otro sacerdote que aquél le designare; luego había de regresar en seguida a casa.

Parecióle a la mujer adivinar a medias su intención, pero se limitó a contestar que así lo haría.

Llegada la mañana de la Pascua, la joven se levantó con la aurora, se compuso y fue al templo que el marido le había señalado. Levantóse también el celoso, fue a la misma iglesia y llegó antes que ella; y habiendo hablado con el capellán de lo que se proponía hacer, vistióse en seguida con una sotana que el otro le dejó, se puso un gran capuchón que le tapaba casi todo el rostro y fue a sentarse en el coro.

Cuando la mujer llegó a la iglesia, hizo llamar al capellán; acudió éste y oyendo que la dama deseaba confesarse, contestó que no podía atenderla, pero que le mandaría a uno de sus colegas. Y así mandó al celoso, en mala hora para él. Presentándose éste con modesto continente, aun cuando no era muy claro el día y se había calado el capuchón hasta los ojos, no supo ocultarse lo suficiente para que su mujer no lo reconociera.

Al verle ésta, dijo para sí:

«Me alegro de que este hombre se haya transformado de celoso en sacerdote; pero descuida, que yo te daré lo que buscas».

Fingiendo no conocerle, sentóse a los pies del confesor.

El celoso había tenido la precaución de ponerse algunas piedrecitas en la boca, para que en el habla no le conociera su mujer, convencido de que se había disfrado tan perfectamente que no había posibilidad de ser descubierto.

Comenzaba la confesión, después que la mujer hubo dicho que estaba casada y con quién, entre una y otra cosa pasó a acusarse de estar enamorada de un sacerdote que todas las noches dormía con ella. Cada una de estas palabras pinchaba como una cuchillada en el corazón del celoso, y de no haber sido por las ganas de saberlo todo, se habría levantado e interrumpido la confesión. Manteniéndose, pues, firme, preguntó:

—¡Cómo! ¿No se acuesta con vos vuestro marido?

—Sí, padre —respondió ella.

—Pues entonces —repuso el celoso—, ¿cómo puede hacerlo también el sacerdote?

—Padre —dijo la mujer—, no sé cómo se las arregla, pero no hay puerta que, por cerrada que esté, no se abra en cuanto la toca. Y suele decirme que cuando llega a la de mi alcoba, antes de abrirla dice ciertas palabras, en virtud de las cuales mi marido se duerme en seguida, y cuando está dormido, abre la puerta, entra y se queda conmigo.

Dijo entonces el celoso:

—Señora, esto está muy mal hecho, y es preciso que os abstengáis del todo.

Replicó la mujer:

—Padre, no podré hacerlo, porque le quiero demasiado.

—Entonces —observó el celoso—, no os podré absolver.

Dijo la esposa:

—Lo siento; pero no he venido aquí para decir mentiras; si estuviera segura de poder dejarle, os lo diría.

—En verdad, señora, que os compadezco —repuso el celoso—, pues veo que de esta manera perderéis vuestra alma. Pero, a fin de ayudaros, os prometo hacer mis oraciones especiales en vuestro nombre, que quizás os aprovecharán. Y de vez en cuando os mandaré un monaguillo de mi confianza para saber si os han ayudado. Si producen buen efecto, seguiremos adelante.

—Padre —replicó la mujer—, no mandéis a nadie a mi casa,

porque mi marido es tan celoso que si llegase a saberlo, creería que el monaguillo viene para daño suyo y no me dejaría sosegar.

—Descuidad, señora —insistió el celoso—, porque arreglaré las cosas de manera que él no tenga de qué quejarse.

—Siendo así, estoy conforme —dijo entonces la mujer.

Terminada la confesión y recibida la penitencia, la señora se puso en pie y se fue a oír la misa.

El celoso, echando resoplidos por su mala estrella, despojóse de su difraz y corrió a su casa, deseoso de hallar un medio de sorprender juntos a su esposa y al sacerdote y jugarles una mala pasada.

La mujer volvió de la iglesia y pronto leyó en la cara del marido que le había dado una mala pascua, aun cuando él hacía todo lo posible para disimular lo hecho y lo creía saber. Y habiendo el marido resuelto pasar la noche siguiente junto a la puerta de la calle, a la espera de que llegara el sacerdote, dijo a su esposa:

—Esta noche debo cenar y dormir fuera de casa; cierra bien las puertas de la escalera y de la alcoba; en cuanto a la de la calle, la cerraré yo y me llevaré la llave. Luego podrás acostarte cuando quieras.

—Está bien —dijo la mujer.

Y cuando llegó la hora oportuna, se fue al boquete e hizo la seña convenida. Al oírla, Felipe, se puso a la escucha inmediatamente. Ella le contó lo que había hecho por la mañana y lo que después de comer le había dicho su marido, y añadió:

—Estoy segura de que no va a cenar a ningún lado, sino que quedará de centinela junto a la puerta; por lo tanto, procura hallar medio de venir por el tejado, para que podamos estar juntos.

Muy contento, el joven contestó:

—Dejadme hacer, señora.

Llegada la noche, el celoso se ocultó sigilosamente con sus armas en una habitación del piso bajo, y la mujer, después de mandar cerrar todas las puertas, especialmente la de la escalera para que su marido no pudiera subir, se encerró en su alcoba; acudió el joven a su lado, entrando por el tejado, y ambos se fueron a la cama, donde aprovecharon el tiempo; cuando amaneció el día, el joven volvió a su casa por el mismo camino.

El pobre celoso, afligido y sin cenar, muriéndose de frío y con las armas al lado de la puerta, esperaba la llegada del sacerdote. Al aproximarse el día, no pudiendo resistir más el sueño, se metió a dormir en la habitación del piso bajo. Levantóse a eso de las nueve, salió a la calle, y, fingiendo que venía de fuera, volvió a entrar; subió a las habitaciones interiores y almorzó.

Envió poco después a un muchacho, como si fuese el monaguillo del sacerdote que había confesado a su mujer, y le encargó que preguntara si quien ella sabía había vuelto a ir. La joven, que estaba sobre aviso, contestó negativamente, y que si seguía sin venir acabaría olvidándole, aunque mucho la entristecía eso.

¿Qué más puedo deciros? El celoso pasó muchas noches al pie de la puerta, con el deseo de sorprender al intruso, y la mujer las pasó solazándose con el amante. Al fin, no pudiendo el celoso sufrir más, preguntó a su esposa qué le había contado a su confesor la mañana en que había ido a confesarse. La señora contestó que no estaba bien decírselo. El marido gritó:

—¡Mala mujer! ¡Yo sé lo que le dijiste! ¡Es absolutamente preciso que yo sepa quién es ese sacerdote de quién estás enamorada y que con sus sortilegios duerme contigo todas las noches! ¡O me dices su nombre o te corto las venas!

La mujer replicó que no estaba enamorada de ningún sacerdote.

—¡Cómo! —exclamó el celoso—. ¿No dijiste eso y lo otro y lo de más allá a tu confesor? ¿Te atreverás a desmentirme?

Contestó la mujer:

—Tan al dedillo te lo han contado todo que, si hubieras estado tú delante, no lo sabrías mejor. Pues bien: sí que lo dije.

—Entonces —repuso el marido—, dime quién es ese sacerdote. ¡Y pronto!

La joven esposa repuso, sonriendo:

—Me gusta mucho ver cómo a un hombre inteligente le conduce una mujer sencilla igual que se lleva por los cuernos a un borrego al matadero. Aunque tú no eres inteligente, ni lo fuiste en el momento en que entregaste tu alma al demonio de los celos. Y cuanto más torpe y estúpido eres tú, tanto menor es la gloria que a mí me cabe. ¿Crees, acaso, que tengo tan ciegos los ojos de la cara como tú los de la inteligencia? No, por cierto; apenas miré, reconocí perfectamente al sacerdote que me confesó la última vez, y sé que fuiste tú mismo; sólo que me propuse darte lo que ibas buscando, y te lo di. Si hubieras sido tan inteligente como crees, no habrías tratado de averiguar por aquel medio los secretos de tu buena esposa; y sin que formaras vanas sospechas, hubieras adivinado que cuanto te decía era la verdad, sin haber pecado en cosa alguna. Yo te dije que amaba a un sacerdote; ¿acaso no lo eras en aquel momento y no te amo, bien a mi pesar? Dije también que ninguna puerta de mi casa se le podía tener cerrada cuando quería venir a dormir conmigo; ¿qué puertas no se han abierto en tu casa, cuando has querido venir a donde estaba yo? Te dije que el sacerdote dormía todas las noches en mi cama; ¿cuándo no te acostaste conmigo tú? Y cada vez que me has enviado tu monaguillo, te he mandado decir que el sacerdote no ha estado conmigo. Sólo un desmemoriado como tú, cegado por tus celos, ha podido no entender esto; has estado de centinela junto a la puerta de la calle, haciéndome creer que ibas a cenar y a dormir fuera de casa. Corrígete de hoy en adelante y vuelve a ser el hombre que eras antes, y no hagas que se burle de ti quien conozca tu manera de obrar como la conozco yo. Renuncia a esa celosa vigilancia, pues si me antojara ponerte cuernos, aunque tuvieras cien ojos en vez de dos, lo haría de tal manera que no te enterarías de ello.

El infeliz celoso, que por medio de su treta creía haber descubierto los secretos de su esposa, al oír sus palabras quedó avergonzado y sin saber qué contestar. Tuvo a la mujer por buena y prudente; y precisamente en el momento que más los hubiera debido sentir, se despojó de los celos que había sentido cuando no le eran menester. Lo cual dio por resultado que la joven esposa, autorizada casi para hacer lo que le acomodara, no hizo ya entrar al amante por el tejado, como los gatos, sino qué, no pocas veces, le introdujo discretamente por la puerta de la calle.

LOS TRES HOMBRES DE ISABEL

Isabel, amada por un tal Lambertuccio, es visitada
por éste mientras Leonetto está con ella; vuelve a
casa el marido de Isabel, y ésta hace salir a
Lambertuccio con un cuchillo en la mano, arreglando las
cosas de manera que el marido acompañe a Leonetto a su casa

Maravillosa les pareció a todos la historia de Fiammetta y afirmaron que la buena mujer había obrado bien tal como el marido merecía. Poco después, el rey pidió a Pampinea que contara la suya, y ésta comenzó así:

—Hay muchos que, hablando tontamente, dicen que el Amor quita el seso y aturde a quien ama. Esta opinión me parece estúpida y bastante lo han demostrado las historias contadas. Yo pretendo igualmente demostrarlo con la mía.

En nuestra ciudad, fecunda en todos los bienes, vivió una joven hermosa y gentil, que dio su mano a un caballero valeroso y de excelente familia. Y como suele suceder que no sienta bien siempre un mismo manjar, sino que se desea cambiar algunas veces de pitanza, esa joven, insatisfecha de su marido, se enamoró de un joven llamado Leonetto, agraciado y de buenas maneras, aunque no de familia ilustre, y él también se enamoró de ella. Y puesto que sabéis que raras veces deja de efectuarse lo que las dos partes quieren, no transcurrió muchos tiempo sin que dieran satisfacción a su amor.

Por si eso fuera poco, sucedió que la belleza y el atractivo de aquella señora hicieron que también se enamorara perdidamente de ella un caballero, llamado micer Lambertuccio, a quien ella por nada del mundo hubiera consentido en amar, porque no era de su agrado y lo encontraba por demás antipático y grosero. Sin embargo, éste no se cansó de requerirla por medio de recados, y como nada obtuviese y era hombre rico y poderoso, llegó a amenazarla con difamarla si no accedía a sus deseos. Temerosa la dama, que conocía la violencia de aquel hombre, se sometió a su voluntad.

Isabel —así se llamaba la joven— fue, como era costumbre, a pasar el verano a una bellísima hacienda que tenía en el campo, y, cierta mañana en que su marido hubo de ausentarse del lugar por algunos días, envió a decir a Leonetto que fuese a verla. Fácil es imaginar la satisfacción con que el joven supo aprovechar ocasión tan excelente.

A todo esto, enterado también micer Lambertuccio de que el marido estaba ausente, montó a caballo, y a todo galope se dirigió a la hacienda de la linda Isabel.

Llegó y llamó. La criada, al verle desde la mirilla, corrió a la alcoba donde estaba Isabel con su Leonetto y, llamándola aparte, le dijo:

—¡Señora, micer Lambertuccio está en el patio esperando que le abran!

Al oír la mujer que había llegado tan importuna visita, quedó profundamente desolada; pero como temía más que al rayo el mal talante de aquel caballero, rogó a Leonetto que no tuviera a mal ocultarse detrás de la cortina del lecho hasta que micer Lambertuccio se marchase. Leonetto que no le tenía menos miedo, así lo hizo; y entonces ella encargó a la criada que fuese a abrir la puerta.

Micer Lambertuccio descabalgó, ató el caballo a una anilla y subió a encontrarse con Isabel, que salió a recibirle a la escalera con rostro sonriente y un gozo que no sentía, y le preguntó el objeto de su viaje.

El caballero, después de abrazarla y besarla, le dijo:

—Supe, alma mía, que vuestro marido no estaba aquí, y he venido a pasar un rato a vuestro lado.

Dichas estas palabras, hizo que la mujer entrara en su alcoba y encerrándose allí con ella, empezaron a holgar. Mientras estaban en éstas y contra todo lo que pudiera suponer Isabel, su marido volvió en ese momento; y cuando la criada le vio desde una ventana, corrió de nuevo a donde se hallaba su ama y dijo a través de la puerta:

—¡Señora, viene vuestro marido! ¡Creo que está entrando en el patio!

Viendo la mujer el apurado trance en que se hallaba metida, y comprendiendo, además, que no era posible ocultar a micer Lambertuccio porque tenía en el patio su caballo, se dio por muerta. No obstante, saliendo súbitamente de la cama, tomó una pronta decisión y dijo a micer Lambertuccio:

—Señor, si me estimáis en algo y estáis dispuesto a librarme de la muerte, haced lo que os diré. Desnudad al momento vuestro puñal y, con rostro feroz, bajad las escaleras gritando: «¡No se me escapará! ¡Voto a Dios que lo encontraré en otra parte!». Si mi marido intentase reteneros o preguntaros algo, no le contestéis más que la frase que os he dicho; después montad a caballo y emprended el regreso, sin deteneros por nada.

Micer Lambertuccio prometió hacer lo que ella quería; y desenvainando el puñal y con el semblante alterado por el cansancio, y la cólera que le producía el regreso del marido, hizo exactamente lo que la mujer le indicó.

El marido, al descabalgar en el patio, se sorprendió al ver un caballo, y cuando se disponía a subir, se encontró con micer Lambertuccio que salía como una furia. Atemorizado por su semblante y sus palabras, le preguntó:

—¿Qué os pasa, caballero?

Pero micer Lambertuccio, poniendo el pie en el estribo y montando a caballo se limitó a gritar:

—¡No se me escapará! ¡Voto a Dios que lo encontraré en otra parte!

El buen hombre halló en lo alto de la escalera a su esposa, más muerta que viva de tanto miedo.

—¿Qué ha ocurrido? —le preguntó—. ¿A quién va amenazando tan airado micer Lambertuccio?

La mujer, encaminándose hacia la alcoba para que Leonetto la oyera, respondió:

—¡Ay, esposo mío! Nunca he pasado tanto miedo como hoy. Un joven, a quien no conozco, acaba de refugiarse en esta casa, huyendo de micer Lambertuccio que le perseguía puñal en mano; como casualmente ha encontrado abierta la puerta de mi cuarto, me ha dicho lleno de pavor: «¡Por Dios, señora ayudadme; no permitáis que caiga muerto en vuestros brazos!». Iba a preguntarle su nombre y a qué se debía su terror, cuando vi subir a micer Lambertuccio gritando: «¿Dónde estás, traidor?». Me puse a la puerta de la alcoba, y al querer él entrar le contuve; se mostró cortés al ver que no quería que entrase, mascúlló algunas palabras y se marchó furioso.

—Hiciste bien, esposa mía —contestó el marido—; muy desagradable sería para nosotros que se cometiera un asesinato dentro de esta casa. Micer Lambertuccio se ha portado como un bellaco al perseguir a una persona que ha buscado refugio aquí.

Dicho esto, preguntó dónde se hallaba el joven, a lo que repuso la mujer:

—No sé dónde se ha escondido.

El marido dijo entonces, alzando la voz:

—¡Eh! ¿Dónde estás? Ya puedes salir sin temor.

Leonetto, que lo había oído todo, salió de su escondite temblando.

—¿Qué tienes tú que ver con micer Lambertuccio? —le preguntó el marido.

—Nada, señor, absolutamente nada —respondió el joven—, y por eso creo que se ha vuelto loco, o me ha confundido con otro. Nos hemos encontrado en el camino, y cuando estábamos todavía muy distantes de esta casa, se abalanzó sobre mí, puñal en mano, gritándome: «¡Traidor, date por muerto!». No me detuve a pedirle explicaciones, sino que eché a correr cuanto pude y vine aquí, donde, gracias a Dios y a esta noble dama, me he salvado.

—Vaya, pues —repuso el caballero—. Basta de miedo. Procuraré llevarte sano y salvo a tu casa; y después, piensa lo que debes hacer con ese hombre.

Y cuando hubieron cenado, el marido hizo montar a Leonetto en su caballo, le condujo a Florencia y le dejó en su casa.

El joven, de acuerdo con las instrucciones de su amada, habló con micer Lambertuccio, y tan bien se puso de acuerdo con él que, aun cuando hubo interpretaciones maliciosas sobre aquel asunto, jamás se enteró el caballero de la burla que su esposa le había jugado.

CORNUDO Y APALEADO

Ludovico descubre su amor a Beatriz; ésta envía a
Egano, su marido, a un jardín vestido de mujer;
Ludovico, después de haber estado con ella, va al
jardín y apalea a Egano

Sorprendente consideraron todos la feliz ocurrencia de la señora Isabel, contada por Pampinea. Y Filomena, a una indicación del rey, empezó a contar otra historia:

—Si no me engaño, amables damas, la que voy a contaros no es menos bella que la anterior. Escuchad:

Hubo en París, en otro tiempo, un hidalgo florentino que, por salir de su pobreza, se hizo mercader, con tal buen resultado, que, en breve tiempo, poseía una inmensa fortuna.

De su mujer tenía un solo hijo, llamado Ludovico, más inclinado a la nobleza de su padre que al comercio, por lo que éste no le inició en sus negocios, sino que le envió con otros caballeros al servicio del rey de Francia, donde se hizo apreciar por sus honrosos sentimientos, su buena conducta y cortesía.

Y mientras allí vivía, un buen día llegaron ciertos jóvenes caballeros que regresaban del Santo Sepulcro, y como se suscitara una conversación de jóvenes, entre los cuales se hallaba Ludovico, y les oyera hablar de las hermosas mujeres de Francia, Inglaterra y otras partes del mundo, uno de ellos dijo que, de cuantas conocía, ninguna había visto más perfecta que la esposa de Egano de los Galluzzi, de Bolonia, llamada Beatriz. En ello estuvieron acordes cuantos compañeros suyos habían estado con él en aquella ciudad.

Al oír esto Ludovico, que no se había enamorado todavía de ninguna mujer, sintió tan ardientes deseos de conocerla, que en su mente ya no tenía otro pensamiento. Dispuesto a ir a Bolonia y quedarse allá si ella lo consentía, pidió licencia a su padre para ir al Santo Sepulcro, lo que el viejo le otorgó de mala gana.

Despidióse de sus amigos, y con el falso nombre de Anichino llegó a Bolonia. La casualidad quiso que al día siguiente viera a aquella mujer en una fiesta, y le pareció aún mucho más hermosa de lo que la había imaginado; por lo cual, habiéndose enamorado apasionadamente de ella, decidió no salir de Bolonia si conquistaba su amor.

Después de reflexionar en los medios de que se valdría para su empresa, decidió que, si lograba colocarse como criado del marido, tal vez pudiera conseguir lo que deseaba. Vendió, pues, sus caballos, y dispuso con sus servidores la conducta que debían observar mientras permaneciese en aquella ciudad, recomendándoles, sobre todo, que en cualquier lugar que le encontraran fingiesen no conocerle; luego dijo al dueño de la hostería en que se hospedaba que gustosamente entraría al servicio de algún señor de buena familia, si pudiera encontrarse alguno.

El hostelero le contestó:

—Tengo precisamente lo que buscas. Hay en esta ciudad un noble caballero, llamado Egano, que tiene muchos criados y quiere que todos tengan un porte por el estilo del tuyo. Le hablaré de ti.

En efecto, le habló, siendo admitido Anichino, el cual se personó en la casa a completa satisfacción del noble caballero. Por su parte, contentísimo Anichino de ver con frecuencia a la dama, tan bien y tan a gusto sirvió a su señor, que éste depositó en él su confianza, dejándole buena parte del gobierno de su casa.

Cierto día en que Egano fue a cazar y el joven quedó en la casa, Beatriz, que todavía no había notado su amor, a pesar de que interiormente admiraba su belleza y buenas cualidades, le rogó que jugara con ella una partida de ajedrez. Anichino, que deseaba agradarla, la dejaba ganar adrede, con gran satisfacción de la dama. Pero cuando las camareras de la señora Beatriz que contemplaban el juego hubieron salido y Anichino quedó solo con ella, lanzó un hondo suspiro.

—¿Qué tienes, Anichino? —preguntó Beatriz, mirándole—. ¿Te disgusta que te gane?

—Señora —respondió el joven—, otra cosa, y más grave que ésta, es la razón que me ha hecho suspirar.

—Te ruego —dijo la dama—, que si me profesas alguna amistad, me digas a qué es debida.

Cuando Amichino oyó que le conjuraba a hablar «si le profesaba alguna amistad» la mujer a quien amaba sobre todas las cosas, lanzó un nuevo suspiro, más expresivo que el primero, lo que suscitó en la mujer mayor deseo de saber la causa de su tristeza.

—Señora —dijo Anichino—; temo desagradaros si os confieso la verdad; además, temo que luego vos misma lo contéis a otro.

—Ten por seguro que no has de molestarme, y de que lo que tú me confíes a nadie lo diré sin tu consentimiento —repuso Beatriz.

—Puesto que hacéis esta promesa, hablaré —contestó Anichino.

Y casi con lágrimas en los ojos contó quién era, lo que de ella oyera decir, dónde y cuándo se había enamorado y por qué había entrado al servicio de su marido. Después le suplicó humildemente que se apiadara de él, si era posible, y le complaciera en tan ferviente deseo. Pero, en caso de no encontrarse con ánimo de corresponder a su amor, le permitiera al menos seguir amándola y continuar en el sitio que ocupaba en la casa.

¡Oh singular dulzura de la sangre boloñesa! ¡Cuán digna de alabanza has sido siempre en semejantes casos! Nunca fuiste muda a las lágrimas ni a los suspiros; siempre diste piadosos oídos a los ruegos y fuiste flexible a los deseos amorosos. Si tuviese que tributarte dignas alabanzas, mis labios se cansarían de pronunciarlas.

La gentil dama tenía fija la mirada en Anichino mientras éste hablaba, y dando entero crédito a sus palabras se impresionó de tal modo por sus súplicas, que, a su vez, comenzó a suspirar profundamente. En seguida dijo:

—No te desanimes, tierno Anichino mío; ni dones ni promesas, ni galanterías de noble joven ni de gran señor; ni de otro cualquiera, pudieron mover mi espíritu hasta el punto de llegar a amar a alguno de ellos; pero tú, en poco rato y con sencillas palabras, me has hecho más tuya que mía. Considero que has ganado dignamente mi amor, y te prometo darte de él las pruebas antes de que transcurra la noche. Procura venir a mi habitación poco después de las doce; dejaré abierta la puerta; ya sabes en qué lado del lecho duermo; irás allá, y si por casualidad estuviese dormida, despiértame, porque quiero consolar ese largo deseo. En prueba de eso, quiero darte un beso como arras de mi amor.

Y rodeándole el cuello con un brazo, le dio un amoroso beso, al que Anichino correspondió con la misma pasión.

Luego se separaron. Anichino fue a ocuparse de sus tareas, esperando con indecible alegría que llegara la noche.

Egano volvió de pajarear; cenó, y como estaba fatigado se fue a dormir. La mujer dejó abierta la puerta de la habitación, según había prometido.

A la hora señalada se presentó Anichino en la alcoba, cerró la puerta por dentro, se encaminó a donde la dama dormía y, poniéndole la mano en el pecho, notó que estaba despierta. Al sentirle ella a su lado, le cogió su mano con firmeza, y, sin soltarle, movióse tanto que despertó a su marido al que dijo:

—Cuando llegaste nada quise revelarte, porque te creí cansado; pero ahora quiero hacerte una pregunta. Dime, Egano, ¿a cuál de tus servidores tienes por el mejor y más leal?

Egano respondió:

—¿A qué viene, esposa mía, hacerme esta pregunta? ¿No le conoces tú? No tengo ni tuve jamás a nadie de quien tanto pueda fiarme y a quien tanto quiera como a Anichino. Pero ¿por qué me preguntas eso?

Cuando Anichino vió que Egano estaba despierto y hablaba de él, trató de desasirse de la dama para escapar, temiendo algún engaño de Beatriz; pero ella le retenía con tal fuerza que no le era posible moverse.

Entretanto, Beatriz prosiguió:

—Te lo diré. Yo suponía, como tú, que Anichino era tu más fiel criado; pero hoy he tenido una decepción, porque cuando te fuiste a cazar se quedó aquí, y no se avergonzó de pedirme que cediera a sus deseos. Yo, para no tener que acudir a otras pruebas y para que tú mismo lo comprobaras con tus propios ojos, le contesté que lo haría con gusto, y que hoy, después de medianoche, bajaría al jardín a esperarle al pie del pino. Ya comprenderás que no pienso ir, pero si tú quieres conocer la lealtad de tu servidor, puedes hacerlo fácilmente, poniéndote uno de mis vestidos y un velo en la cabeza, y esperarle en mi lugar, porque estoy segura de que irá.

—Voy a verlo al momento —dijo Egano.

A oscuras se puso lo mejor que pudo un vestido de su mujer, cubrióse la cabeza con un velo, fue al jardín y esperó junto al pino.

La dama en cuanto se hubo convencido de que el marido había salido de la habitación, se levantó y cerró la puerta por dentro. Anichino, que nunca en su vida sintiera tanto miedo y que se había esforzado en desprender su mano de las de la dama, maldiciendo de su amor y de la hora en que se lo había declarado, al observar al fin el giro que le había dado al asunto, se consideró el hombre más feliz del mundo; y cuando Beatriz volvió al lecho, le invitó a que se acostara a su lado, gustando ambos por un buen rato los placeres del amor.

Después, juzgando la dama que ya era hora de que su amante se fuese, le despidió, diciéndole:

—Ahora, querido mío, debes coger un bastón y bajar en seguida al jardín. Una vez allí, fingiendo haberme requerido de amores para probarme, insultarás a Egano como si se tratara de mí, y le apalearás de lo lindo, de lo cual sacaremos buen provecho y placer.

Anichino se encaminó al jardín, armado de un nudoso garrote. Cuando estuvo cerca del pino y Egano le vio venir, fingió éste gran alegría y se dispuso a recibirle; pero Anichino le gritó:

—¡Mujer infame! ¿De modo que has venido aquí y has creído que yo iba a inferir esta ofensa a mi señor? ¡Maldita seas mil veces!

Y alzando el garrote, comenzó a golpearle con fuerza. Egano, al oír estas palabras y sentir el primer bastonazo, echó a correr sin articular palabra, seguido de Anichino, que iba gritándole:

—¡Maldita mujer! ¡Mañana se lo contaré todo a Egano!

Después de haber recibido una buena tanda de palos, Egano volvió a toda prisa a su habitación, y como su esposa le preguntara si Anichino había ido al jardín, le dijo:

—Ojalá no hubiese ido, pues creyendo que eras tú, me ha molido a palos, gritándome las mayores bellaquerías que puedan decirse a una mujerzuela. En verdad que mucho me extrañaba que te hiciera proposiciones con intento de deshonrarme; lo que sucede es que, como te vio tan afable y cariñosa, quiso probarte.

—Mucho me place —contestó la mujer—, que nos haya probado, a mí con palabras, y a ti con hechos; y creo que podrá decir que soporto yo con más paciencia las palabras que tú los hechos. Pero ya que te ha demostrado tanta lealtad, merece le concedas nuevos honores.

—Tienes razón —afirmó Egano—, nadie los merece como él.

Y tomando en consideración esto, quedó convencido de tener la esposa más leal y el servidor más fiel que hubiera en el mundo. Por lo cual, como después varias veces él y ella hubiesen bromeado con Anichino sobre este lance, Anichino y la dama se vieron con mayor libertad de la que tal vez habrían tenido para hacer su gusto, mientras quiso permanecer en Bolonia en casa de micer Egano.

EL HILO DE SISMONDA

*Sismonda discurre una treta para comunicarse con su
amante; su marido la descubre, y una noche, mientras
Sismonda duerme, el amante se topa con el marido que
le persigue; entretanto, Sismonda acuesta en su lecho
a la criada, a quien el marido, al regresar, pega y le
corta el cabello, y después corre a avisar a la
familia de su mujer, la cual queda convencida por el
engaño de Sismonda y castiga al celoso marido*

A todos había parecido excesiva la malicia de Beatriz al engañar
a su marido, y comentaron cuánto debió ser el temor de Anichino
en el momento en que, retenido por la dama, le oyó decir cómo la
había requerido de amores. Pero cuando el rey vio que Filomena
había terminado el gracioso cuento, volviéndose a Neifile, dijo:

—Ahora habla tú.

Esta, sonriendo, comenzó:

—Grande es mi agobio, hermosas damas, al desear contestaros
con una hermosa historia después de oídas las precedentes; pero, con
la ayuda de Dios, espero conseguirlo.

Habitaba en otro tiempo en nuestra ciudad un rico mercader
llamado Righuccio Berlinghieri, al cual se le ocurrió la necia idea
—que aún subsiste hoy entre los comerciantes— de ennoblecerse por
medio del matrimonio, y tomó por esposa a una noble joven, llamada
Sismonda, que distaba mucho de ser la que le convenía.

Sea por tales diferencias de clase, o porque su marido tuviera
precisión de ausentarse bastantes veces por sus negocios —según
suelen hacer los mercaderes— el caso es que Sismonda se enamoró
de un joven, llamado Roberto, que la había cortejado largamente
antes de casarse ella. Y habiendo ambos entrado en una familiaridad
tan agradable como falta de cautela, la intriga llegó a oídos del
marido, sea por la vecindad o por sus propias observaciones, debido
a lo cual se convirtió en el más celoso hombre del mundo; de manera

que, renunciando a salir de casa y descuidando casi por completo sus negocios, sólo pensó en vigilar a su esposa, vigilancia que llegó hasta el punto de que nunca se metía en la cama hasta que ella estaba acostada y la veía dormida.

Todo esto desagradaba y apenaba a Sismonda, porque le impedía estar a solas con su Roberto; mucho discurrió para encontrar algún medio de entrevistarse con él, mayormente al ser solicitada constantemente por su amante, hasta que al fin le pareció haber dado con una excelente idea: como la ventana de la habitación en que dormía con su marido daba a la calle y hubiera observado que Righuccio tardaba en dormirse, pero que una vez cogido el sueño dormía a pierna suelta, decidió hacer ir a Roberto a eso de medianoche a la puerta de su casa y bajar ella misma a abrírsela, para así poder pasar juntos un buen rato mientras el marido dormía. Y para saber el momento en que Roberto llegaba, a fin de que nadie se diera cuenta de sus entrevistas, resolvió atarse un hilo al dedo grueso del pie; el hilo, saliendo de debajo de las sábanas hasta el balcón, caería a la calle hasta el suelo. Comunicóle esta idea al amante, indicándose además que, cuando llegase tirase del hilo; en caso de que el celoso durmiese, ella desataría el hilo del pie e iría a abrirle, pero que si no dormía, ella tiraría hacia sí el hilo, para que el enamorado no esperase en vano. Este recurso agradó a Roberto y fue puesto en práctica, algunas veces pudieron verse a solas y otras no.

Hacía algún tiempo que se valían de este artilugio para verse y estar juntos, cuando una noche sucedió que, mientras Sismonda dormía, el marido —que estaba despierto— al extender un pie por la cama tropezó con aquel hilo; por lo que, llevando a él la mano y hallándolo atado al pie de su mujer, dijo para sí: «Esto debe ser algún engaño». Y reparando en que el hilo iba a parar desde el balcón a la calle, tuvo la trampa como cosa cierta; por lo que desatándolo cautelosamente del dedo de su consorte, lo ató al suyo y esperó para ver qué significaba aquello.

Roberto no tardó en llegar y tiró del hilo, según su costumbre; Righuccio sintió el tirón, pero como no se lo había atado bien y el de abajo tirase con fuerza, el hilo se soltó y fue a caer en las manos de Roberto, por lo que éste supuso que debía esperar, y así lo hizo.

Righuccio, levantándose precipitadamente y tomando sus armas, corrió a la puerta, pero no la abrió con suavidad como solía hacer la esposa. Roberto, que estaba aguardando, se dio cuenta de lo que ocurría, es decir, que era el mismísimo Righuccio quien había abierto, con lo que, sin pararse a pensar, echó a correr, y Righuccio fue en su seguimiento. Como después de algún rato la persecución no cesara, Roberto se detuvo, desenvainó la espada y volviéndose contra su rival, atacando el uno y defendiéndose el otro.

Sismonda había despertado al abrir Righuccio la puerta de la habitación, y hallando desatado el hilo de su pie, comprendió en seguida que su treta había sido descubierta. Luego, oyendo que Righuccio perseguía a Roberto, apresurose a dejar la cama y pensando lo que podía ocurrir, llamó a su criada, que lo sabía todo, y tanto le suplicó, que logró que ocupara su puesto en el lecho, rogándola que, sin darse a conocer, soportara pacientemente los golpes y denuestos de Righuccio, por lo que ella la recompensaría tan espléndidamente, que en lo sucesivo no tendría de qué lamentarse. Hecho esto, apagó la luz, salió de la habitación y fue a ocultarse en otro lugar de la casa, en espera de lo que pudiese suceder.

Los vecinos oyeron la algazara que movían en la calle Righuccio y Roberto, y, levantándose, se asomaron a las ventanas para maldecirles. Righuccio, temiendo ser reconocido, se volvió a su casa, irritado y de mal talante, dejando libre a aquel joven sin descubrir quién era, ni castigarle según merecía. Llegado a su alcoba, comenzó a gritar:

—¿Dónde estás, mujer infame? ¡Has apagado la luz para que no te encuentre, pero esta vez te has equivocado!

Y acercándose al lecho, creyendo echarse sobre la culpable, agarró a la criada y le dio tal tanda de puntapiés y puñetazos, que le dejó magullado el rostro; después, sin dejar de dirigirle las más humillantes palabras, le cortó una parte de sus cabellos. La pobre muchacha lloraba a lágrima viva, y sus razones tenía; pero, por mucho que repitiera «¡Ay de mí!, ¡piedad!, ¡oh, basta ya!», su voz quedaba tan quebrada por el llanto, y Righuccio estaba poseído de tal furor, que no podía distinguir si aquella voz era la de su esposa o la de otra mujer. Y después que la hubo azotado a más y mejor y cortado los cabellos como he dicho, añadió:

—¡Mujer malvada, por el momento tienes bastante; pero ahora mismo voy a contar tus hazañas a tus hermanos, y que vengan a por ti y hagan contigo lo que su honor les exige, y que te lleven fuera de aquí, porque en esta casa no permanecerás ni un minuto más!

Y dicho esto salió de la alcoba, que cerró por fuera, y se marchó a la calle.

Cuando Sismonda, que todo lo había oído desde su escondite, vio que su marido había salido de casa, abrió la puerta de la habitación, encendió la lámpara y encontró a la criada en el más deplorable estado y llorando. La consoló como mejor pudo, la acompañó de nuevo a su cuarto, donde la hizo servir y cuidar en secreto; y la recompensó tan espléndidamente, con dinero del mismo Righuccio, que la pobre muchacha se dio por muy satisfecha. Luego Sismonda volvió a su alcoba, rehizo el lecho como si en él no se hubiera acostado nadie aquella noche, volvió a encender la lámpara, se vistió, sentóse en lo alto de la escalera y se puso a coser y a esperar lo que iba a ocurrir.

Entretanto, Righuccio fue a toda prisa a la casa de los hermanos de su esposa, y golpeó la puerta con tanta furia, que fue oído y le abrieron.

Los tres hermanos de la mujer y su madre, al saber que era Righuccio, se levantaron y le preguntaron qué andaba buscando a aquellas horas. El celoso les contó lo ocurrido, comenzando por el hilo atado al dedo del pie de Sismonda y concluyendo con el castigo de la infiel. Para dar testimonio de lo que había hecho, puso en sus manos los cabellos cortados a su esposa, añadiendo que fuesen por ella e hicieran lo que juzgaran conveniente a su honor, pues él había decidido no tenerla más en su casa.

Los hermanos de la mujer, ultrajados por lo que habían oído y que creían era verdad, mandaron encender antorchas, y con intención de escarmentarla salieron con Righuccio y se encaminaron a casa de éste. Al ver todo aquello la madre, les siguió sollozando, suplicando, ya a uno, ya al otro, que no dieran tan pronto crédito a lo que el marido les contaba, sin haber oído antes otras razones, pues Righuccio podía haberse enfadado con ella y haberla maltratado por algún otro motivo y acusarla luego de aquello para excusarse él; añadía, además, que conocía bien a su hija, pues desde pequeñita la había educado, y muchas otras cosas por el estilo.

Llegados a casa de Righuccio, abrieron la puerta de la calle y subieron la escalera.

Al oírles Sismonda, preguntó:

—¿Quién hay?

Uno de sus hermanos le respondió:

—¡Pronto sabrás quién hay, mujer infame!

—¿Qué quiere decir esto? —dijo Sismonda—. ¡Dios me ayude! Y poniéndose en pie, añadió:

—Bienvenidos seáis, hermanos míos. ¿Qué andáis buscando a estas horas?

Los hermanos, al ver que estaba cosiendo, tranquila y sin la menor señal de que la hubieran pegado —contrariamente a lo que dijo Righuccio de que estaba toda magullada— quedaron sorprendidos y refrenaron el ímpetu de su cólera. Después le preguntaron qué eran las quejas que de ella daba Righuccio, y la amenazaron severamente si no les contaba exactamente todo lo ocurrido.

—No sé lo que tenga que contaros —dijo Sismonda—, ni de qué pueda haberse quejado Righuccio de mí.

Su marido la miraba como atontado, acordándose de los muchos golpes que le había dado en la cara, y de los arañazos y otros males; y en cambio la veía como si nada de todo aquello hubiese ocurrido. Mientras él la contemplaba, los hermanos refirieron en breves palabras lo que Righuccio les había dicho, desde el hilo atado al pie, hasta la paliza y demás detalles.

Oído esto, Sismonda volvióse a su marido y exclamó:

—¡Cómo! ¿Es posible que quieras hacerme pasar por una malvada, con vergüenza tuya, cuando no lo soy, y por qué finges lo que no eres, hombre malvado y cruel? ¿Y cuándo estuviste tú esta noche conmigo en esta casa? ¿Cuándo me pegaste? Lo que es yo, no me acuerdo.

—¿Qué dices, infame? —replicó el marido—. ¿No fuimos a acostarnos juntos? ¿No volví yo después de haber corrido detrás de tu amante? ¿No te di muchos golpes y te corté los cabellos?

—Tú, anoche —repuso Sismonda—, no te acostaste en esta casa. Pero dejemos eso, ya que no puedo tener más testimonio que mis propias palabras, por veraces que sean, y pasemos a lo que dices de haberme pegado y cortado el cabello. Nunca me has pegado; todos podéis ver si en mi cuerpo hay señal de golpes. Y no te aconsejaría que tuvieras el atrevimiento de poner tu mano encima de mí, pues por mi fe que te desharía la cara. Tampoco me has cortado el cabello, que yo sepa o haya visto; pero tal vez lo hiciste sin que yo lo notara; déjame ver si lo tengo cortado o no.

Quitóse el velo y todos vieron que no los tenía cortados, sino bien enteros.

Entonces los hermanos y la madre de Sismonda dijeron a Righuccio:

—¿Qué significa esto? No tiene nada que ver con lo que viniste a decirnos; pero sí sabemos cómo va a terminar.

Righuccio creía estar soñando. Quería hablar; pero al ver que cuanto había creído poder demostrar a sus parientes no existía en realidad, no osaba decir palabra.

Sismonda dijo a sus hermanos:

—Veo, hermanos míos, que este hombre anda buscando que yo haga lo que nunca pensé hacer, esto es, contaros sus miserias y maldades; y claro que os lo diré: creo firmemente que cuanto ha dicho le ha ocurrido de verdad, y oíd de qué manera. Sabed que este hombre, con quien me casasteis en mala hora para mí, que dice ser comerciante, que quiere que se le dé crédito, que debiera ser austero como un religioso y honesto como una doncella, son contadas las noches que no se va a emborrachar por las tabernas, a enredarse luego con una u otra mujerzuela, y me tiene a mí hasta la medianoche y aun el alba, aguardándole del modo en que me habéis encontrado. Estoy convencida de que, hallándose ebrio, se habrá acostado con alguna de sus amigas, y tal vez fue en el pie de ésta donde encontró atado el hilo de que os ha hablado; sin duda habrá perseguido a su rival y, al no poder desahogar en él sus celos, habrá vuelto sobre sus pasos para pegar a aquella mujer y cortarle el cabello. Pienso también que, no estando todavía en sus cabales, sigue creyendo que todas esas bellaquerías las ha hecho conmigo; mirad bien su cara y veréis que está aún medio borracho. Pero por injusto que se haya mostrado conmigo, considerando que sus ofensas se deben a la excesiva bebida, le perdono, y espero que también le perdonéis vosotros.

Al oír estas palabras, la madre de Sismonda dijo, con los ojos echando chispas:

—Esto, hija mía, no se le puede perdonar; antes al contrario, habría que matar a este perro fastidioso y estúpido, indigno de tener una esposa como tú. ¡Como si te hubiera recogido del fango! ¡Acaso debes estar a merced del mal humor de un mercachifle de estiércol, de un estúpido aldeano con los calzones caídos, como esos que en cuanto tienen algo de dinero quieren enlazarse con las familias más ilustres? Esta clase de gentes se mandan hacer en seguida un escudo de armas y no se ocupan más que de ir hablando por aquí y por allá de sus nobles antepasados, cual si hubieran olvidado su humilde origen. De haber escuchado tus hermanos mi consejo, estarías emparentada con los condes de Guidi; pero ellos se empeñaron en darte a esta alhaja, que, siendo tú la más honesta joven de Florencia, tiene la vileza de pregonar a altas horas de la noche que eres una mujer de mala conducta, como si no te conociéramos. Pero, ¡vive Dios!, si de algo mi opinión vale, se le habría de dar una paliza que no olvidara en toda su vida. Ya os lo dije yo, hijos míos —añadió, dirigiéndose a sus hijos—, que no podía ser verdad. ¿Habéis oído cómo trata vuestro cuñado a vuestra hermana? ¡Valiente mercachifle de cuatro sueldos! De estar yo en vuestro lugar, después de oír lo que ella ha dicho, y haciendo él lo que hace, no me daría por satisfecha hasta quitarlo de en medio; y, si como soy mujer fuese hombre, yo le arreglaría las cuentas.

Al ver y oír los jóvenes tales cosas, llenaron de insultos a Righuccio y acabaron por decirle:

—Te perdonamos esto por borracho, pero ten cuidado con que de hoy en adelante y en toda tu vida volvamos a oír de ti semejantes sandeces, pues ten la seguridad de que si sigues contándonos alguna fábula parecida, nos las pagarás todas juntas.

Dicho esto, se marcharon.

Righuccio quedó como atontado, no acertando a explicarse si lo que había hecho era cierto o lo había soñado. Y sin añadir palabra, dejó en paz a su mujer.

Esta no solamente evitó el peligro con su sagacidad, sino que se facilitó el camino para poder hacer en lo sucesivo lo que la acomodara, sin volver a temer cosa alguna de su marido.

EL ARBOL ENCANTADO

*Lidia, esposa de Nicostrato, ama a Pirro, el cual,
en señal de lealtad, le pide tres pruebas; hecho
esto, se solazan en presencia de Nicostrato y le
hacen creer que no es cierto lo que ha visto*

Tanto había gustado el cuento de Neifile, que las damas no
podían contener sus risas y comentarios; el rey quiso imponer varias
veces silencio; después, habiendo ordenado a Pánfilo que contara el
suyo, éste comenzó así:

—No creo, respetables señoras, que haya cosa, por ardua y difícil
que sea, que no se atreva a realizar quien de veras ama. Lo cual,
aunque ya demostrado en varias de las historias contadas, queda aún
mejor expuesto en la de una mujer cuyas obras se vieron más favo-
recidas por la fortuna que por la prudente razón. No me atrevería,
pues, a aconsejar a nadie que siguiera el ejemplo de esa mujer, porque
ni siempre está dispuesta a ayudar la fortuna, ni en el mundo todos
los hombres se dejan alucinar de igual manera.

En Argos, la antiquísima ciudad de la Acaya, más famosa por sus
reyes que por su grandeza, vivió en otros tiempos un noble señor
llamado Nicostrato, a quien, estando ya próximo a la vejez, la fortuna
le concedió por esposa a una mujer no menos emprendedora que
bella, llamada Lidia.

Siendo Nicostrato noble y rico, tenía gran abundancia de criados,
perros y aves, siendo la caza su diversión favorita. Entre sus servidores había uno, llamado Pirro, muy joven, buen mozo y diestro en
cuanto se le encargaba, a quien Nicostrato estimaba con preferencia
a los demás, y al que consideraba de su mayor confianza.

La bella Lidia se enamoró de él tan locamente, que ni de día ni
de noche pensaba en otra cosa. Pero sea porque Pirro no reparaba

en ello o porque no quisiera hacerlo, se mantenía al afecto de su señora, con gran tristeza de ésta.

Resuelta a darle a conocer su pasión, Lidia llamó a una criada de su confianza, de nombre Lusca, y le dijo:

—Hija mía, los beneficios que de mí tienes recibidos me garantizan tu obediencia y discreción; por lo tanto, procura que lo que ahora te puede jamás lo sepa nadie, a excepción de aquél de quien voy ha hablarte. Como sabes, Lusca, soy joven todavía, lozana, y tengo cuanto puede desear una mujer; sólo me falta una y de ésa me lamento. Digo que los años de mi marido, si se comparan con los míos, son demasiados, por cuyo motivo vivo poco contenta de aquello que más agrada a las otras, y hace tiempo estoy determinada a no negarme yo misma lo necesario y conveniente para mi deleite y salud. Para eso quiero que nuestro Pirro, que es el hombre a quien más digno de ello considero, supla a mi marido, y tanto amor le he puesto, que sólo soy dichosa cuando le veo o pienso en él; si pronto no puedo estar en sus brazos, creo que me moriré. Así, pues, si me estimas en algo, le enterarás de lo que te acabo de decir, de la manera que mejor te parezca, y le suplicarás de parte mía, que no vacile en venir a mi lado cuando tú vayas a buscarle.

Consintió gustosa la criada, que a la primera ocasión llamó a Pirro, y de la mejor manera que supo le transmitió aquel encargo.

El joven, que en realidad nunca había reparado en la pasión que inspiraba a su ama, quedó muy sorprendido, y temiendo que fuese una celada para tentarle, respondió con alguna brusquedad:

—No puedo creer, Lusca, que estas palabras vengan de mi señora; por lo tanto, ten cuidado con lo que dices; si realmente ella te envía, dudo que sus palabras salgan del corazón; y aunque así fuera, mi señor me honra más de lo que yo valgo; procura, pues, no volver a hablarme de semejante cosa.

Sin desanimarse por aquella brusca respuesta la criada replicó:

—Tanto de ésta como de cualquier otra cosa que mi señora me ordene, te hablaré, Pirro, tanto si te gusta como si no. Lo que sí te digo es que eres un estúpido.

Y enojada por las palabras de Pirro, volvió a su señora, quien, al oírla, sintió deseos de morir.

Pocos días después habló de nuevo a la criada:

—Ya sabes, Lusca, que no cae el roble al primer golpe de hacha; por lo cual, creo conveniente vuelvas otra vez a ese que quiere dar pruebas de lealtad en perjuicio mío, y le muestres mi ardor de forma que la haga algún efecto, pues si nada se lograse, yo moriría; pero que no se crea burlado, porque bien podría el amor convertirse en odio.

La criada consoló a su señora, y yendo en busca de Pirro, como le pareciera en aquel momento alegre y bien dispuesto, aprovechó la ocasión para decirle:

—Días atrás te manifesté, Pirro, el ardiente amor que tu señora y la mía siente por ti; ahora vuelvo a asegurarte de ello, tanto, que si no renuncias a la dureza que demostraste, puedes estar seguro de que vivirá poco; te ruego, pues, te dignes satisfacer su deseo, y si persistes en tu dureza, te tendré por tan estúpido como por hombre inteligente te tenía. ¿A qué mayor gloria puedes aspirar que a la de ser amado por una mujer tan bella y gentil como ésta? Además, ¿no puedes darte por afortunado al pensar que está dispuesta a satisfacer los deseos de tu juventud y atender a todas tus necesidades? ¿A quién conoces que mejor esté por lo que se refiere al goce de lo que le serás tú, si no eres tonto? Atiende a mis palabras y vuelve en ti; piensa que la fortuna no nos sale al encuentro con rostro afable y con los brazos abiertos más que una vez, y que quien entonces no sabe aceptarla, luego, al verse pobre y abandonado, no puede quejarse de nadie, más que de sí mismo. Además, te digo que entre servidor y amo no se exige aquella lealtad acostumbrada entre iguales y amigos; antes al contrario, los criados deben tratar a sus amos como éstos les tratan. ¿Acaso crees que si tuvieras una bella esposa, una hija o una hermana que fuese del agrado de Nicostrato, éste andaría con tanta lealtad como le quieres tú guardar tratándose de tu ama? Eres un ingenuo si así lo crees. Ten por seguro que, si no bastaran los halagos y las súplicas, apelaría a la fuerza. Tratémosles, pues, como ellos nos tratan; aprovéchate del beneficio de la fortuna; no la rechaces, sal a su encuentro y acógela, pues si no lo haces, ten por seguro que, sin contar con que tu señora no sobrevivirá a tus desdenes, tú te arrepentirás tantas veces, que incluso llegarás a desear tu propia muerte.

Pirro, que ya bastantes veces había meditado las palabras que Lusca le dijera, estaba dispuesto, en el caso de que volviera a hablarle, a dar una respuesta distinta de la primera vez, y dijo que consentiría en complacer a la señora con tal que pudiese tener la seguridad de que no le sometía a un engaño para comprobar su fidelidad al amo, y añadió:

—Quiero creer, Lusca, cuanto dices; pero, por otra parte, sé que mi señor es previsor e inteligente, y al confiarme todos sus asuntos, temo que Lidia, por consejo y voluntad de él, haga esto para probarme; por consiguiente, si ella consiente en hacer tres cosas que le pediré, ten por seguro que nada me mandará después que no me apresure a hacer. Esas tres cosas son las siguientes: primero que mate a su halcón más estimado en presencia de Nicostrato; en segundo lugar, que me envíe unos rizos de la barba de su marido; y por último, una muela sana del mismo Nicostrato.

Esas cosas le parecieron difíciles a Lusca, y más difíciles aún a su señora, pero el Amor, que da fuerzas y es gran consejero, inclinó a la dama a aceptarlas y por su camarera le mandó decir que haría cumplidamente y sin demora lo que había pedido; añadió que, puesto que él consideraba tan perspicaz a Nicostrato, se solazaría con Pirro en su presencia, y le haría creer a Nicostrato que no era cierto.

Esperó, pues, Pirro, a que se cumplieran las tres condiciones.

A los pocos días, habiendo Nicostrato dado una gran comida, como solía hacer en aquella época del año, a varios caballeros, y cuando estaban levantadas las mesas, apareció Lidia, vestida de terciopelo de seda verde y muy adornada, y en presencia de Pirro y de los demás invitados, se acercó al halcón favorito de Nicostrato, y alcanzándole, cual si lo quisiera acariciar, lo cogió por las patas, lo tiró contra la pared y lo mató. Y como Nicostrato, vuelto hacia ella, le preguntase:

—Pero, mujer, ¿qué has hecho?

—Nada —le respondió.

Pero volviéndose a los invitados añadió:

—Señores, mal tomaría venganza de un rey que me ofendiera, si no tuviese osadía suficiente para tomarla de un halcón. Debéis saber que este pajarraco me ha robado muchísimo de ese tiempo que los hombres deben dedicar a complacer a sus esposas; pues en cuanto despunta la aurora, Nicostrato monta a caballo con su halcón y se va al campo para verlo volar; y yo, cual me veis, quedo sola y malcontenta en el lecho; por esto, más de una vez tuve la tentación de hacer lo que he hecho ahora, sin que me contuviera otro motivo que el esperar una ocasión en que estuvieran presentes algunos caballeros, como justos jueces de mi querella, cual creo que vosotros seréis.

Los caballeros que la oían, creyendo que su cariño a Nicostrato era tan grande como sus palabras daban a entender, le miraron sonrientes, y le dijeron:

—No cabe duda de que tu mujer ha hecho bien en vengarse del halcón.

Y entre burlas y guiños, comentando la preferencia que daba Nicostrato a las aves de caza en relación a las mujeres hermosas, lograron incluso hacer reír un poco al marido, que parecía bastante malhumorado por la pérdida de su halcón.

Al ver Pirro que se había cumplido su primera condición, dijo para sí: «Bien comienzo mis amores. ¡Ojalá ella persevere!»

Pocos días después, hallándose Lidia en su habitación con Nicostrato, comenzó a acariciarle la barba, y, como en broma, empezó a tirar de ella para poner en práctica la condición segunda que Pirro había pedido. En cierto momento le dio un tirón tan fuerte, que casi le arrancó la mandíbula y le quedó en la mano un buen mechón de barba. Al grito de Nicostrato, dijo Lidia, riendo:

—¿Qué te pasa? ¿Pones esa mala cara por haberte arrancado media docena de pelos? Desde luego que no sentías dolor cuando hace un momento me tirabas de la cabellera.

Y continuando de esta manera la broma, guardóse el mechón, y aquel mismo día se lo envió al hombre a quien amaba.

La condición tercera, sin embargo, hizo discurrir más a Lidia. Pero como tenía ingenio y el Amor se lo aumentaba, no tardó en encontrar la forma de darle cumplimiento. Fue del modo siguiente:

Nicostrato tenía a su servicio dos muchachitos, que le habían sido confiados por sus padres, a fin de que aprendieran las gentiles costumbres de los cortesanos; mientras Nicostrato comía, uno de ellos le cortaba la carne y el otro le escanciaba el vino. La señora les dio a entender que le olía mal la boca, y les aconsejó que, cuando sirvieran a Nicostrato, echaran hacia atrás cuanto pudiesen la cabeza para evitar tan desagradable olor, advirtiéndoles que nada dijeran de esto a nadie. Los dos muchachitos lo creyeron e hicieron lo que la dama les había indicado. Y cierto día Lidia preguntó a su marido:

—¿Te has dado cuenta de lo que hacen estos dos jovencitos cuando te sirven?

—Sí —respondió Nicostrato—, y hasta he querido preguntarles por qué lo hacen.

—No lo hagas —repuso la señora—, porque te lo puedo decir yo. Si lo he callado ha sido para no incomodarte; pero ya que reparo que otros empiezan a darse cuenta, no debo ocultártelo más. Lo que te sucede es que tu boca huele mal, y no sé cuál pueda ser la causa, pues esto no te ocurría antes. Es una cosa feísima, y más teniendo que alternar con tantos caballeros. Es necesario ponerle remedio.

—¿Qué podrá ser? —preguntó Nicostrato—. ¿Tendré, acaso, en la boca algún diente malo?

Y haciéndole acercar a una ventana, le hizo abrir la boca, y, después de haberla mirado por todos lados, añadió:

—¡Oh, Nicostrato! ¿Cómo has podido sufrir tanto? Tienes una muela de este lado que no solamente está cariada, sino casi deshecha. Seguramente, si la conservaras mucho tiempo en la boca, estropearía las que están a sus lados; por lo tanto, te aconsejo que la saques antes de que sea tarde.

—Pues si así lo crees, me parece bien —repuso Nicostrato—. Haz que llamen inmediatamente a un cirujano.

Lidia se apresuró a replicar:

—No permita Dios que para esto venga aquí un cirujano; yo misma puedo arrancarla fácilmente. Además, esos cirujanos son tan crueles en estas cosas que me dolería el corazón sólo al verte entre sus manos; por eso quiero hacerlo yo misma; si te duele, te dejaré descansar un rato, y esto no lo haría ningún cirujano.

Haciéndose traer, pues, los utensilios necesarios, pidió a Lusca que se quedara con ellos en la habitación, y cerrando la puerta, hizo tender a Nicostrato sobre una mesa, metióle las tenazas en la boca, y haciendo presa en una de sus muelas, sin hacer caso de sus gritos y lamentos, mientras Lusca le sujetaba le arrancó una muela sana a viva fuerza. Ocultóla inmediatamente y mostró otra cariada que tenía oculta, mientras decía a su marido que gemía:

—¡Mira lo que tanto tiempo has tenido en la boca!

Y creyéndolo así, aunque Nicostrato hubiera sufrido tan atroces dolores, al ver aquella fea muela se sintió algo reconfortado; y después de desangrarse un buen rato y tomar un vasito de vino, salió de la habitación.

Lidia mandó inmediatamente la muela a su amado, que, seguro ya de su amor, ofrecióse dispuesto a complacerla en todo. Deseosa ella de convencerle aún más de su sinceridad, y pareciéndole años los minutos que tardaba en estar con él, quiso cumplirle su promesa. A este fin, fingió sentirse enferma; y cierto día en que Nicostrato había acudido a visitarla en compañía de Pirro, les rogó que, para distraerla de su aburrimiento, la ayudaran a bajar al huerto. Sosteniéndola Nicostrato por un brazo, y Pirro por otro, la ayudaron a caminar, conduciéndola de esta suerte hasta el pie de un frondoso peral, donde se sentaron los tres sobre el césped. Al poco rato, Lidia —que ya había enterado a Pirro de sus intenciones— dijo:

—¡Cuánto me apetecería tener una de esas peras! ¡Súbete al árbol, Pirro, y coge algunas que estén maduras.

Pirro se encaramó al árbol con presteza, y cuando llegó a la copa, comenzó a decir, fingiendo asombro:

—¡Eh, señor!, ¿qué hacéis? Y vos señora, ¿cómo no os avergonzáis de tolerar ese capricho? ¿Creéis que estoy ciego? Hace un momento os hallabais enferma; ¿cómo os habéis curado tan pronto, que tales cosas hagáis? Con tantas habitaciones y cómodos lechos que tenéis para solazaros, ¿por qué no os vais a una? Sería más honesto que hacerlo en mi presencia.

—¿Qué está diciendo Pirro? —preguntó la mujer a su marido—. ¿Se ha vuelto loco?

—No me he vuelto loco, señora —gritó Pirro—. ¿Creéis que no lo veo?

Extrañóse en gran manera Nicostrato, y dijo:

—En verdad, Pirro, creo que sueñas.

Pirro le contestó:

—No sueño, señor, ni vos soñáis tampoco; antes al contrario, si este peral se moviera como os movéis vos, no quedaría en él ni una sola pera.

Lidia dijo entonces:

—¿Qué puede haber sucedido? ¿Será posible que le parezca que hacemos lo que está diciendo? En verdad que si me encontrara mejor subiría al árbol, para ver qué maravillas son ésas que cree observar.

Desde lo alto del peral, Pirro insistía en sus afirmaciones, por lo cual Nicostrato le dijo que bajara, obedeciendo el joven en seguida. Luego le preguntó:

—¿Qué es lo que veías desde el peral?

Pirro respondió:

—Tal vez me toméis por loco o soñador; pero os veía, señor, encima de vuestra esposa, y luego, al bajar, he visto que os levantabais y os sentabais donde estáis ahora.

—Desde luego, has tenido una alucinación o has sido víctima de una locura —dijo Nicostrato—, porque no nos hemos movido de este sitio desde que subiste al peral.

—¿Qué sacamos con discutir? —exclamó Pirro—. Lo que vi no puede negarse.

Tanta extrañeza causaron las afirmaciones de Pirro a Nicostrato, que éste acabó por decir:

—Voy a ver si este árbol está encantado y qué cosas raras ve quien está subido en él.

Trepó al peral. Cuando estuvo en lo alto, Pirro y Lidia comenzaron a solazarse, y al verlo, Nicostrato gritó, furioso:

—¡Maldita mujer! ¿Qué estás haciendo? ¿Y tú, bribón, de quien tanto me fiaba?

Y sin más añadir comenzó a bajar del árbol, lo cual, visto por ellos, volvieron a sentarse en la situación que les había dejado. Cuando estuvo abajo y les vio donde les dejara, comenzó a injuriarlos; pero Pirro le interrumpió, diciendo:

—Ahora os confieso, Nicostrato, que, como antes decíais que yo soñaba cuando estaba en lo alto del peral, también vos habéis visto lo que no sucedía. Y nada os probará tanto que digo la verdad, como la consideración de que vuestra esposa, que es honestísima y prudente más que ninguna otra mujer, se atreviera a ultrajaros en vuestra misma presencia. Nada os diré de mí, que me dejaría descuartizar antes que pensar en ello, y menos aún ofenderos ante vuestros ojos. Es cosa clara como la luz del día que el engaño está en el peral, pues nada me habría hecho negar lo que dije haber visto, si ahora no oyera de vuestros labios que os ha parecido verme hacer lo que jamás he hecho ni pensado.

Fingiendo gran enojo, Lidia se puso en pie, y exclamó:

—¡Parece mentira que me tengas por tan poco previsora que, si quisiera abandonarme a las vilezas que dices haber visto, lo hiciera delante de tus ojos! Ten por seguro que si alguna vez tuviese este capricho, no vendría aquí; antes bien, me parecería más apropiada una de nuestras habitaciones, de modo que jamás lo llegaras a saber.

Nicostrato, cada vez más persuadido de que nunca se hubieran atrevido a acto semejante, renunció a sus represiones, y luego comenzó a discurrir sobre la maravillosa singularidad de la visión, tan distinta al encaramarse al árbol.

Pero su esposa, que seguía disgustada por la mala opinión que de ella había formado Nicostrato, dijo:

—Verdaderamente, este peral no volverá a jugar tan vergonzosa pasada, ni a mí ni a ninguna otra mujer. Pirro, ve en busca de un hacha, y vénganos de él derribándolo; aunque fuera mejor partirlo en la cabeza de mi marido, para que aprendiera a no dudar de mi fidelidad y de la tuya. Sí, Nicostrato, porque si es verdad que a los ojos de tu cara les pareció ver lo que has dicho, no habías de permitir que se te ofuscara la mente hasta el punto de admitir semejante afirmación.

Pirro fue rápidamente en busca de un hacha y cortó el árbol. Y cuando Lidia lo vio en el suelo, dijo a Nicostrato:

—Puesto que veo abatido al enemigo de mi honestidad, queda desvanecido mi resentimiento.

Y perdonó a su marido, que se lo pedía humildemente, pero exigiéndole que nunca más volviera a dudar de quien más que a sí misma le amaba.

Así el infeliz marido burlado regresó con su mujer y el amante a su casa, y Pirro volvió a ver muchas veces a Lidia, gozando ambos de mutuo placer.

LAS COMADRES EN EL PURGATORIO

*Dos sieneses aman a una mujer, comadre de uno de
ellos; muere el compadre, y, según la promesa que le
había hecho, vuelve del Purgatorio y le cuenta a su
compañero lo que sucede allí*

Unicamente al rey le faltaba contar su historia, y éste, cuando vio
tranquilas a las damas que se compadecían del árbol derribado sin
ser culpable, dijo:

—Es evidente que todo rey justo debe ser el primero en cumplir
las leyes hechas por él, y si no las cumple, ha de considerársele como
siervo digno de castigo y no como soberano. Y yo que soy vuestro
rey, me veo obligado a caer en tal falta. Escuchad: cuando ayer dicté
la ley que regula los cuentos de esta jornada, lo hice con el propósito
de sujetarme a ella y sin usar del privilegio que se me concede. Pero
veo que no sólo se ha contado lo que pensaba yo contaros, sino que
tantas cosas admirables se han dicho, que no doy con ninguna nueva
sobre esta materia, o que pueda equipararse a las ya relatadas. Siendo
esto así, ya que debo faltar a la ley por mí dispuesta, me someto al
castigo que queráis imponerme, y me acogeré a mi privilegio, como
he hecho en las demás jornadas.

La historia contada por Elisa acerca del compadre y de la comadre
y la estupidez de los sieneses, tiene tanta fuerza, queridísimas damas,
que, prescindiendo de las burlas que las prudentes mujeres hacen a
los maridos tontos, me induce a referiros una historia sobre ese
mismo tema; y aunque en ella haya cosas inverosímiles, no creo, sin
embargo, que dejéis de escucharla con agrado.

En otro tiempo vivieron en Siena dos jóvenes plebeyos, unidos
por fuertes lazos de amistad. Uno de ellos se llamaba Tingoccio Mini,
y el otro Meuccio de Tura. Habitaban en Puerta Salaria, y casi nunca

se relacionaban con nadie. Como hacen la mayoría de las gentes, frecuentaban las iglesias y no faltaban a ningún sermón, donde oían hablar de la gloria o de las miserias que a las almas de aquellos que morían esperan en la otra vida, según los méritos contraídos en ésta. Deseando ambos tener noticia exacta de tales cosas y no hallando medio de informarse, mutuamente se prometieron, bajo juramento, que quien primero muriese volvería a visitar al que sobreviviera, si le era posible, para contarle lo que sucedía en la otra vida.

Hecha, pues, esta promesa y continuando su intimidad como llevo dicho, acaeció que Tingoccio se hizo compadre de un tal Ambrosio Anselmino, que residía en Camopreggi, el cual acababa de tener un hijo de su esposa, la señora Mita.

Tingoccio visitaba algunas veces, en compañía de Meuccio, a su comadre, que era una mujer hermosísima, y, a pesar del compadrazgo, se enamoró de ella; también su amigo Meuccio, como la hallara muy de su agrado, se enamoró igualmente.

De este amor nada se decían el uno al otro, aunque no por los mismos motivos; Tingoccio se abstenía de revelárselo a Meuccio por la vergüenza que a él mismo le daba amar a una comadre; en cuanto a Meuccio, ocultaba su pasión porque había observado que su amigo estaba también locamente enamorado, y se decía: «Si le descubro que la amo, se mostrará celoso de mí; y como él, por ser su pariente, podrá hablarle con entera libertad, conseguirá que me odie, y así nunca podré obtener lo que deseo».

En efecto, teniendo Tingoccio mayor facilidad para comunicar a aquella mujer sus deseos, supo amañarse de tal manera, tanto con palabras como con hechos, que al fin se vio correspondido en cuantos favores puede desear un amante. Meuccio no tardó en descubrir lo que pasaba, y aun cuando mucho le afligiera, fingió no haberlo observado, en la esperanza de poder llegar algún día a satisfacer su propio deseo con la dama, sin que se lo estorbaran los celos de su amigo.

Amando así los dos compañeros, más afortunadamente el uno que el otro, acaeció que, encontrando Tingoccio blando el terreno en las posesiones de su comadre, tanto cavó y trabajó, que contrajo una enfermedad que lo llevó al sepulcro en poco tiempo. Y una vez muerto, al tercer día —tal vez por no haberle sido posible antes— se presentó de noche, según la promesa, en la habitación de su amigo, que dormía profundamente, y le despertó.

—¿Quién eres? —preguntó Meuccio, abriendo los ojos.

Tingoccio le contestó:

—Soy Tingoccio, que vuelve a ti a darte noticias del otro mundo.

Al primer momento, Meuccio se asustó de la aparición; pero una vez serenado, le dijo:

—Bien venido seas, amigo mío.

Y en seguida le preguntó si estaba perdido.

Tingoccio respondió:

—Están perdidas las cosas que no se vuelven a encontrar. Y, ¿cómo estaría yo aquí si me hubiese perdido?

—¡Ay! —exclamó Meuccio—, no es esto lo que quiero decir; lo que te pregunto es si estás entre las almas condenadas al fuego del infierno.

—Eso no —respondió Tingoccio—; sin embargo, por mis pecados sufro graves y angustiosas penas.

Preguntó Meuccio qué penas se daban allá para cada uno de los pecados que aquí se cometen, y Tingoccio se las explicó todas. Después preguntó si podía hacer en este mundo algo por él, y Tingoccio le dijo que sí, que encargara misas y oraciones e hiciera limosnas, porque estas cosas alivian mucho a los de allá. Meuccio contestó que lo haría de buena gana; y cuando su amigo se despedía de él, recordando a la comadre, rogóle que aguardase un instante, y le dijo:

—Ahora que recuerdo, Tingoccio: ¿qué pena se te ha impuesto en el otro mundo por lo que hiciste en éste con tu comadre?

Tingoccio le respondió:

—Hermano mío, cuando llegué allá, me encontré con uno que parecía saber de memoria todos mis pecados, el cual me mandó a un lugar donde purgo con grandísimas penas mis culpas y donde hallé a muchos compañeros condenados al mismo castigo que yo; así, mezclado con ellos y recordando lo que había hecho con mi comadre, aguardaba a cada instante un castigo mayor, y aunque me hallaba en medio de una gran hoguera, temblaba de miedo. Al verme temblar, uno de mis vecinos me preguntó: «¿Qué has hecho más que los otros, que así tiemblas, estando en el fuego?» Y yo le contesté: «Tengo miedo del juicio que espero por un gran pecado que cometí en vida.» Me preguntó cuál era ese pecado, y yo se lo conté, diciéndole que había tenido tratos con una comadre mía, pero tan seguidos, que me costó la piel. El entonces, burlándose de esto, me dijo: «¡Bah, tonto! Aquí nadie toma cuenta alguna de las comadres». Y al oír esto quedé tranquilo.

Viendo Tingoccio que empezaba a clarear, añadió:

—Queda con Dios, amigo Meuccio, porque yo no puedo estar más aquí.

Y desapareció.

Meuccio, al oír que en el otro mundo nadie tomaba en cuenta de las comadres, comenzó a burlarse de su propia estupidez, por haber desechado a tantas; y decidió ser en adelante más inteligente. Si fray Rinaldo, ya citado en una de las historias contadas, hubiese sabido estas cosas, no habría necesitado de tanta retórica para atraer a la buena de su comadre.

CONCLUSION

Mientras el sol caía a su ocaso, habíase levantado un ligero céfiro, y el rey, concluido su cuento y puesto que ya nadie quedaba por hablar, quitóse la corona de la cabeza y la puso en la de Lauretta, diciendo:

—Señora, os corono por reina de nuestra tertulia; ordenad desde ahora lo que os parezca sea más del gusto y satisfacción de todos.

Lauretta hizo llamar al mayordomo, a quien ordenó se instalaran lo antes posible las mesas en aquel delicioso valle, a fin de que pudiesen regresar todos cómodamente al palacio; después le encargó lo que debía hacer durante su reinado. Y volviéndose a sus compañeros, les dijo:

—Ayer Dioneo dispuso que nuestro tema de hoy fuera el de las burlas que las mujeres hacen a sus maridos; y si no fuera porque no quiero que me toméis por uno de esos perrillos que inmediatamente quieren tomar venganza, os diría que mañana debería hablarse de las burlas que los maridos hacen a sus mujeres. Pero dejando esto aparte, digo que cada cual se disponga a contar lo que sepa respecto a las burlas que hacen las mujeres a los hombres, o los hombres a las mujeres, o los hombres entre sí, pues creo que este tema no será menos agradable que el de hoy lo ha sido.

Dicho esto púsose en pie y dio licencia a sus compañeros hasta la hora de la cena.

Unos fueron a pasear descalzos por el verde césped; otros se adentraron entre los umbrosos árboles. Fiammetta y Dioneo cantaron la balada de Arcita y Palemón. Así, transcurrido un buen rato en el mayor deleite, al llegar la hora de la cena sentáronse a las mesas dispuestas alrededor del lago, entre el canto de millares de pájaros y solazados por la suave brisa que descendía de las inmediatas colinas. Terminada la cena, dieron unas vueltas por el ameno valle, y a la caída de la tarde, bromeando durante todo el camino, regresaron con paso lento a la casa. Allí les fueron servidos vinos y dulces; luego, en torno de la fuente, cantaron y bailaron hasta que, recordando la reina que el día siguiente era viernes, dijo a sus compañeros con su habitual afabilidad:

—Todos sabéis, nobles damas, y vosotros, amables jóvenes, que mañana es día consagrado a la Pasión del Señor; día que, si mal no recuerdo, fue piadosamente celebrado por nosotros cuando era Neifile nuestra reina, y por lo tanto dimos tregua a todo discurso placentero, y otro tanto hicimos el sábado siguiente. Deseando, pues, seguir el buen ejemplo que ella nos dio, creo que mañana y pasado hemos de abstenernos de referir cuento alguno, concentrando nuestras mentes a lo que conviene para la salvación de nuestras almas.

Gustó a todos el devoto lenguaje de su reina; y estando ya avanzada la noche, previa la acostumbrada licencia fuéronse todos a descansar.

JORNADA OCTAVA

INTRODUCCION

En la mañana del domingo, cuando en la cima de los más elevados montes aparecían los rayos del sol naciente desterrrando las sombras nocturnas, la reina y sus compañeros, levantados ya, dieron un breve paseo por el prado cubierto de rocío, hasta la hora de tercia, en que fueron a una pequeña iglesia inmediata y en ella asistieron al oficio divino.

Y de regreso a casa y una vez que hubieron comido con jovialidad y alegría, cantaron y bailaron, pudiendo luego, quien quiso, ir a descansar. Pero cuando el sol hubo pasado el círculo del mediodía, accediendo al deseo de la reina, se sentaron todos junto a la fuente para reanudar los cuentos. Y por mandato de Lauretta, Neifile comenzó en estos términos:

EL DINERO PRESTADO

*Gulfardo recibe de Guasparino un dinero en préstamo,
y luego yace con la mujer del prestamista, pagándole
con las monedas prestadas; finalmente, en presencia
de la mujer, dice a Guasparino que ha entregado el
dinero a su esposa, confirmando ésta la verdad de
sus palabras*

Pues me toca a mí comenzar la presente jornada con un cuento, con gusto voy a hacerlo: y dado que, cariñosas damas, mucho se ha hablado acerca de las burlas hechas por las mujeres a los hombres, quiero contaros una de un hombre a una mujer, no ya porque trate de censurar lo que el hombre hizo o quiera demostrar que la mujer lo tenía merecido, sino para alabar al hombre y censurar a la mujer, y demostrar que también ellos saben reírse de quien cree en ellos; más aún, hablando con mayor propiedad, no llamaría burla a lo que os voy a explicar, sino mejor justicia, pues la mujer tiene la obligación de ser honesta y guardar su castidad como su propia vida, sin contaminarla por razón alguna. Desgraciadamente, no siendo posible, dada la fragilidad de la mujer, conservar ese tesoro tan por completo como convendría, afirmo que deben ser quemadas vivas las que caen por dinero; quien a tal caso llega por amor —siendo conocidas las fuerzas de éste— es digna de ser indultada y perdonada, como sucedió en el caso de la señora Felipa, en Prato, que nos contó Filostrato.

Tiempo ha vivió en Milán un soldado alemán llamado Gulfardo, hombre de buena presencia y leal a aquellos a cuyo servicio estaba, calidad poco común entre los de su nación. Como era cumplidor y siempre devolvía el dinero que le prestaban, hallaba con facilidad mercaderes que, cuando lo necesitaba, le dejaban la suma que pedía a muy corto interés.

Hallándose ese hombre en Milán, se enamoró de una mujer

bastante bella, llamada Ambrosia, casada con un rico comerciante cuyo nombre era Guasparino Cargabraccio, muy amigo del soldado. Como la amaba con bastante discreción, sin darse cuenta el marido ni persona alguna, envióle cierto día un mensaje en el que le rogaba correspondiese a su amor, afirmando que él, por su parte, estaba dispuesto a hacer cuanto ella ordenara. La mujer, tras muchas vacilaciones, acabó por consentir en lo que se le pedía, pero mediante. dos condiciones: la primera, que él nunca lo revelaría a nadie; y la segunda, que, como ella necesitaba para cierto compromiso doscientos flórines de oro, quería que él, que disponía de dinero, se los regalara, con lo cual estaría después siempre a su disposición.

Al ver Gulfardo la codicia de aquella mujer, indignado por la vileza de quien él había considerado como excelente dama, poco le faltó para que su ardiente amor se trocase en odio; no obstante, procuró calmarse, y resolvió jugarle una mala pasada. A tal objeto mandóle recado de que estaba dispuesto a complacerla en aquellas condiciones y en todo cuanto él pudiera; que le dijera cuándo quería que fuese a verla y le llevaría los doscientos florines; que nunca hablaría a nadie de ese asunto, a excepción de un compañero de armas en quien tenía la más absoluta confianza y le acompañaba a todas partes.

Muy contenta la mujer al saber que Gulfardo aceptaba las dos condiciones, le mandó decir que pocos días después su marido tenía que ir a Génova para sus asuntos, y que inmediatamente partiera se lo haría saber para que fuera a verla.

El alemán, sabedor de que Guasparino emprendería pronto el viaje, apresuróse a ir en su busca y le dijo:

—Tengo entre manos un asunto para el cual necesito doscientos florines de oro, y te agradecería me los prestaras, al interés que sueles cobrarme otras veces.

Guasparino, que conocía la honradez de aquel hombre, le entregó en el acto el dinero.

A los pocos días Guasparino marchó a Génova, y la esposa avisó al soldado que podía ir a verla con el dinero.

Gulfardo se dirigió con su compañero a casa de la mujer, que salió a recibirle al pie de las escaleras, y la primera cosa que hizo fue poner en sus manos los doscientos florines, en presencia de su camarada, diciéndole:

—Señora, tomad este dinero y dádselo a vuestro marido cuando vuelva.

Aceptólo la mujer, sin descubrir segunda intención al expresarse Gulfardo en esos términos, pues creyó que lo hacía así para evitar que su compañero se diese cuenta de que se lo daba en pago de sus favores.

—Lo haré con mucho gusto; pero antes quiero comprobar si está completa la cantidad.

Extendió los florines encima de la mesa, y viendo que estaban los doscientos, llena de contento, los guardó y llevó a Gulfardo a su habitación, prestándose a sus gustos, y le dijo que no sería sólo por aquella vez, sino otras muchas, hasta el regreso de su marido.

Cuando Guasparino volvió de Génova, Gulfardo fue a visitarle, aprovechando una ocasión en que sabía que la mujer estaba en la casa.

—Guasparino —le dijo, en presencia de la esposa—, los doscientos florines de oro que el otro día me prestaste, no los necesité, pues no pude realizar el negocio para el cual te los pedí, y por lo tanto, se los devolví inmediatamente a tu esposa para que te los entregara a tu regreso. Puedes romper el recibo.

Guasparino, volviéndose a su esposa, le preguntó si los había recibido. Esta, viendo también allí al testigo que había presenciado la entrega, no pudo negarlo; antes bien, dijo:

—Realmente, me los entregó, pero olvidé dártelos.

Entonces Guasparino repuso:

—Está bien, Gulfardo; ve con Dios, que yo inutilizaré tu recibo.

Marchóse Gulfardo, y la burlada mujer entregó a su marido el deshonesto precio de su vileza.

EL PRESTAMO DEL TABARDO

*El cura de Varlungo deja su tabardo en prenda a
Belcolore, y después, merced a su astucia,
lo recupera*

Tanto los jóvenes como las damas elogiaban lo que hizo Gulfardo
a la codiciosa milanesa, cuando la reina, volviéndose hacia Pánfilo,
le ordenó, sonriendo, que continuara, lo que éste se apresuró a
hacer, diciendo:

—Voy a contaros bellas señoras, una breve historia contra aquellos que continuamente nos ofenden; sin que de nuestra parte puedan
ser ofendidos; me refiero a ciertos curas que han proclamado como
una cruzada sobre nuestras mujeres, y, cuando conquistan una, les
parece haber ganado la misma indulgencia de culpa y pena que si
hubieran logrado llevar encadenado al sultán de Turquía a la corte
papal. Y nosotros, pobres burgueses, no podemos hacer lo mismo
con ellos, por mucho que nos ingeniemos para vengar sus asaltos en
sus propias madres, hermanas, hijas o amigas. Por ello quiero referiros la fábula de un amorcillo de aldea, más sustancioso por su
conclusión que largo de contar, por la cual veréis que no puede uno
fiarse de semejantes clérigos.

En el pueblo de Varlungo, que, como sabéis, está cercano a
nuestra ciudad, vivió un clérigo de buena figura y servicial con las
mujeres, que, aunque apenas sabía leer, recreaba a sus feligreses con
unas breves y santas pláticas los domingos por la mañana, al pie del
olmo, y visitaba a las mujeres con más arte que cualquier otro de los
sacerdotes que le habían precedido en el lugar, llevándoles a sus casas
estampitas y agua bendita y algún cabo de vela bendecida también
por él.

Entre las feligresas que de esta suerte visitaba y que más le había gustado, sobresalía una que se llamaba Belcolore, esposa de un campesino conocido por el nombre de Bentivegna del Mazzo. Era, en efecto, mujer agradable y rolliza, morena, y más apta que otra cualquiera para la molienda; tocaba el címbalo mejor que ninguna, cantaba aquello de: *El agua corre hacia abajo*, y dirigía las danzas en corro cuando convenía. Por todas estas razones se prendó tanto de ella, que poco faltó para que se le trastornara el juicio, y todo el día andaba con el resuello fuera para poder verla.

Cuando la veía en la iglesia el domingo por la mañana, cantaba los *Kyries* y los *Sanctus* con toda la fuerza de sus pulmones, para persuadirla de que era el mejor cantor, aunque sus gritos más bien parecían rebuznos de un asno; en cambio, si no la veía allí, decíalos en voz tan baja que era difícil seguirle. No obstante, como era astuto, ni Bentivegna del Mazzo ni nadie se daban cuenta, por cerca que se hallaran.

Para poder ganarse mejor la confianza de Belcolore, de vez en cuando le hacía regalitos, ya manojos de ajos tiernos —de los que tenía en su huerto, cultivados por él mismo y sin duda los mejores del país—, ya un canastillo de guisantes o manojos de cebollas o de ascalones; y cuando por casualidad se encontraban, la miraba algo de reojo, a la manera canina; pero la aldeana, fingiendo no haber observado nada, y bien contenta de parecer agreste, pasaba siempre sin detenerse, lo cual tenía harto mohíno al cura.

Cierta vez que paseaba sin rumbo fijo, a eso de mediodía, pensativo y con las manos a la espalda, la casualidad hizo que se encontrase con Bentivegna del Mazzo, que iba precedido de un asno cargado de diversos productos de su huerto. Acercándose a él, el clérigo le preguntó adónde iba y el labriego contestó:

—Voy a la ciudad, y llevo estas legumbres y frutas a micer Bonaccorri da Ginestreto, a fin de que vea con buenos ojos mi asunto, pues estoy citado por el procurador y debo presentarme ante el tribunal civil.

Muy contento en su interior, el cura le dijo:

—Haces bien, hijo mío; anda, pues, con mi bendición, y vuelve pronto. Si acaso te encuentras con Lapuccio o Naldino, no olvides decirles que me traigan engarces para las fallebas de mis puertas.

Bentivegna del Mazzo dijo que lo haría y prosiguió el camino de Florencia.

El cura pensó que aquélla era buena ocasión para hacer una visita a su adorada Belcolore y probar fortuna; y echando a andar, fue en derechura a la casa de ella y entró diciendo:

—¡Buenos días y que Dios bendiga esta casa! ¿Quién hay por aquí?

La Belcolore, que había subido a la galería, habiéndole oído le dijo:

—Bien venido, señor cura. ¿De dónde venís vagando con ese calor?

—He encontrado a tu marido, que iba a la ciudad —contestó el cura—, y vengo a pasar unos momentos a tu lado.

La Belcolore bajó, se sentó tranquilamente, y se puso a limpiar y separar semillas de col, que poco antes había traído su marido.

A fin de aprovechar el cura la entrevista, comenzó a decir:

—Bueno, Belcolore, ¿estás empeñada en hacerme morir de este modo?

La Belcolore se echó a reír.

—¿Qué os hago yo? —dijo.

—Nada me haces —contestó el sacerdote—; pero tampoco me dejas hacer lo que quisiera.

—¿Acaso hacen eso los curas? ¡Bah, marchad... marchad!

—Si que lo hacemos —dijo el sacerdote—, y sin duda mejor que los demás hombres. ¿Y sabes por qué nuestro trabajo es mejor? Porque molemos con menos frecuencia. Te aseguro que quedarás contenta, pues sabré demostrarte mi gratitud.

—Gratitud... Lo dudo... Los clérigos sois avaros.

—¿Acaso alguna vez te he negado nada? —continuó el cura—. No soy avaro. Pide y verás. ¿Quieres unas zapatillas, una cinta, o una diadema? Di lo que quieres.

—De todo eso ya tengo —repuso, riendo, la aldeana—; pero ya que tanto me queréis, hacedme un favor y yo os corresponderé como gustéis.

—Habla —repuso el cura con viveza—; haré de buena gana todo lo que quieras.

Entonces explicó la Belcolore:

—El sábado tengo que ir a Florencia para entregar unas lanas que he hilado y hacer recomponer mi rueco; si me prestáis cinco liras, que no dudo tenéis, yo rescataría de casa del usurero mi basquiña color marrón y el cinturón de los días de fiesta, el que usé para mi boda; porque ya veis que no puedo ir a ninguna fiesta si no tengo qué ponerme.

—Cabalmente —dijo el cura—, no tengo aquí las cinco liras, pero me comprometo a entregártelas antes del sábado.

—¡Bah! —replicó la aldeana—; todos los hombres prometéis mucho y no cumplís nada. No penséis hacer conmigo como hicisteis con la Biliuzza, que se atracó de promesas y acabó en el *etcétera*, pues por vuestra culpa terminó en mujer de mundo. Conmigo no lo haréis. Si no tenéis las cinco liras, id a buscarlas.

—¡Vaya! —exclamó el cura—. ¿Vas a hacerme ir a casa? Ya ves que he hallado ahora la ocasión de que estemos solos; tal vez no suceda lo mismo cuando vuelva, y... ¿qué sé yo cuándo podríamos encontrar una oportunidad más favorable?

La Belcolore insistió:

—Haced lo que os digo; si no lo hacéis, no habrá nada.

Viendo el clérigo que la mujer no estaba dispuesta a complacerle sino *salvum me fae*, y él quería hacerlo *sine custodia*, dijo:

—Tú desconfías que te traiga las liras ¿no es así? Pues para que me creas, te dejaré en garantía mi tabardo de paño azul turquí.

La Belcolore miró el tabardo y dijo:

—Sí, sí... ¿cuánto puede valer?

—¿Qué cuánto puede valer? Este ropón es de fino paño flamenco de Douai, y hasta hay en mi pueblo quienes lo llevan de Tragio. No hace aún quince días que se lo compré al prendero Lotto en siete liras, y Buglietto, que es muy entendido en esa clase de paños, afirma que vale más de diez.

—¿De veras? —dijo la Belcolore—. Nunca hubiese creído que valiera tanto. En fin, dadme ese tabardo.

El clérigo, que ardía en deseos de satisfacer su pasión, le entregó la prenda, y después que la Belcolore la hubo guardado en el armario, le dijo:

—Vamos al granero, que por allí no pasa nadie.

Y se fueron. El cura se solazó con ella un buen rato, y después regresó a su iglesia, vestido de sotana, como si viniese de celebrar alguna boda.

Cuando estuvo a solas, considerando que de todos los cabos de vela que recogía durante el año no salían ni la mitad de cinco liras, le pareció que había obrado mal y se arrepintió de haber dejado el tabardo en prenda. Inmediatamente se puso a meditar cómo podría recobrarlo sin desembolsar la cantidad convenida, y puesto que era maliciosillo, pronto le acudió una idea.

Siendo festivo el día siguiente, envió al hijo de uno de sus vecinos a casa de la Belcolore, rogándole que le prestara su mortero de mármol, porque aquella mañana tenía invitados a comer a Binguccio del Poggio y a Nuto Biglietti, y deseaba hacer una salsa.

La aldeana se lo mandó sin dificultad. Y cuando el clérigo supuso que la Belcolore estaría a la mesa con su marido, llamó al monaguillo y le dijo:

—Devuélvele este mortero a la Belcolore, y dile de mi parte: «Dice el señor cura que os lo agradece, y que le hagáis el favor de devolverle el tabardo que el muchacho os dejó en prenda por el mortero».

El monaguillo fue a casa de la Belcolore con el mortero y la encontró sentada a la mesa con su marido. Y dejando el mortero, dio el recado del cura, sin olvidar palabra.

Al oír la Belcolore que le reclamaba el tabardo, quiso replicar; pero Bentivegna del Mazzo le cortó la palabra, diciéndole con enfado:

—¿Cómo es que exiges prenda al señor cura por un mortero? ¡Voto a Cristo! ¡Ganas me dan de abofetearte! Anda, devuélvele en seguida su tabardo, y guárdate bien de no negarle nunca lo que pida, sin prenda alguna, aunque nos pidiese nuestro borrico.

La Belcolore se levantó murmurando, sacó del armario la prenda, la dio al monaguillo y le dijo:

—Dile de mi parte al señor cura que la Belcolore jura a Dios que nunca más batirá salsa en su mortero, ya que tan bien lo han honrado esta vez.

El monaguillo le llevó el tabardo y dio el recado al clérigo, el cual contestó, riendo:

—Si por casualidad te encuentras con la Belcolore, dile de mi parte que si ella no me presta su mortero, yo no le prestaré la mano, y váyase lo uno por lo otro.

Bentivegna creyó que su mujer decía aquello molesta por la reprimenda, y olvidó el asunto, pero la mujer se vengó del clérigo teniéndole a dieta hasta el tiempo de la vendimia, cuando al amenazarla el cura con mandarla a las calderas de Pedro Botero, llena de miedo, le devolvió sus favores, y así siguieron aprovechando el tiempo.

A cambio de las cinco liras de la deuda, el clérigo hizo cambiar el parche del tambor de la Belcolore, con lo que ella quedó más contenta que unas pascuas.

CALANDRINO, BRUNO Y BUFFALMACCO

*El inocente Calandrino es engañado cándidamente;
le hacen recoger piedras que él cree han de hacerle
invisible, y paga cara su credulidad*

Terminado el cuento de Pánfilo entre grandes risas de las señoras, la reina ordenó a Elisa que continuara, y ésta, riendo todavía, empezó así:

—No sé si lograré, con una historia mía, no menos verdadera que deliciosa, haceros reír tanto como lo ha conseguido Pánfilo con la suya; pero voy a intentarlo.

En nuestra hermosa ciudad, donde siempre ha habido gran variedad de costumbres y de gentes, vivió no ha mucho tiempo un pintor llamado Calandrino, hombre sencillo y extraño, que pasaba la mayor parte del día en compañía de otros dos pintores, llamado Bruno el uno y Buffalmacco el otro, hombres muy alegres, pero cautos y sagaces, y que, si frecuentaban el trato con Calandrino, era debido a que les divertía mucho con su simplicidad y sus maneras.

Vivía también entonces en Florencia un joven muy agradable en todas sus cosas, hábil y sutil, llamado Maso del Saggio, el cual, habiendo oído hablar de la sencillez de Calandrino, sintió deseos de divertirse a su costa, con alguna burla o haciéndole creer algún disparate.

Por casualidad le encontró un día en la iglesia de San Juan, y viéndole contemplar atentamente las pinturas y los bajorrelieves del tabernáculo, colocado en el altar poco tiempo antes, pensó que era una buena ocasión para lograr su intento. Después de comunicar su plan a un amigo que le acompañaba, se acercaron los dos a donde Calandrino estaba sentado, y, fingiendo no reparar en él, empezaron a hablar entre sí acerca de las cualidades de diversas piedras, de las que Maso razonaba con tal eficacia como si fuese gran experto en la materia.

Calandrino prestó oídos a aquella conversación, y poniéndose en pie después de un rato, viendo que no hablaban en secreto, se unió a ellos, cosa que gustó mucho a Maso. Como éste continuara hablando, Calandrino le interrumpió para preguntarle dónde se hallaban aquellas piedras de tan gran virtud. Maso respondió que preferentemente se encontraban en Berlinzone, país de los vascos, situado en una región llamada Bengodi, donde se ataba a los perros con longanizas y donde por medio céntimo se conseguía una oca, y un pavo por añadidura; en medio de aquella tierra había una gran montaña, toda ella de queso de Parma, en cuya cima habitaban algunas personas cuya única ocupación consistía en guisar macarrones y mazapanes en caldo de capones; cuando todo estaba dispuesto, los arrojaban desde lo alto, y quien más atrapaba más comía; al pie de la montaña corría un arroyo de la mejor malvasía, sin mezcla alguna de agua.

—¡Buen país debe ser ése! —exclamó Calandrino—. Pero decidme: ¿qué se hace de los capones, una vez cocidos?

—Se los comen los vascos —replicó Maso.

Calandrino preguntó:

—¿Estuviste alguna vez allí?

—¿Dices si estuve alguna vez? —respondió Maso—. Lo mismo estuve una vez como mil.

—¿A cuántas millas está desde aquí? —insistió Calandrino.

—Más de mil y otras tantas —respondió Maso.

—Entonces —continuó Calandrino—, debe estar más allá de los Abruzzos.

—Ciertamente —aseguró Maso.

El simple de Calandrino, viendo que Maso le contestaba con cara seria e impasible, le creyó como si se tratara de la verdad más manifiesta, por lo que repuso:

—Para mí, lo encuentro demasiado lejos; si estuviera más cerca, te aseguro que iría contigo una vez, para dar buena cuenta de aquellos macarrones y atracarme bien. Pero dime, si no lo tienes a mal; ¿en aquella tierra se encuentran las piedras de que hablabas?

—Sí —contestó Maso—, hay allí dos clases de ellas, de una virtud asombrosa; unas son las piedras duras de Settignano y de Montisci, por cuya virtud, en cuanto se las ha convertido en muela de molino, la harina se muele sola; por eso precisamente en aquellos países se dice que de Dios vienen las gracias y de Montisci las muelas de molino; pero hay tal cantidad de esas piedras, que tan poco valor tienen entre nosotros, como tampoco lo tienen entre ellos las esmeraldas, de las cuales hay allí montañas más altas que el monte Morello, y con su brillo convierten la noche en día. La otra piedra es la que nosotros, los entendidos, llamamos heliotropía, de virtud extraordinaria, pues el que la lleva consigo se hace invisible, de manera que ningún otro hombre puede verle donde no está.

—Grandes virtudes son ésas —dijo Calandrino—; pero, ¿dónde se halla esta segunda piedra?

Maso contestó que se las solía encontrar en el Mugnone.

—¿Qué tamaño y color tiene? —preguntó Calandrino.

Maso respondió:

—Se encuentran de varios tamaños, pero todas tienen un color parecido al negro.

Cuando Calandrino hubo sabido todos estos detalles, fingió que tenía algún quehacer, se separó de Maso y se propuso ir en busca de esa piedra maravillosa. Pero como no quería hacerlo sin que lo supieran Bruno y Buffalmacco, buenos amigos suyos, fue a su encuentro para comenzar la búsqueda sin tardanza, antes de que alguien se les adelantara. Después de perder toda la mañana preguntando por ellos inútilmente, pasada la hora de nona recordó que los dos trabajaban en el convento de monjas de Faenza, y, aunque el calor era intenso, casi corriendo fue a su encuentro.

—Amigos míos —les dijo—, si queréis creerme, podremos convertirnos en los hombres más ricos de Florencia. He sabido, por un hombre digno de crédito, que en Mugnone se encuentra una piedra que tiene la virtud de hacer invisible a quien la lleva consigo. Creo que sin tardanza debiéramos ir a buscarla, antes de que otros se nos adelanten. Sin duda la encontraremos, porque, por las señas que me han dado, la conozco bien; cuando la tengamos, bastará que nos la metamos en el bolsillo, e irnos a las mesas de los grandes banqueros, que como sabéis están llenas de ducados y florines, y tomar cuanto queramos. Fácil nos será enriquecernos, sin tener que pasar todo el día babeando las paredes, como hacen los caracoles.

Bruno y Buffalmacco se miraron entre sí y tuvieron que disimular su alborozo, aunque se reían interiormente, al oír tales extravagancias. Pusieron cara de asombro y alabaron a una el consejo de Calandrino; pero Buffalmacco preguntó qué nombre tenía aquella piedra.

A Calandrino, que era duro de mollera, se le había ido de la memoria el nombre, y por ello respondió con presteza:

—¿Que nos importa el nombre, si sabemos su virtud? Creo que debemos ir a buscarla en seguida.

—Bueno —asintió Bruno—. Pero, al menos, ¿cómo es?

—Las hay de muchas clases —contestó Calandrino—, y son casi negras; de modo que me parece que tenemos que recoger todas las piedras negras que encontremos, hasta dar con ella; vamos no perdamos más tiempo.

—Aguarda —dijo Bruno; y volviéndose a Buffalmacco añadió—: Creo que Calandrino tiene razón; pero no me parece que ésta sea la hora más a propósito; el sol está todavía alto y da de lleno en el Mugnone, con lo que habrá secado las piedras de tal manera que parecerán blancas las que por la mañana, antes de que el sol las seque, se presentan negras; además, siendo hoy día de trabajo, hay mucha gente por el Mugnone, y en cuanto nos vieran se pondrían ellos al mismo trabajo, y tal vez la piedra que buscamos fuese a parar a sus manos, con lo que perderíamos el trote por la andadura. Creo, si estáis de acuerdo, que conviene dejar esto para mañana a primera hora, que es cuando se distinguen mejor las piedras negras de las blancas, y siendo día festivo no habrá quien nos vea.

Buffalmacco aprobó el consejo de Bruno, y Calandrino lo halló conforme, con lo que acordaron que a la mañana siguiente saldrían en busca de la piedra; pero Calandrino les rogó encarecidamente que por nada del mundo hablaran con otros de aquel asunto, pues a él se lo habían dicho en confianza. Luego les contó lo que había oído acerca del país de los Bengodi, y afirmó bajo juramento que era cierto. Y cuando Calandrino se hubo marchado, los otros dos dispusieron lo que habían de hacer a la mañana siguiente.

Calandrino esperó con afán la mañana del domingo; en cuanto amaneció fue a llamar a sus compañeros y juntos salieron por la puerta de San Gallo, bajando hacia el Mugnone y disponiéndose a buscar la famosa piedra. Como Calandrino era quien más deseos tenía de encontrarla, caminaba delante, pasando rápidamente de un lado a otro; en cuanto veía una piedra negra, se lanzaba a ella y la guardaba en la faltriquera. Seguíanle sus compañeros parsimoniosamente y, de vez en cuando, recogían algunas de las que quedaban en el camino. Al poco rato de andar, Calandrino tenía la bolsa atiborrada de piedras; por lo cual, viendo Buffalmacco y Bruno que estaba tan cargado y llegaba la hora de comer, de acuerdo con lo proyectado comenzaron a hablarse entre sí en voz alta, y el segundo preguntó al primero:

—¿Dónde está Calandrino?

Buffalmacco, que le veía cerca de él, empezó a mirar y a volverse a un lado y a otro, y respondió:

—No lo sé, pero hace un momento estaba aquí, delante de nosotros.

Bruno dijo:

—¿Hace un momento? Estoy seguro que se ha vuelto a su casa; al vernos tan atareados en busca de las piedras, nos ha dejado aquí, y quizás a estas horas esté comiendo.

—¡Ha hecho bien! —exclamó entonces Buffalmacco—. Puesto que hemos sido tan necios en darle crédito, nos ha jugado esta mala pasada. ¿Quién iba a ser tan bobo para creer que en el Mugnone existe una piedra de tanta virtud, sino nosotros?

Al oír estas palabras, Calandrino pensó que la maravillosa piedra había caído en sus manos, y que por su virtud no le veían, a pesar de estar delante de ellos.

Feliz por su suerte, sin decir palabra, decidió volverse a su casa; y empezó a desandar el camino. Al ver esto Buffalmacco, dijo a Bruno:

—¿Qué hacemos? ¿No nos marchamos?

Bruno respondió:

—Marchémonos; pero juro a Dios que Calandrino no me volverá a jugar otra; si le tuviese cerca, como le he tenido toda la mañana, le daría una pedrada con tal fuerza, que por todo un mes se acordaría de esta burla.

Decir esto, levantar el brazo y arrojar una piedra al calcañar del infeliz Calandrino, fue todo uno. Al sentir el dolor, Calandrino alzó el pie y se puso a soplar, pero no dijo palabra, y siguió adelante. Buffalmacco, tomando otra de las piedras que había recogido, le dijo a Bruno:

—¡Bonito guijarro! ¡Ojalá acertara en los riñones de Calandrino!

Y tirando hacia éste, le dio una buena pedrada en los riñones. De este modo, entre frase y frase, le fueron apedreando desde el Mugnone hasta la puerta de San Gallo. Allí, tras arrojar las piedras sobrantes, se detuvieron a charlar un rato con los guardas, quienes, prevenidos de lo que ocurría, fingieron no ver a Calandrino cuando estuvo ante ellos, y le dejaron pasar entre grandes risotadas.

Al ver que le dejaban pasar sin decirle nada, Calandrino estaba loco de contento y fue, sin detenerse, a su casa, situada cerca del Canto de la Mancina. Tan favorable se mostró la fortuna a la burla, que durante todo el camino nadie le habló, por ser poca la gente que pasaba por las calles a aquella hora, pues era la de comer.

Entró Calandrino en su casa cargado con las piedras negras. Su mujer, llamada Tessa, le esperaba en lo alto de la escalera y, enojada por su tardanza, al verle llegar comenzó a regañarle:

—¿De dónde diablo vienes? ¡Todo el mundo ha comido ya cuando tú vienes a hacerlo!

Cuando Calandrino oyó estas palabras y descubrió que su mujer le veía, lleno de disgusto exclamó:

—¡Maldita mujer! ¡Me has arruinado, pero me vengaré!

Y subiendo a una pequeña habitación, se descargó de aquella cantidad de piedras, corrió a su mujer y, agarrándola por las trenzas, la echó al suelo y le dio una buena mano de patadas y de golpes, dejándola descalabrada, sin que de nada le valiese a la infeliz el pedirle misericordia con los brazos en cruz.

En cuanto a Buffalmacco y Bruno, después que hubieron reído un rato con los guardas, siguieron desde lejos a su camarada, y al llegar a su casa oyeron el rumor de la terrible paliza, y como si llegaran entonces, llamaron a la puerta. Con el rostro sudoroso, encendido por la cólera y fatigado de zurrar a su mujer, Calandrino se asomó a la ventana y les dijo que subieran.

Ellos fingieron estar enojados con él y penetraron en su habitación. Al ver el suelo lleno de piedras y en un rincón a la pobre mujer, desgreñada, lívida, con el rostro lleno de cardenales, llorando desconsoladamente, y en otro a Calandrino, sudoroso, con el cinto desceñido, que se dejaba caer, vacilante, en una silla, le preguntaron:

—¿Qué es esto, Calandrino? ¿Quieres hacer una pared, que vemos ahí tantas piedras?

Y después añadieron:

—¿Qué tiene tu mujer? ¡Le has pegado! ¿Qué significa eso?

Calandrino, fatigado por el peso de las piedras y por la rabia con que la había zurrado, disgustadísimo, además, de haber perdido la ocasión de hacerse rico, no podía concentrar sus ideas para formular una respuesta clara.

Ante ese silencio, Buffalmacco dijo:

—Si estabas irritado por otro motivo, no por eso debías burlarte de nosotros como lo has hecho; porque, después de habernos llevado contigo a buscar piedras, sin encomendarte a Dios ni al diablo nos has dejado como dos papanatas en el Mugnone y has venido a tu casa; puedes estar seguro de que ésta es la última vez que nos engañas.

Al oír estas palabras, Calandrino respondió, con un esfuerzo:

—No os enfadéis, compañeros; la cosa es muy distinta de lo que pensáis. Porque, desdichado de mí, había encontrado la piedra que buscaba; y para que veáis que digo la verdad, sabed que cuando en el Mugnone os preguntabais dónde estaba yo, me hallaba a menos de diez pasos de vosotros; al ver que os volvíais sin verme, os adelanté y constantemente he andado delante y a poca distancia de vosotros.

Luego les contó cuanto ellos habían dicho y hecho, sin omitir lo de las pedradas. Después continuó:

—Al entrar por la puerta de San Gallo, cargado con todas las piedras que llevaba encima, los guardas me dejaron pasar, sin decir nada; y ya sabéis lo testarudos que son, que todo lo quieren ver; además, por la calle he encontrado a varios amigos, de los que suelen invitarme a beber, y ni tan siquiera me han saludado, como si no me viesen. Por último, al llegar aquí, este diablo de mujer se me ha plantado delante y me ha visto, porque como sabéis, las mujeres desvanecen la virtud de cualquier cosa; por lo que yo, que podía considerarme el hombre más afortunado de Florencia, me he convertido en el más infeliz; ésta es la causa de la paliza, y no sé cómo me aguanto y no vuelvo a comenzar. ¡Maldita sea la hora en que la vi por primera vez y el día en que la traje a esta casa!

Al oír tales cosas, Buffalmacco y Bruno fingían gran asombro y confirmaban con gestos lo que Calandriano decía, conteniendo, hasta casi reventar, las ganas de reír que sentían. Pero cuando le vieron furioso de nuevo y dispuesto a seguir pegando a su mujer, lo sujetaron y le dijeron que de esas cosas ella no tenía culpa alguna, sino que el culpable era él mismo, porque, sabiendo que las mujeres hacían perder a las cosas su virtud no la había prevenido antes para que no se le presentara en el momento de entrar en casa, o porque Dios había dispuesto que esa virtud no fuese suya, o por haber tenido la intención de engañar a sus dos buenos amigos al no participarles su descubrimiento. Finalmente, tras estas palabras y muchas otras reflexiones, reconciliaron a Calandrino con su mujer y lo dejaron, apesadumbrado, en la habitación llena de piedras.

EL PREBOSTE BURLADO

El preboste de Fiésole está enamorado de una viuda,
de la que no es correspondido, y, creyendo estar con
ella, en realidad está con una criada, mientras los
hermanos de la dama van a denunciarle al obispo

Había llegado Elisa al término de su cuento, referido no sin placer de todos, cuando la reina, volviéndose a Emilia, le indicó su voluntad de que contase el suyo, y Emilia se apresuró a hacerlo, diciendo:

—Recuerdo, graciosas damas, que en varias de las historias contadas se ha demostrado hasta qué punto los sacerdotes, frailes y demás clérigos solicitan nuestras mentes; pero puesto que siempre queda algo por decir, voy a contaros la de un preboste que, de buen o mal grado, quería que una noble dama viuda le amara, pero ella, como mujer prudente que era, le trató según merecía.

Como sabéis, Fiésole, cuya colina vemos desde aquí, es una de las ciudades más antiguas de Italia, grande en otros tiempos, y aunque hoy está arruinada del todo, nunca ha dejado de tener su obispado, y lo tiene aún.

Junto a la iglesia mayor tuvo su hacienda, con una casa no muy grande, una dama viuda, llamada señora Piccarda, que, careciendo de riquezas, solía vivir allí la mayor parte del año, en compañía de sus dos hermanos, jóvenes gentiles y corteses.

Acostumbraba esta dama ir a la iglesia mayor y como era todavía joven, bella y agradable, el preboste se enamoró tan locamente de ella que no veía ni pensaba en otra cosa. Y pasado algún tiempo, tanto fue su ardor que se atrevió a manifestarle los sentimientos que le había inspirado, rogándole le correspondiera con igual amor.

Era el preboste hombre entrado en años, pero de seso juvenil, atrevido, altanero y presuntuoso, afectado y nada simpático, tan importuno y fastidioso, que nadie le quería. Si alguien no podía sufrirle, era esa dama, que le odiaba más que a un dolor de muelas. Por lo cual ella, prudentemente, le contestó:

—Señor, que vos me améis, puede serme muy agradable y debo corresponderos, lo cual haré de buena gana; pero entre vuestro amor y el mío jamás ha de entrar cosa alguna deshonesta. Vos sois mi director espiritual y sacerdote, próximo a la vejez, tres motivos que deben haceros honesto y casto. Por otra parte, no soy una niña a quien convengan semejantes enamoramientos, y, además, ya sabéis cuánta honestidad a las viudas se les exige; disculpadme, pues, porque nunca podré amaros del modo que deseáis, ni quiero ser amada por vos así.

No pudiendo el preboste lograr más que esta respuesta, no se dio por vencido al primer intento, antes bien, echando mano de su presuntuosa impetuosidad, la solicitó muchas veces con cartas y embajadas; y hasta él mismo, cuando la veía en la iglesia. Tanto la importunó, que al fin la dama determinó quitárselo de encima como merecía, ya que de otro modo no era posible; pero nada quiso hacer sin consultar antes a sus hermanos. Habiéndoles manifestado cuanto el preboste hacía y lo que ella se proponía hacerle; y cuando los dos jóvenes aprobaron su propósito, a los pocos días se dirigió ella a la iglesia, como de costumbre.

Al verla, el preboste se apresuró a abordarla para renovar sus importunas solicitudes, y la viuda lanzó un suspiro ahogado, y dijo:

—Muchas veces he oído decir, señor, que no hay castillo, por fuerte que parezca, que no acabe por rendirse si se le ataca constantemente; esto es, sin duda, lo que me ha sucedido. Tanto me habéis asediado, ya con palabras dulces, ya con vuestra simpatía, que, al fin, habéis hecho quebrantar mi firme propósito: estoy dispuesta a ser vuestra.

—A decir verdad, señora —repuso el preboste con la mayor alegría—, mucho me ha asombrado que hayáis podido resistir tanto tiempo; nunca mujer alguna se me había mostrado tan esquiva; antes al contrario, en algunas ocasiones pensaba: «Si las mujeres fuesen de plata, no valdrían dinero, porque no resistirían al martillo». Pero dejemos esto ahora; ¿dónde y cuándo podremos encontrarnos?

—Dulce señor mío —contestó la dama—, el cuándo, podrá ser la hora que a vos más os acomode, pues no tengo marido a quien deba darle cuenta de mis noches; pero el dónde, no se me ocurre.

—¿Cómo? —observó el preboste—. ¿Y por qué no en vuestra casa?

—Señor —objetó la viuda—, ya sabéis que tengo dos hermanos jóvenes, que de día y de noche vienen a casa con sus compañeros; mi casa no es muy grande y por esto no sería posible, a no ser que quisierais estar en ella a manera de mudo, sin hablar, y a oscuras, como los ciegos; si os place así, se podría hacer, porque ellos no entran nunca en mi habitación, pero tienen la suya tan cerca de la mía, que no se dice palabra, por discreta que sea, que no se oiga.

A lo que contestó el preboste:

—Señora, por una o dos noches no importa; mientras tanto, yo pensaré en otro lugar donde podamos estar con mayor comodidad.

—Esto, señor, de vos depende —dijo la dama—, pero una cosa os pido, y es que todo quede secreto, que nadie sepa jamás una sola palabra.

A lo que aseguró el preboste:

—Nada temáis, señora; y si es posible, haced que podamos vernos esta noche.

—Sea —respondió la señora Piccarda.

Y después de indicarle cómo y cuándo tenía que ir, se despidió de él y regresó a su casa.

Esa dama tenía una criada, que no era aún vieja, pero en cambio tenía el rostro más feo y contrahecho que jamás se viera; su nariz estaba más aplastada de un lado que de otro, la boca era ancha y torcida, tenía los dientes grandes y desiguales, los ojos bizcos y llorosos, y la tez amarilla; además, era jorobada y estaba coja de la pierna derecha. Se llamaba Ciuta, pero debido a su deformidad casi todos la llamaban Ciutazza. No carecía de ingenio, y era maliciosilla, como suele ocurrir en las personas contrahechas.

Llamándola aparte, la señora Piccarda le dijo:

—Ciutazza, si esta noche quieres prestarme un servicio, te regalaré una bonita camisa nueva.

—Por una camisa —contestó la Ciutazza—, soy capaz, si así lo quisierais, de echarme al fuego.

—Bien —repuso la señora Piccarda—. Lo que deseo de ti es que esta noche te acuestes con un hombre en mi cama y le acaricies, sin hablar una sola palabra ni hacer ruido, para que no te oigan mis hermanos que duermen en el cuarto de al lado; después te daré la camisa.

—No con uno, sino con seis, dormiré por una camisa si es necesario —dijo la Ciutazza.

Llegada la noche, el preboste fue en la forma que se le había indicado; los dos hermanos —según lo había dispuesto la señora Piccarda—, estaban en la habitación contigua armando no poco alboroto, por lo que el preboste, escabulléndose en silencio y a oscuras, entró en la alcoba de la viuda y se metió en la cama, donde aguardaba la Ciutazza, dispuesta a hacer lo que su dueña le había pedido.

Creyendo el preboste que tenía a su lado a la mujer amada, estrechó en silencio en sus brazos a la Ciutazza y comenzó a besarla, sin decir palabra, refocilándose de lo lindo, con tanto más motivo cuanto que hacía tiempo ayunaba; también en silencio le correspondió la criada, que se vengaba del abandono en que se veía reducida, a causa de su estrafalaria figura.

Mientras ellos pasaban así el tiempo, los dos hermanos, según lo convenido, salieron quedamente de su habitación, se encaminaron a la plaza, y la fortuna les favoreció más aún de lo que esperaban, porque, como hiciera mucho calor, el obispo había pensado ir paseando y les invitó a que le acompañaran a tomar unos tragos. Ellos le llevaron a un patiecillo de la casa, donde a la luz de varias antorchas les sirvieron el mejor vino de su bodega.

Después de haber conversado de diversas cosas, uno de los hermanos le dijo:

—Monseñor, puesto que tan gran honor nos habéis concedido al visitar nuestra casita, desearíamos mostraros algo que sin duda os gustaría.

El obispo contestó que la vería con sumo gusto; los jóvenes tomaron las antorchas, y se encaminaron, seguidos del obispo y de sus criados, a la habitación donde el preboste yacía con la Ciutazza, el cual, para llegar pronto, había correteado sus buenas cuatro millas y estaba rendido de cansancio.

El más joven de los hermanos entró en la habitación, seguido del obispo y de los demás, y les mostró al preboste con la Ciutazza entre sus brazos. La sorpresa del preboste fue enorme. Al ver la luz y la gente que le rodeaba, ocultó la cabeza bajo las sábanas, avergonzado; pero el obispo le reprendió severamente, le ordenó que sacase la cabeza y le mostró con quién había dormido. Su desesperación y vergüenza se redoblaron al darse cuenta del engaño, y se creyó el hombre más desdichado de la tierra. Por orden del obispo, fue trasladado a la iglesia, debidamente custodiado, para imponerle la penitencia que su gran pecado merecía.

Quiso después el obispo saber cómo había ido el preboste a

dormir con la Ciutazza, y los jóvenes se lo explicaron todo, de lo cual se maravilló el prelado, que colmó de elogios a la dama y también a sus hermanos, los cuales, sin desear mancharse las manos con sangre, habían tratado al pecador como merecía.

El obispo le hizo purgar el pecado durante cuarenta días, pero el amor y el desdén se lo hicieron purgar más de cincuenta, sin contar con que, por espacio de muchos meses, no pudo salir a la calle sin que los muchachos le señalasen con el dedo, gritando: «Ese es el que durmió con la Ciutazza!».

De esta manera la señora Piccarda se libró de la fastidiosa petulancia del preboste, y la Ciutazza ganó una camisa y una buena noche.

LOS CALZONES DEL JUEZ

Tres jóvenes le sacan los calzones a un juez de la Marca, en Florencia, mientras administraba justicia en su sitial

Había terminado Elisa su relato y todos alababan a la viuda, cuando la reina, dirigiéndose a Filostrato, dijo:

—Ahora te toca hablar a ti.

Apresuróse éste a contestar que estaba dispuesto a ello, y empezó diciendo:

—Aquel joven Maso del Saggio, del que poco ha habló Elisa, me permitirá contaros una historia acerca de unos compañeros suyos, que quizá parezca inconveniente por algunos vocablos que en ella se usan y que vosotras os avergonzáis de usar, pero aun así es tan graciosa que quiero contárosla.

Sabido es que llegan con frecuencia a nuestra ciudad podestás de la Marca, hombres de pobre corazón, de vida estrecha y mísera, que en todos sus actos, a causa de su avaricia innata, suelen llevar consigo jueces y notarios que más parecen aldeanos y remendones que hombres salidos de las escuelas de leyes. Habiendo venido uno de esos nuevos podestás a establecerse en esta ciudad, entre los muchos jueces que consigo llevaba había uno que se hacía llamar micer Nicolás de San Lepidio, que tenía más facha de calderero que de otra cosa, que fue colocado entre los que se encargaban de las cuestiones criminales.

Como con frecuencia ocurre, que algunos ciudadanos, aunque nada tengan que hacer en el Palacio de Justicia, acuden allí sólo para ver qué se ventila, acaeció que cierta mañana fue allá Maso del Saggio en busca de un amigo, y entrando en la sala donde estaba sentado micer Nicolás celebrando vista, quedó mirándole fijamente, pues más que un juez le parecía un pajarraco. Vio que llevaba un birrete verde ennegrecido, un portaplumas a la cintura y más larga la faldilla que la casaca, amén de otras cosas indignas de un hombre ordenado y de buenas costumbres. Pero lo que le pareció más notable de cuanto había observado eran los calzones, pues, estando el juez sentado, le caían hasta media pierna. Sin entretenerse más en mirarle y renunciando a buscar al amigo, como le gustaba divertirse comenzó a pensar en alguna cosa nueva, hasta que encontró a dos camaradas suyos, llamado el uno Ribi y el otro Matteuzzo, ambos no menos alegres y divertidos que él.

Maso les dijo:

—Si queréis ver al avechucho más raro que jamás visteis en vuestra vida, venid conmigo a la Audiencia. Tened por seguro que os gustará.

Y yendo con ellos al Palacio, les enseñó al juez y sus calzones. Al ver la facha de aquel personaje, los dos amigos aguantaban difícilmente la risa, y acercándose más al sitial del juez, vieron que era muy fácil colocarse debajo del estrado, y que el escaño sobre el cual tenía colocados los pies estaba roto por la mitad y podía introducirse por el hueco la mano y el brazo.

Entonces Maso dijo a sus compañeros:

—Mi propósito es quitarle los calzones, puesto que fácilmente puede hacerse.

Ya sus dos amigos habían visto cómo lo harían; y, una vez puestos de acuerdo respecto al modo de llevar a cabo su intento, a la mañana siguiente volvieron a la Audiencia. Cuando la sala estaba rebosante de gente, Matteuzzo se metió debajo del banco, y se escabulló hasta el sitio sobre el que ponía los pies el juez; luego Maso y Ribi, acercándose al magistrado, le agarraron por la casaca y tiraron cada uno por su lado, mientras Maso decía:

—¡Señor! Os ruego, por piedad, que antes de que este ladronzuelo que tenéis a vuestro lado escape, le hagáis devolverme un par de botas que me robó, aunque él lo niegue; yo le vi, aún no hace quince días, cómo les cambiaba las suelas.

Ribi, tirando de las ropas por el otro lado, gritaba:

—No le creáis señor; ese hombre es un impostor, y porque sabe que he venido a quejarme de haberme robado una maleta, ahora se presenta y habla de unas botas que yo tenía en casa desde hace mucho tiempo; si no le creéis, puedo traer por testigos a la Trecca mi vecina, a la tripera la Grassa, y al basurerro de Santa María de Verzaia, que le vio cuando salía de la casa.

Maso, desde el otro lado, sofocaba los gestos de Ribi con los suyos. Y mientras el juez estaba en pie e inclinado para oír mejor las quejas de ambos, juzgando Matteuzzo que la ocasión era favorable, metió la mano por la abertura de la tabla, agarró los extremos de los calzones del juez y tiró de ellos con fuerza. Los calzones se vinieron inmediatamente abajo, porque el juez era flaco y no tenía caderas. Al darse cuenta de lo que pasaba, y, sin sospechar la causa, trató de cubrirse con su toga, en tanto que Ribi por un lado y Maso por el otro le tenían sujeto y seguían gritando con fuerza:

—¡Señor, me ofendéis al negaros a oírme y hacer justicia! ¿Por qué os disponéis a marchar? ¡En esta ciudad no se levantan expedientes por una cosa tan menuda!

En fin, tanto rato le tuvieron entre palabras y palabras, que cuantos se hallaban en la sala se dieron cuenta de que el juez estaba sin calzones. Y Matteuzzo, después de haberlos retenido un buen rato, los dejó y salió por donde había entrado, sin que nadie lo viera.

Ribi, juzgando que ya había hecho bastante, se retiró diciendo al juez:

—¡Voy a presentar mis quejas al síndico!

Y Maso, por el otro lado, soltándole la toga añadió:

—¡Yo volveré a veros cuando os encontréis menos ocupado que esta mañana!

Y salieron de la sala para reunirse con Matteuzzo.

Repuesto de su sorpresa, el juez se puso los calzones como si en aquel instante acabara de levantarse de la cama, en presencia de todos los que llenaban la sala; y sospechando entonces que había sido víctima de una broma, preguntó a dónde habían ido aquellos litigantes; pero como no se diera con ellos, se puso furioso y juró que había de averiguar si en Florencia era costumbre quitarle los calzones al juez mientras desempeñaba sus funciones en el tribunal de justicia.

Enterado el podestá, se irritó en gran manera; pero después, habiéndole manifestado sus amigos que los florentinos lo habían hecho para darle a entender que, en lugar de jueces, había traído borregos con el fin de ahorrar parte de los salarios, el podestá creyó oportuno callar, y por aquella vez no fue más allá la cosa.

EL ROBO DEL CERDO

*Bruno y Buffalmacco roban un cerdo a Calandrino y le
obligan a buscarlo con pasteles y malvasía, pero se
los dan amasados con áloe, de donde parece ser él el ladrón, y le
obligan a pagar una prenda si no quiere que lo
denuncien a su mujer*

Apenas hubo terminado Filostrato su cuento, entre grandes risas,
la reina ordenó a Filomena que siguiera con el suyo. Y ella comenzó:

—Graciosas damas, así como el nombre de Maso indujo a Filostrato a contar la historia que acabáis de oír, de igual manera el de
Calandrino y sus compañeros me inducen a contaros uno que creo
os gustará.

No es necesario que os diga quienes fueron Calandrino, Bruno y
Buffalmacco, pues ya lo sabéis; por consiguiente, paso a deciros que
Calandrino tenía una pequeña hacienda a corta distancia de Florencia, recibida en dote de su mujer. Entre otras cosas que en esa
hacienda recogía, sacaba todos los años un puerco bien cebado, y al
llegar el mes de diciembre iba allí con su esposa para matar al animal
y salarlo.

Pero una de esas veces su mujer enfermó y Calandrino tuvo que
ir solo. Apenas se enteraron de tal cosa Bruno y Buffalmacco, que
raramente le perdían de vista y no perdían ocasión de divertirse a su
costa, fueron a ver a un sacerdote, muy amigo suyo y vecino de
Calandrino, con el propósito de pasar algunos días con él.

Precisamente en la mañana del día en que éstos llegaron, Calandrino acababa de matar su cerdo, y cuando les vio en casa del cura
les llamó y les dijo:

—Mucho me alegra, amigos míos, que hayáis venido. Quiero que
veáis cuán excelente administrador soy.

Y llevándolos a su casa les mostró el bien cebado cerdo recién muerto. Los dos amigos vieron, en efecto, que el puerco era magnífico, y al decirles Calandrino que lo quería hacer salar para su familia, Bruno le interrumpió:

—¡Bah! ¡Eres un tonto! Mejor es que lo vendas y disfrutemos del dinero que se obtenga; en cuanto a tu mujer, puedes decirle que te lo han robado.

—No lo creería —objetó Calandrino—, y me echaría de casa; no lo haré por nada del mundo.

Mucho insistieron sus dos amigos, pero de nada les sirvió. Calandrino les invitó a cenar tan de mala gana, que ellos prefirieron rehusar y se retiraron refunfuñando.

Bruno dijo a Buffalmacco:

—¿Quieres que esta noche le hurtemos el cerdo?

—¿Cómo hacerlo? —preguntó Buffalmacco.

—No te preocupe eso —respondió Bruno—. Bien sé cómo hacerlo, si no lo cambia de sitio.

—Hagámoslo pues —dijo Buffalmacco—. ¿Por qué no? Y después lo comeremos en compañía del cura.

El clérigo, que no era nada escrupuloso por cierto, aceptó con gusto la idea. Entonces Bruno añadió:

—Aquí se requiere un poco de astucia; ya sabes, Buffalmacco, lo avaro que es Calandrino y cómo bebe a gusto cuando paga otro; vamos, pues y llevémosle a la taberna; el cura fingirá pagar todas las rondas para obsequiarnos y Calandrino cogerá su buena borrachera; de esta manera, y puesto que está solo en casa, las cosas nos saldrán fácilmente.

Hiciéronlo tal como Bruno propuso. Al ver Calandrino que el cura pagaba por todos en la taberna, empinó demasiado el codo y quedó como una cuba. Hacia la medianoche, tambaleándose, se fue a su casa sin cenar. Largo rato estuvo forcejeando para abrir la puerta, y sin pensar en cerrarla, tumbóse vestido en la cama.

Buffalmacco y Bruno, que habían bebido con prudencia, fueron a cenar a casa del cura, donde comieron bien. Un rato después cogieron herramientas para entrar en casa de Calandrino y se encaminaron allá, pero no tuvieron que utilizarlas, porque, hallando abierta la entrada, se colaron sin dificultad; y mientras nuestro hombre dormía como un tronco, descolgaron el cerdo, lo llevaron a casa del cura sin que nadie lo viera, y después de esconderlo se fueron a dormir.

Cuando a Calandrino se le hubo evaporado el alcohol, levantóse, y encontrando abierta de par en par la puerta, corrió presuroso al cuartito donde tenía colgado el puerco. Grande fue su desesperación al ver que había desaparecido; muchas fueron sus exclamaciones de sorpresa y de dolor; armó gran revuelo, preguntando a unos y a otros si habían visto al ladrón, y comenzó a sollozar.

Bruno y Buffalmacco, en cuanto se hubieron levantado, fueron a ver a Calandrino para oír lo que les diría. Al verles entrar, comenzó a sollozar y a gritar:

—¡Ay de mí, amigos míos! ¡Me han robado mi cerdo!

Acercándose a él, Bruno le dijo en voz baja:

—Raro es que hayas sido astuto una vez en tu vida.

—¡Ay! —suspiró Calandrino—. ¡Os digo la verdad! ¡Me lo han robado!

—Bueno, bueno —decía Bruno—: eso es, grita mucho para que todos te crean.

Calandrino gritaba entonces más fuerte:

—¡Te juro que digo de veras que me lo han robado!

Y Bruno repetía:

—Bien, bien; así hay que gritarlo para que parezca más cierto.

—¡Que el diablo me lleve si miento! —prorrumpió Calandrino—. ¡No me crees, y así me ahorquen si no es verdad lo que digo!

—Pero, ¿cómo puede ser eso? —dijo Bruno—. Tu cerdo estaba aquí ayer, y quieres hacernos creer que ha volado.

—Te digo que me lo han robado —insistió Calandrino—. No sé cómo volver a casa; mi mujer no me creerá; y aunque me creyera, sólo Dios sabe la trifulca que se armaría; no tendré paz en todo el año.

—Si es verdad lo que dices —repuso Bruno—, mal hecho está por parte de quienes te lo han robado. Pero como ayer te aconsejamos vender el puerco y simular el robo, no quisiera que al mismo tiempo te burlases de tu mujer y de nosotros.

Calandrino comenzó de nuevo a gritar:

—¿Por qué os empeñáis en desesperarme y hacerme renegar de todo cuanto existe? ¡Repito que alguien esta noche se ha llevado mi cerdo!

—Si es así —dijo Buffalmacco—, hay que averiguar quién lo robó y recobrarlo.

—¿Cómo lo sabremos? —preguntó Calandrino.

—Hemos de convenir —repuso Buffalmacco—, que no ha venido

nadie de la India a robarte el cerdo; tiene que haber sido alguno de tus vecinos; por cierto que si tú pudieras reunirlos, yo conozco la prueba del pan y del queso, con la que en seguida sabremos quién ha sido el ladrón.

—¡Sí —dijo Bruno—, bueno estás tú con tu pan y con tu queso, con los señores que viven por aquí! Estoy seguro de que quien se lo ha llevado, se dará cuenta de lo que pretendes, y tendrá buen cuidado de no hallarse presente.

—¿Cómo hacerlo, pues? —preguntó Buffalmacco.

Y Bruno respondió:

—Tendría que hacerse la prueba con buenos pasteles de jengibre y buena malvasía e invitarles a beber. Así no recelarían y acudirían todos; así podremos encantar los pasteles, lo mismo que el pan y el queso.

—Tienes razón —asintió Buffalmacco—. ¿Y tú qué opinas, Calandrino? ¿Lo hacemos?

—Sí —respondió Calandrino—, y os lo agradeceré, porque quedaré más tranquilo si sé quién me lo ha robado.

—Vamos, pues —dijo Bruno—; estoy dispuesto, en obsequio tuyo, a ir a Florencia para comprar lo que se necesita, si me das el dinero.

Calandrino le dio cuarenta sueldos que llevaba encima, y Bruno se encaminó a casa de un florentino amigo suyo, donde compró una libra de buenos pastelillos; luego hizo preparar otras dos, de excremento de perro, amasadas con áloe hepático tierno y cubiertos de almíbar, igual que los otros; y para no confundirlos, les hizo una pequeña señal por la que podía fácilmente reconocerlos; compró también una botella de buena malvasía y regresó a la hacienda de Calandrino, al que dijo:

—Mañana por la mañana invita a tomar un trago contigo a cuantos te sean sospechosos; como es fiesta, todos vendrán de buena gana; entretanto, Buffalmacco y yo haremos los sortilegios necesarios sobre estos pasteles y mañana te los llevaremos a tu casa; por el cariño que te tengo, yo mismo me encargaré de presentarlos y haré y diré lo que sea oportuno.

Calandrino hizo cuanto le aconsejaban. Reunido así un buen grupo de vecinos y algunos jóvenes de Florencia que se hallaban por aquellos campos, a la mañana siguiente se sentaron todos en torno al olmo de la iglesia. No tardaron en comparecer Bruno y Buffalmacco con los pasteles y el vino, y el primero les dijo:

—Señores, debo manifestaros el motivo por el cual Calandrino os ha invitado a reuniros aquí, para que, si por casualidad a alguien le ocurriere algo desagradable, no venga luego a quejárseme. A Calandrino, aquí presente, le robaron ayer un cerdo que acababa de matar; no logra dar con el ladrón, y puesto que no puede ser otro que alguno de los que aquí nos encontramos, os invita a comer estos pasteles y beber este vino. Estad persuadidos de que el que se ha llevado el cerdo no podrá tragar su pastelillo, antes bien, le parecerá más amargo que el alcíbar y lo escupirá; por lo tanto, antes de que se le haga pasar por esta vergüenza en presencia de tantos vecinos, será mejor que quien lo tenga en su poder confiese su falta al señor cura y dejaré de hacer esta prueba.

Todos dijeron que no tenían inconveniente en comer los pasteles; por lo tanto, Bruno, habiéndolos dispuesto en buen orden, y a Calandrino entre los demás, comenzó por un extremo y fue dándole a cada uno su pastel. Al llegarle el turno a Calandrino, tomando uno de los pasteles señalados, se lo puso en la mano. Este lo llevó en seguida a la boca y comenzó a masticarlo, pero apenas la lengua sintió el alcíbar, no pudo aguantar su amargor, y tuvo que escupirlo. Los demás se miraban para ver a quién le tocaría el pastel amargo, y Bruno seguía repartiéndolos todavía, como si estuviera distraído, cuando oyó que alguien decía a sus espaldas:

—¡Cómo, Calandrino! ¿Qué significa eso?

Por lo que, volviéndose Bruno con rapidez y viendo que Calandrino escupía, dijo:

—Esperad; tal vez otra cosa le haya hecho escupir; le daré otro.

Y poniéndole en la boca el otro pastel canino, acabó de distribuir los que quedaban.

A Calandrino le pareció aún más amargo que el primero; pero como le avergonzaba escupirlo, lo conservó en la boca, masticándolo un poco, hasta que empezaron a saltarle de los ojos unas lágrimas como avellanas. Al fin, no pudiendo aguantar más, escupió el pastel, como había hecho antes.

A todo esto, Buffalmacco iba escanciando el vino y Bruno acababa de repartir los pasteles; pero cuando unos y otros vieron lo que sucedía, estuvieron acordes en decir que Calandrino se había robado a sí mismo, y le llenaron de reproches.

Cuando los demás se hubieron marchado y quedaron solos los tres amigos, Buffalmacco le dijo.

—Ya estaba yo seguro, Calandrino, de que tú eras el ladrón y querías hacernos creer que te lo habían robado, a fin de no invitarnos ni siquiera a un vaso de vino con tu dinero.

El infeliz Calandrino, que aún no había escupido todo el amargor del áloe, juró por todos los santos que no tenía el cerdo. Pero Buffalmacco replicó:

—¿Lo vendiste a buen precio? ¿Cuánto te dieron? ¿Seis florines? Calandrino se puso hecho una furia.

Bruno añadió:

—Vamos a cuentas, Calandrino; uno de los del grupo que ha venido y comido con nosotros me ha dicho que tienes en estas cercanías una jovencita para tu recreo, a la que das de vez en cuando lo que puedes poner de lado, y asegura que ahora le has dado ese cerdo. ¡Bien nos has enseñado a ser chanceros! Una vez nos llevaste Mugnone arriba para recoger piedras negras; cuando nos hubiste embarcado sin provecho, nos dejaste como dos papanatas y te volviste a casa. Ahora juras y perjuras que te han robado el cerdo que acabas de vender o regalar. Pero ya conocemos tus burlas y te aseguro que no nos engañarás más. Y puesto que nos hemos tomado nuestro trabajo para hacer el conjuro, creo justo que nos des un par de capones, si no quieres que contemos a tu mujer todo lo ocurrido.

Viendo que se obstinaban en no creerle, pareciéndole sobrada su pena y no queriendo aumentarla con los reproches de su esposa, regaló los capones a sus compañeros y éstos, después de salar el cerdo, se lo llevaron a Florencia, dejando a Calandrino con el perjuicio y con la burla.

EL ESTUDIANTE Y LA VIUDA

Un estudiante ama a una viuda que, enamorada de otro
hombre, cierta noche de invierno le hace estar de
plantón en la nieve. Pasado algún tiempo, por medio
de un consejo suyo, la viuda se pasa todo un día del
mes de julio desnuda en lo alto de una torre,
expuesta a las moscas, a los tábanos y al sol

Mucho rieron las señoras las penas del infeliz Calandrino, y hubieran seguido riendo si la reina, al terminar Filostrato su historia, no hubiese pedido a Pampinea que siguiera con otra; a lo cual ésta se aprestó, diciendo:

—Acaece con frecuencia, queridas compañeras, que la astucia se burla de la astucia; por eso es señal de poco seso el divertirse con las mofas hechas a otro. Muchas veces, en varias de las anteriores historias, nos hemos reído con las burlas hechas a algunos personajes, sin que se criticara la venganza que éstos tomaron, por lo que quiero ahora mostraros una retribución justa, impuesta a una conciudadana nuestra, cuya propia burla le fue devuelta con otra que casi le costó la vida. No dejará de seros útil oír esta historia, ya que así pondréis el mayor cuidado en no ofender a otros y procederéis siempre con cordura.

Pocos años atrás vivió en Florencia una bellísima joven, de ánimo altivo, de distinguida familia y de no escasos bienes de fortuna, llamada Elena, la cual, habiendo quedado viuda de su primer marido, no quiso volver a casarse, pues se había enamorado de un joven guapo y apuesto; y desdeñando a cuantos la solicitaban, holgaba con gran deleite en compañía de aquel muchacho, gracias a la ayuda de una fiel criada.

Por aquel tiempo, un joven llamado Rinieri, de noble linaje y muy conocido en nuestra ciudad, regresó después de haber estudiado varios años en París, no para luego vender su ciencia como hacen muchos, sino para saber la razón de las cosas. Llegado, pues, a

Florencia y muy honrado tanto por su nobleza cuanto por su saber, se conquistó la estima de sus conciudadanos. Pero como ocurre a menudo que los que más saben más pronto caen en las redes del amor, esto le sucedió a Rinieri. Hallándose cierto día en una fiesta, por distraerse de sus ocupaciones, encontró en ella a esta Elena, vestida de negro como suelen ir las viudas, y tan encantadora y agradable que, a juicio de Rinieri, no existía otra que pudiera comparársele, y consideró que podría tenerse por dichoso quien llegara a poseer semejante tesoro.

Mirándola cautelosamente una y otra vez, y sabiendo que las cosas más bellas y valiosas no pueden conquistarse sin fatiga, resolvió poner todo su empeño en serle agradable, para así llegar a conseguir su amor y poder, por este medio, alcanzar sus favores.

La joven viuda, que no tenía siempre los ojos fijos en tierra, sino, por el contrario, estimándose aún más de lo que era, no cesaba de girarlos intencionadamente en torno suyo, y se daba cuenta de quienes con deleite la contemplaban, notó la insistencia de Rinieri, y díjose, sonriendo interiormente:

«No en vano he venido hoy, pues, si no me engaño, he cazado un pichoncillo por el pico».

Y mirándole de vez en cuando por el rabillo del ojo, procuraba darle a entender que le interesaba. Por otra parte, creyendo que cuantos más se prendaran de ella, tanto mayor sería el mérito de su hermosura, sobre todo para aquél a quien ella junto con su amor la había dado.

Renunciando el inteligente estudiante a sus pensamientos filosóficos, consagró todo su pensamiento a la viuda y enterado de dónde vivía, comenzó a pasar por delante de su casa, convencido de que era de su agrado. La dama, vanagloriándose consigo misma de ello, parecía verle de muy buena gana, y ansioso el estudiante por alcanzarla, trabó conocimiento con la criada, le descubrió su amor y le rogó que hiciera lo posible para que la dueña le concediera aquella gracia. La criada prometió ayudarle, y al momento, fue a contarlo a su señora, quien la escuchó con grandes risas y dijo:

—¡Mira tú dónde ha venido a perder ese hombre el juicio que ha traído de París! Cuando le vuelvas a hablar, dile que le quiero mucho más de lo que me quiere a mí; pero que debo guardar mi honestidad, a fin de llevar mi frente bien alta ante las demás mujeres, y si él es tan inteligente como dicen, éste debe ser motivo para que me ame más.

¡Desdichada! La buena viuda ignoraba qué cosa era tenérselas que haber con un estudiante.

La criada, en cuanto se encontró con el joven, hizo lo que su dueña le había ordenado. Contentísimo, el escolar reiteró sus súplicas con más ardor, escribió cartas y mandó regalos; todo era recibido con agrado, pero se le contestaba con vagas generalidades; y de esta suerte, prometiendo y no dando, el estudiante fue durante algún tiempo pasto de la esperanza.

Por último, habiéndose creído la viuda en el caso de descubrir esa intriga a su amante —el cual la oyó con turbación e incluso con celos—, para probarle cuán infundados eran sus temores, como el estudiante la solicitaba ardientemente, de acuerdo con él pasó recado a Rinieri, diciéndole que, no habiéndole sido posible hacer cosa alguna que fuera de su agrado desde que le diera la seguridad de su cariño, esperaba que en las inmediatas fiestas de Navidad podría encontrarse a solas con él. A este objeto, a la noche siguiente debía acudir a una fiesta en su patio, a la que la misma viuda asistiría. El estudiante, lleno de indecible alegría, fue a la casa de la viuda a la hora señalada, y, conducido por la criada hasta un patizuelo, quedó allí esperando.

Entretanto, Elena había invitado aquella noche a su amante, y después de cenar alegremente con él, le explicó lo que pensaba hacer, añadiendo:

—Ahora podrás comprobar cuán grande es el amor que tengo a ese hombre de quien neciamente has estado celoso.

Con sumo e íntimo placer escuchó estas palabras el amante, deseoso de ver en la realidad lo que la viuda le decía.

Por casualidad el día anterior había caído una gran nevada y el patio estaba cubierto de nieve, por lo que el estudiante, al poco rato de estar de plantón, a duras penas podía soportar el frío; pero esperando rehacerse, aguardaba pacientemente.

Después de un rato, la viuda dijo a su amante:

—Vamos a mi alcoba y miremos desde la ventana lo que hace ese de quien tantos celos tienes, y oiremos lo que responderá a la criada, a la que he enviado a hablar con él.

Dirigiéndose, pues, a la ventana, desde donde veían sin ser vistos, oyeron que la criada, asomada a otra ventana, decía al estudiante:

—Micer Rinieri, mi señora está apenadísima porque esta noche ha venido uno de sus hermanos, y después de una larga conversación se ha quedado a cenar; pero creo que se marchará pronto; por eso no ha podido venir; os ruego que no os impancientéis y esperéis un poco más.

El estudiante, creyendo ser verdad cuanto le decía la criada, respondió:

—Di a mi señora que no pase cuidado mientras no pueda venir cómodamente por mí; pero que lo haga en cuanto le sea posible.

La criada cerró la ventana y se fue a dormir.

Entonces la viuda dijo a su amante:

—¿Qué dices ahora? ¿Crees que si le quisiera, como tú crees, le dejaría toda la noche helándose?

Y dicho esto, se fue a la cama con el jovencito, que estaba muy contento, pasando un buen rato riéndose y haciendo burla del infeliz escolar, holgándose después en fiesta y placer.

Entretanto, Rinieri hacía todo lo posible para entrar en calor; andaba por el patio sin tener dónde sentarse ni dónde ponerse al abrigo del relente; maldecía la interminable entrevista de la dama con su hermano, y cualquier rumor que llegara a sus oídos figurábasele que era la puerta que ella abría para ir en su busca; pero su esperanza era vana.

Al dar la medianoche, Elena, dijo a su amante:

—¿Qué te parece, vida mía, de nuestro filósofo? ¿Qué cosa te parece mayor, su necedad, o el amor que yo le manifiesto? Supongo que el frío que le hago pasar habrá hecho salir de tu pecho el que se te introdujo el otro día por unas confidencias mías.

El amante respondió:

—Sí, alma mía; comprendo que, así como tú eres mi bien, mi reposo, mi gozo y mi esperanza, así yo lo soy para ti.

—Entonces —dijo la dama—, abrázame y bésame, para que vea que dices la verdad.

Luego, pasado un buen rato, añadió:

—Levantémonos un poco y vayamos a ver si se ha apagado el fuego en que mi estudiantillo me escribía que se abrasaba.

Y levantándose, se acercaron a la ventana, desde la cual vieron al desdichado filósofo saltando sobre la nieve, al son del castañetear de los dientes, porque el frío era insufrible.

Dijo entonces Elena:

—Y bien, dulce esperanza mía ¿ves cómo se hace bailar a los hombres sin acompañamiento de trompas ni de cornamusas?

A lo cual, sonriente, contestó el amante:

—Sí, dicha mía.

—Quiero —prosiguió Elena— que vayamos hasta la puerta de abajo; tú estarás callado; yo le hablaré; así oiremos lo que diga, y seguramente tendremos con sus palabras no menos regocijo del que nos ha proporcionado el verle.

Y saliendo de la alcoba, bajaron a la puerta que daba al patio. Una vez allí, la dama llamó a Rinieri en voz queda, desde un ventanillo que en la puerta había, pero no abrió.

Al oír que le llamaban, el estudiante dio gracias a Dios, creyendo que al fin iba a entrar en la casa; y acercándose a la puerta dijo:

—Aquí estoy, señora; abridme, os lo ruego; estoy muriéndome de frío.

Elena respondió:

—¿Cómo sois tan friolero? ¿Tanto frío sentís por haber caído un poco de nieve? ¿No sé cuánto mayores son en París las nevadas? Aún no puedo abriros, porque ese maldito hermano mío, que vino a cenar conmigo, no se va todavía; pero se irá pronto y vendré a abriros. Me he escapado un momento, con no pocos apuros, para animaros y que la espera no os impaciente.

—¡Oh, señora! —exclamó el estudiante—; os suplico que me abráis, para estar al menos a cubierto; ha nevado copiosamente y la nieve sigue cayendo; dentro de la casa esperaré todo el tiempo que sea necesario.

Y Elena:

—¡Ay de mí, dulce bien mío! No puedo hacerlo; esta puerta hace tanto ruido cuando se abre, que fácilmente lo oiría mi hermano; ahora mismo voy a decirle que se vaya, y volveré a abriros.

—Id en seguida —contestó Rinieri—; y os suplico hagáis encender un buen fuego para calentarme en cuanto pueda entrar, porque estoy tan helado que apenas me siento.

—No creo que esto pueda ser verdad —observó la dama—, si es cierto lo que varias veces me escribisteis, que ardíais todo en mi amor. Os burláis de mí. Ahora voy; esperadme un poco más.

El amante oía todo eso muy satisfecho; volviéronse a la cama, siendo poco lo que aquella noche durmieron, pues la pasaron casi toda deleitándose y burlándose del paciente filósofo.

El infeliz Rinieri, casi convertido en cigüeña —unas veces manteniéndose sobre un pie y otras sobre el otro—, comprendiendo que era objeto de una burla, probó varias veces de abrir la puerta, buscando por donde salir; pero como no hallara remedio a sus males, daba vueltas como león enjaulado, renegaba del rigor del tiempo, de la malicia de la viuda y de lo interminable de la noche, al mismo tiempo que de su candidez. Furioso contra aquella mujer, trocóse en crudo y acerbo odio el inmenso y ferviente amor que hasta entonces le tuviera, y púsose a meditar largamente en la manera de vengarse de ella, cosa que ahora deseaba mucho más que lo que antes había deseado su amor.

Finalmente la noche empezó a declinar y el alba apareció en el cielo; la criada, instruida por su dueña, bajó al patio, y fingiendo compadecerse del joven, le dijo:

—¡Que el diablo se lleve al importuno que vino aquí anoche! ¡No nos ha dejado solas un momento, y a vos os ha hecho helar! Pero ¿qué hacer? Tened paciencia señor, que lo que esta noche no ha podido ser, lo tendréis en otra ocasión. No podía haber sucedido un contratiempo que tanto disgustara a mi buena señora.

El encolerizado escolar, como hombre de talento que sabía que las amenazas no son otra cosa que armas contra el mismo amenazador, encerró en su pecho lo que la destemplada voluntad trataba de echar afuera; y sin dar muestras de enojo, contestó en voz baja:

—Verdaderamente he pasado la peor noche de mi vida; pero ya comprendo que de esto ninguna culpa ha tenido tu señora; pues ella misma, compadecida de mí, ha bajado a excusarse y darme ánimos; y bien dices tú: lo que esta noche no ha podido ser, será en otra ocasión. Salúdala de mi parte y queda con Dios.

Y completamente aterido de frío, volvióse a su casa como pudo. Una vez allí, rendido de cansancio y de sueño, echóse a dormir en su cama y se despertó con un terrible dolor en los brazos y en las piernas, por lo cual, mandando llamar a un médico, a quien contó el frío que había pasado, púsose en sus manos. Con sus enérgicos y urgentes remedios, al cabo de algún tiempo consiguió sanar sus nervios, haciéndoles recobrar su tensión habitual. Mal lo habría pasado, de no ser joven y haber sobrevenido el calor.

Una vez recobrada la salud y lozanía, guardando dentro del pecho su odio, fingíase más enamorado que nunca.

No tardó la fortuna en procurarle ocasión de vengarse; pues, como el joven a quien la viuda amaba se enamoró de otra mujer —sin tener consideración alguna al amor que aquélla le profesaba—, y no quisiera poco ni mucho decir cosa que fuese de su agrado, consumíase ésta, sumida en llanto y amargura.

La criada, que era enteramente adicta a su señora y le profesaba gran cariño, no hallando medio de aliviarla del dolor en que la sumiera su perdido amante, vio cierto día al estudiante que paseaba por la calle, y ocurriósele de pronto una necia idea: la de que podría obligar al esquivo amante, por medio de una operación nigromántica, a amarla como antes. Y creyendo que un hombre de la sabiduría de Rinieri había de ser maestro en tales artes, así lo comunicó a su ama. Esta, que era lo bastante ignorante para no pensar que si Rinieri hubiese sabido algo de nigromancia lo habría utilizado en propio provecho, acogió la extravagancia de su criada y le encargó que averiguara si el joven estaba dispuesto a ayudarla, asegurándole que, en pago de su servicio, ella consentiría a sus deseos.

La criada cumplió diligentemente el encargo, y en cuanto la oyó el estudiante, muy satisfecho en el fondo de su corazón, pensó: «He aquí llegada la ocasión de castigar a esa infame mujer por todo el mal que me ha hecho, en pago de mi gran amor».

Y dijo a la criada:

—Dile a tu señora que no se preocupe, porque aunque su amante estuviese en la India, yo haré que venga inmediatamente y le pida perdón por los disgustos que le haya dado; pero respecto a la manera en que se debe obrar, se la diré a ella cuándo y dónde le acomode; puedes decírselo así, y confórtala de mi parte.

La criada transmitió la respuesta y acordaron que podían verse y hablarse en Santa Lucía del Prato.

Reunidos allí Rinieri y Elena, olvidando ella cuánto hiciera sufrir al joven aquella noche y la grave enfermedad que había provocado, le refirió con toda claridad cuanto sucedía y deseaba, rogándole que la salvara.

Rinieri contestó:

—Efectivamente, señora, entre otras cosas que aprendí en París, una es la nigromancia, de la cual sé, por cierto, cuanto se puede saber; pero puesto que ofende muchísimo a Dios, había jurado no servirme nunca de ella ni para mí ni para nadie. Verdad es que el amor que os profeso es tan intenso, que no sé cómo negarme a hacer cosa que vos queráis que haga; y por eso, aunque por este solo motivo tuviera que ir al infierno, dispuesto estoy a hacerlo, ya que es de vuestro agrado. Pero os prevengo que lo que me pedís es más desagradable de lo que imagináis, sobre todo cuando una mujer quiere lograr que un hombre vuelva a amarla, o un hombre que le vuelva a amar una mujer; esto únicamente puede hacerse por la misma persona interesada, por lo que es importante que quien lo haga sea de ánimo valeroso, porque en estas cosas hay que obrar a solas, de noche y en paraje solitario; todo lo cual no sé si estaréis dispuesta a intentar.

La viuda, más enamorada que juiciosa, respondió:

—De tal manera me espolea el amor, que nada hay que no hiciera para recobrar a aquél que injustamente me ha abandonado; sin embargo, dime, si te parece bien, qué es eso que tanto valor requiere.

El estudiante, que era hombre astuto, repuso:

—Ante todo, señora, tendré que hacer una figurilla de estaño en nombre de aquel a quien deseáis reconquistar; cuando os la haya enviado, os encaminaréis, completamente sola y desnuda, una noche en luna nueva, a orillas de algún río, y una vez allí os bañaréis siete veces con la figurilla en la mano; luego, siempre sola y desnuda, subiréis a un árbol o al tejado de una casa deshabitada, y, vuelta de cara al Norte con la figurilla, diréis siete veces unas palabras que os dejaré escritas; cuando las hayáis dicho, acudirán a vos dos damiselas de lo más hermoso que jamás visteis; os saludarán y preguntarán afablemente qué es lo que deseáis. Tendréis que exponerles clara y plenamente vuestros deseos, teniendo cuidado de no decir un nombre por otro, y cuando lo hayáis dicho, se alejarán y podréis bajar al lugar en que hayáis dejado vuestros vestidos y volveros a casa. Tened por seguro que, antes de la medianoche siguiente, vuestro amante acudirá sollozando a pediros perdón, y nunca, desde aquel momento, os abandonará por otra mujer.

Oídas estas cosas y dándoles entero crédito, pareciéndole a la dama tener ya a su amante en sus brazos, recobró en parte su alegría y dijo al estudiante:

—No dudes que haré perfectamente cuanto has dicho; tengo para ello la mejor oportunidad del mundo, porque en el valle del Arno poseo una finca bastante inmediata al río y como estamos en julio será muy agradable bañarse. Recuerdo, además, que a poca distancia del río hay una torrecilla deshabitada, sólo que, a veces, los pastores suben por una escalera de castaño a una plataforma que allí hay, para ver el ganado que se les extravía, sitio muy solitario y nada de paso. Subiré a ella, y espero hacer de la mejor manera cuanto has dicho.

Rinieri, que sabía perfectamente dónde se hallaba la finca y la torrecilla deshabitada, satisfecho de ver próxima la ocasión de vengarse, repuso:

—Nunca estuve en aquel lugar, señora; por lo tanto, ni conozco la finca ni la torrecilla; pero si es como decís, no hay otro sitio más adecuado para esta nigromancia. Cuando sea el momento oportuno, os enviaré la figurilla y la oración; y espero, señora, que una vez alcanzado vuestro deseo, no olvidaréis lo que me habéis prometido.

Contestó la dama que sin duda alguna lo haría; y despidiéndose de Rinieri, se volvió a su casa.

Contentísimo el estudiante al ver que se iba realizando su propósito, hizo una figurilla con varios signos, al parecer cabalísticos, y escribió una parodia de oración. Cuando le pareció el tiempo oportuno, envió ambas cosas a la señora Elena, mandándole recado de que a la noche siguiente debía hacer lo que le había dicho; después se fue secretamente, con un criado, a casa de un amigo suyo que vivía bastante cerca de la torre, para comprobar la puesta en práctica de su proyecto.

La viuda, por su parte, púsose en camino con la criada y se fue a su finca; llegada la noche, fingiendo irse a la cama, mandó a la criada que se acostara, y poco antes de la medianoche salió de la casa y se dirigió al río Arno, lo más cerca que pudo de la torre. Después de comprobar que nadie podía verla, desnudóse y ocultó sus vestidos detrás de unas malezas; luego se zambulló siete veces en el agua del río con la figurilla en la mano, y después también desnuda, se fue a la torre.

El escolar, que al hacerse de noche se había ocultado entre los árboles, siguió atentamente todos los movimientos de la viuda, y cuando ésta pasó a pocos pasos de él para encaminarse a la torre, al ver la blancura de aquel cuerpo que se destacaba en las tinieblas de la noche y todo aquel conjunto de perfecciones y considerar lo que iba a ser de ella poco después, sintió compasión. Por otra parte, sugestionado por el estímulo de la carne, tuvo tentaciones de salir de su escondite y alcanzarla; y a poco estuvo que le vencieran uno y otro sentimiento. Pero volviendo a recordar quién era él y cuál la injuria que había recibido y el porqué, renaciendo su cólera, rechazó la compasión y el apetito carnal, se mantuvo firme en su propósito y la dejó proseguir su camino.

La dama subió a lo alto de la torre, y volviéndose de cara al Norte comenzó a recitar las palabras que le había dado escritas el estudiante. Poco después, éste entraba sigilosamente en la torre, quitaba la escalera que conducía a la plataforma donde se hallaba la mujer, y esperó lo que ella iba a hacer y decir.

Después de rezar siete veces la oración, la viuda quedó aguardando las dos damiselas, y tan larga fue la espera —sin contar con que hacía más frío del que ella hubiera deseado— que vio aparecer la aurora. Muy afligida de que no hubiese sucedido lo que el estudiante prometiera, pensó: «Temo que ese hombre me haya querido dar una noche como la que yo le di a él; pero si lo ha hecho así, mal se ha sabido vengar, pues ésta no ha sido ni una tercera parte tan larga como la suya, sin contar con que el frío fue mucho mayor».

Y con el fin de evitar que allí la sorprendiera el día, dispúsose a bajar de la torre, pero se encontró con que habían quitado la escalera. Entonces, como si todo el mundo se le viniese encima, faltáronle las fuerzas y cayó desvanecida en la plataforma donde se hallaba. Cuando volvió en sí, púsose a llorar y lamentarse, comprendiendo que aquello debía ser obra del estudiante; comenzó a apesadumbrarse por haberle ofendido y de haberse luego fiado de quien lógicamente había de ser su peor enemigo; y en estos lamentos permaneció largo rato.

Después miró de nuevo si encotraba la manera de bajar, y no hallándola, renovó el llanto, apoderóse de ella un amargo pensamiento y se dijo: «¡Desventurada de mí! ¿Qué dirán mis hermanos, mis parientes, mis vecinos y toda la ciudad, cuando sepan que he sido hallada desnuda en este lugar? Mi recato, que en tanto era tenido, aparecerá era falso; si tratara de excusar esto con un embuste, ese maldito estudiante, que lo sabe todo, no me dejaría mentir. ¡Desdichada de mí, que a un mismo tiempo habré perdido el joven amado y la honra!»

Y tan intenso fue su dolor, que a punto estuvo de tirarse desde lo alto de la torre.

Por fin salió el sol, y como ella se hubiese asomado a uno de los muros para cerciorarse si por allí cerca había algún pastor de los que suelen ir con su rebaño a esas horas, y pudiera mandarlo en busca de su criada, sólo vio al estudiante, que se había quedado dormido al pie de un sauce, y que precisamente en aquel instante despertaba. Cuando la vio en lo alto de la torre, le dijo:

—Buenos días, señora. ¿No han venido todavía las damiselas?

Al verle y oírle, la viuda repitió su llanto y le suplicó que se acercara a la torre para poder hablarle. Atentamente la complació en esto el escolar; acercóse a la torre, e inclinándose la mujer sobre el repecho, dijo llorando:

—Verdaderamente, Rinieri, si yo te di una mala noche, bien te has vengado; porque aun cuando estamos en julio, a causa de mi desnudez he creído morir de frío, sin contar con que tanto he llorado el engaño que te hice y mi estupidez en creerte, que no me explico cómo sigo teniendo ojos en la frente. Por esto te ruego, no por mi amor, puesto que no puedes amarme, sino por tu propio respeto, que seas generoso y que, para vengarte de mi ofensa, te baste lo que ya has hecho, me devuelvas mis ropas y me ayudes a bajar de aquí; no quieras quitarme lo que después, aun queriéndolo, no me podrías devolver, que es mi honor; porque si yo te privé de estar conmigo aquella noche, te concederé en sustitución tantas como quieras. Date por satisfecho, ya que me has dado a conocer mi error, y, como gentil caballero no quieras emplear tus fuerzas contra una mujer: no es gloria para un águila vencer a una paloma; así, pues, por tu propia honra, compadécete de mí.

El estudiante, en cuya mente subsistía vivo el recuerdo de la pasada injuria, al verla suplicar y gemir, sentía a un mismo tiempo placer y pena; el placer de la venganza, que más que otra cosa alguna había deseado, y pena, por la compasión que la infeliz le inspiraba. Pero no pudiendo la piedad vencer la fiereza del apetito, respondió:

—Si mis súplicas, señora Elena —que yo no supe bañar con lágrimas, ni hacer melosas como hacéis ahora— hubieran obtenido de vos un reparo a cubierto del frío y de la nieve que caía aquella noche, fácil cosa me sería ahora atender las vuestras; pero si tanto más que ayer os interesa vuestro honor y os desagrada permanecer desnuda ahí arriba, dirigid vuestras súplicas a aquel hombre en cuyos brazos estuvisteis también desnuda, mientras yo me moría de frío en el patio. Pedidle que os ayude él señora; decidle que ponga la escalera para que podáis bajar; suscitad en su pecho la ternura por vuestro amor, por el que más de mil veces habéis vacilado de ponerlo en peligro. ¿Por qué no le llamáis para que venga a ayudaros? ¿A quién mejor que a él le corresponde? Sois suya: ¿a quién atenderá o ayudará, si no os atiende o ayuda a vos? Llamadle, necia, y probad si el amor que le tenéis, junto con el que él os tiene, puede libraros de mi locura. ¿No le preguntasteis en alguna ocasión, mientras os solazabais en sus brazos, si consideraba mayor vuestro amor que mi demencia? No queráis ahora otorgarme por cortesía lo que no deseo y que podría tener por la fuerza; reservad vuestras noches a vuestro amante, si de aquí salís viva. Las noches son vuestras; yo tuve demasiado con una y bástame haber sido burlado aquella vez. Y usando la astucia en el lenguaje, tratáis todavía de conquistar mi benevolencia, apeláis a mi propio respeto, tácitamente pretendéis lograr que yo, obrando con espíritu magnánimo, deje de castigar vuestra maldad; pero vuestras lisonjas no me enturbiarán ahora los ojos de la inteligencia, como lo hicieron entonces vuestras desleales promesas; ahora me conozco bien, y puedo deciros que no aprendí tanto a conocerme en dos años de París como en una sola noche en vuestro patio. Pero aunque yo fuese magnánimo, no sois vos de aquellas mujeres en quienes conviene mostrar piedad; por el contrario, el término del castigo en las bestias salvajes y el fin de la venganza tiene que ser la muerte. Pues aun cuando yo sea águila, conociéndoos a vos no como paloma, sino como serpiente venenosa, como antiquísima enemiga, quiero perseguiros con todo el odio y con todas mis fuerzas, por más que esto que os hago no pueda con toda propiedad llamarse venganza, sino más bien castigo, puesto que la venganza debe ser mayor que la ofensa y no será así. Porque si yo quisiera vengarme, mirando al riesgo en que pusisteis mi vida, no me bastaría con quitaros la vuestra ni otras ciento semejantes, puesto que sólo mataría a una vil mujerzuela. ¿En qué diablos sois superior a una mísera criadilla, si se quita ese poco de belleza del rostro, que el tiempo marchitará y se convertirá en polvo? En cambio, no parasteis mientes para quitar la vida a un gentil caballero, como ahora mismo me habéis llamado, cuya vida puede ser más útil al mundo que cien mil iguales a la vuestra. Con este castigo os enseñaré lo que significa burlarse de un hombre sensible y de un estudiante; sabréis la manera de no caer más en tal locura, si salís de ésta. Pero si tantos deseos tenéis de bajar de esa torre ¿por qué no os arrojáis de cabeza? Así, y con la ayuda de Dios, rompiéndoos el cuello os libraríais de la pena en que creéis estar, y, al mismo tiempo, me haríais el hombre más feliz del mundo. Nada más quiero deciros: supe ingeniarme para haceros subir ahí arriba; procurad ingeniaros vos para bajar, como lo hicisteis para burlaros de mí.

Mientras el filósofo hablaba, la mísera dama no cesaba de llorar; el tiempo pasaba y el sol subía en el espacio. Pero cuando Elena vio que él cesó de hablar, exclamó:

—¡Hombre cruel! Si tan pesada fue para ti aquella maldita noche y tan grave te pareció mi falta que no pueden moverte a compasión ni mi juventud ni mis lágrimas ni mis humildes súplicas, muévate al menos un poco sólo esta acción mía de haberme confiado a ti y haberte revelado mi secreto, con lo cual he dado un medio de conocer mi propia falta. ¡Oh! Depón tu ira y perdóname. Si quieres perdonarme y me ayudas a descender de aquí, estoy dispuesta a renunciar a mi amante, para amarte sólo a ti, por más que desdeñes mi belleza, a la que tienes por breve y poco estimable. Pero si la comparas con la de las demás mujeres, comprenderás cuán digna de estima es, aunque sólo sea por el placer que puede dar a la juventud de un hombre, y tú no eres viejo. Aun cuando me trates con tanta crueldad, no puedo creer que me desees tan deshonesta muerte, como lo sería el arrojarme desde esta altura ante tus ojos, a los que, si ya no eres un mentiroso, tanto agradé. ¡Compadécete, apiádate de mí! El sol comienza a calentar demasiado, y cual el frío me molestó esta noche, así el calor empieza a serme insoportable.

A lo que el estudiante, que se complacía en sostener conversación con ella y dejar pasar más tiempo, contestó:

—Vuestra confianza, señora, no volvió a mí porque me amaseis, sino para reconquistar lo que habíais perdido, y por esto merece aún mayor castigo; estáis en un error si creéis que sólo disponía de ese medio para mi deseada venganza. Otros mil tenía; y mil lazos os había tendido con fingir amaros; poco tiempo faltaba para que, de no haber ocurrido esto, hubieseis caído en uno de ellos; ni hubierais pasado menor pena y vergüenza. Si he escogido este medio, no fue para hacéroslo más fácil, sino para divertirme más. Y aunque todos estos medios me fallaran, quedábame siempre la pluma, con la cual tantas y tales cosas y de tal manera de vos habría escrito, que, al saberlas vos —que lo habríais sabido— mil veces hubierais deseado no haber nacido. La fuerza de una pluma es sobradamente mayor de lo que imaginan quienes aún no la han probado personalmente. Yo habría escrito de vos cosas que no avergonzándoos solamente de la vista de los demás sino de la vuestra, habríais acabado arrancándoos los ojos para no veros; no reprochéis, pues, al arroyuelo de haber hecho crecer el mar. Vuestro amor o vuestra posesión, como ya os dije, no me ilusionan; ved de quien fuisteis, si podéis; yo le amo ahora tanto como antes le odié, porque veo lo que con vos ha hecho. Os enamoráis y deseáis el amor de los jóvenes porque les veis con la tez más fresca y la barba más negra, porque caminan erguidos, danzan y combaten en los torneos: todo lo cual hicieron los ya maduros, que, a su vez, saben lo que a aquéllos les falta aprender. Además de esto, los consideráis mejores jinetes y os parece que en sus jornadas recorren más millas que los hombres de mayor edad. Reconozco que los jóvenes sacuden la piel con más vigor, pero, en cambio, los maduros, más expertos, saben bien los lugares de las pulgas; y a la larga es preferible lo poco y sabroso a lo mucho e insípido; el trotar fuerte magulla y fatiga a los demás, aunque sean jóvenes, mientras que el que va despacio, por más que llegue tarde a la hostería, al menos os conduce reposadamente. Vosotras os pagáis de apariencias, sin considerar que éstas engañan. No veis que los jóvenes no se contentan con una, sino que desean tantas cuantas ven, por lo que su pasión no puede ser estable, de lo que vos misma podéis dar un excelente testimonio. Todos se creen dignos de ser respetados y acariciados por las mujeres, y no conocen mayor gloria que la de ufanarse, ante los amigos, de cuantas han poseído. Aunque vos digáis que vuestros amores no los sabemos más que vuestra criada y yo, os equivocáis si así lo creéis, porque en vuestro barrio casi no se habla ya de otra cosa, sólo que las más de las veces aquél a quien tales cosas interesan es el último en enterarse. Y ya que vos elegisteis mal, seguid con aquél a quien os habéis entregado y dejadme en paz, porque yo tengo una mujer que vale más que vos y que mejor me conoce. Y para que podáis llevar al otro mundo mayor certeza acerca de mis ojos de lo que mostráis tener en éste, arrojaos desde esta torre, y cuando vuestra alma esté en brazos del diablo, sabréis si mis ojos se turbaron o no al veros aplastada contra el suelo. Pero como no queráis proporcionarme tal alegría, os digo que si el sol comienza a calentaros, os acordaréis del frío que me hicisteis sufrir; y si lo mezcláis con este calor, no os quepa duda de que conseguiréis templarlo un poco.

Viendo la desconsolada mujer que las palabras del estudiante conducían a un cruel término, volvió a sollozar y dijo:

—Puesto que nada mío te mueve a piedad, hágalo al menos el amor que sientes por esa mujer más inteligente que yo y de quien dices ser amado; perdóname por su amor y devuélveme mis ropas, para que pueda vestirme y salir de aquí.

Echóse a reír el estudiante, y viendo que la hora de tercia había pasado, respondió:

—Puesto que me lo pedís por ella, no sabría negároslo, señora; mostradme dónde están las ropas, que yo iré por ellas y os haré bajar de ahí.

Creyóle la mujer y se sintió algo aliviada; mostróle en seguida el sitio donde las había dejado; el estudiante, apartándose de la torre, mandó a su criado que no se alejara de allí, y que impidese la entrada de ningún otro hasta que él volviera; y dicho esto, se fue a casa de su amigo, almorzó allí tranquilamente, y después se fue a dormir.

La mujer, sola en el tejado de la torre, a pesar de sentirse algo animada por una necia esperanza, irguióse desmedidamente triste y fue a sentarse junto a un muro, donde había un poco de sombra; allí se refugió y se dispuso a esperar, sumida en amarguísimos pensamientos; entre éstos y las repetidas lágrimas, esperando y desesperando, pasando de una imaginación a otra, acabó por adormecerse, vencida por el dolor y la fatiga. El sol, que era ya ardiente y había llegado ya al mediodía, dejaba caer de lleno sus rayos sobre el delicado cuerpo y la descubierta cabeza de Elena; y tanta era la fuerza del calor, que no solamente le tostó la piel, sino que comenzó a agrietársela, hasta el punto de que la mujer despertó por el dolor de las quemaduras. Trató de moverse, y al hacerlo parecíale que la piel se abría, como suele ocurrir con una piel quemada; además, le dolía intensamente la cabeza, como si se la aplastaran. Las piedras de la torre ardían de tal suerte, que le era imposible apoyar los pies ni otra parte alguna de su cuerpo, por lo cual se veía obligada a moverse continuamente, inquieta y sollozando.

Para colmo de desdicha, como no soplaba ni pizca de viento, acudieron enjambres de moscas y tábanos que se posaban en sus llagadas carnes, y la martirizaban con sus aguijones, con lo que no se bastaba con ambas manos para defenderse, y maldecía al estudiante, a su vida y a sí misma. Y en tal estado, con el calor del día y los picotazos de los tábanos y las moscas, el hambre y la sed, que se hacía ya insoportable, y sus tristes pensamientos, se puso en pie para ver si alguien se acercaba por el camino de la torre. Pero también este consuelo le había negado la fortuna, pues los campesinos habían huido de los campos debido al gran calor, y permanecían en sus casas, arreglando los aperos. No se oía sino el canto de las cigarras, y a lo lejos veía las aguas del Arno, que no hacían más que acrecentar su sed; más lejanas aún aparecían algunas casas en los bosquecillos, que provocaban angustiosos deseos en la infeliz mujer. ¿Qué más podemos decir de su infortunio? El sol, el ardor de las piedras, los aguijones de los tábanos la habían dejado de tal manera, que su cuerpo que si de noche había brillado por su blancura, entonces estaba rojo como la grana, y con aquellas manchas de sangre hubiera sido la cosa más fea del mundo a quien la viera.

Y mientras así estaba, abandonada y sin esperanza alguna, más pensando en la muerte que en otra cosa, el estudiante, mucho después del mediodía, levantóse de la cama y recordó a Elena. Encaminóse a la torre para ver qué era de ella, y envió a comer a su criado, que estaba todavía en ayunas. Cuando la mujer oyó, que llegaba nuevamente el estudiante, hizo un esfuerzo para asomarse a la balaustrada, y dijo llorando:

—Bien te has vengado en exceso, Rinieri; pues si yo aquella noche te dejé al frío en mi patio, tú en cambio me has tenido aquí abrasándome un día entero, y muriendo de hambre y sed. Por ello te ruego que subas, y pues no tengo valor para darme la muerte por mí misma, me la des por tu mano, porque es tal mi tormento que la deseo más que cualquier otra cosa. Y si no quieres concederme esta gracia, hazme traer al menos un poco de agua, para que pueda mojarme la boca, ya que no le bastan mis lágrimas, tanta es la sequedad y el ardor que dentro llevo.

Bien conoció el estudiante, por el débil acento de la voz, el abatimiento de la dama; vio, además, parte de su cuerpo quemado por el sol, por lo cual y por sus humildes súplicas sintió alguna compasión; pero aun así, respondió:

—No moriréis a mis manos, mujer infame; si queréis morir, habréis de arrancaros la vida vos misma, y tanta agua os daré para alivio de vuestro calor, como fuego me disteis para alivio de mi frío. Lo que me contraría es pensar que mientras la enfermedad de mi frío hubo de ser curada con pestífero estiércol, las llagas de vuestro calor pueden curarse con agua de rosas, que tiene delicioso olor; y en tanto que yo estuve a punto de perder la vida, vos quedaréis nuevamente hermosa, como la serpiente cuando cambia la piel.

—¡Oh, desdichada de mí! —exclamó la dama—. ¡Hermosura semejante désela Dios a quien mal quiera! Pero, ¿cómo has podido consentir tú, hombre más cruel que cualquier fiera, en torturarme de este modo? ¿Qué más podía esperar yo de ti o de cualquier otra persona, si hubiese dado muerte entre cruelísimos tormentos a toda tu familia? No sé, en verdad, qué mayor crueldad pudiera imponérsele a un traidor que hubiese pasado a cuchillo a una ciudad entera, que sea mayor que ésta con que tú me tratas, haciéndome abrasar por el sol y comer por las moscas; por si fuera poco, me niegas un poco de agua, el vaso de agua que no se rehúsa a los condeandos cuando van camino del patíbulo, y aun les dan vino con sólo que lo pidan. Puesto que te obstinas en tu acerba crueldad sin que mis sufrimientos puadan conmoverte en modo alguno, voy a prepararme a morir resignadamente.

Y dichas estas palabras se arrastró hasta el centro de aquella azotea, desesperando ya de huir a tan ardiente calor; y no una, sino mil veces, en medio de sus terribles dolores, creyó abrasarse de sed, siempre llorando y lamentándose de su desdicha.

Empezaba a oscurecer. Pareciéndole al estudiante haber castigado bastante a la dama, envolvió sus vestidos en el manto de su criado y en compañía de éste se dirigió a la casa de la viuda, a cuya puerta hallábase la criada, afligidísima. El estudiante le dijo:

—Buena mujer, ¿qué es de tu ama?

—No lo sé, señor —respondió la criada—; creí encontrarla esta mañana en su lecho, donde anoche me pareció dejarla; pero no la he encontrado allí ni en parte alguna, ni sé qué puede haberle ocurrido; estoy muy preocupada. ¿Y vos, señor, sabéis algo?

El estudiante dijo:

—¡Ojalá te hubiera tenido a ti con ella para castigar también tu culpa! Pero te juro que no escaparás de mis manos sin que pagues hasta el último céntimo tus acciones, para que aprendas a no burlarte de ningún hombre y te acuerdes de mí para siempre.

Luego, dirigiéndose a su criado, añadió:

—Dale estas ropas y que vaya a buscarla, si quiere.

El criado de Rinieri hizo lo que le mandaban. La criada, tomando las ropas y reconociéndolas, imaginó en seguida que habían asesinado a la señora Elena y no pudo reprimir un grito. Apenas libre de la presencia de aquellos hombres, dio rienda suelta a su dolor, y echó a correr hacia la torre.

Aquel día, a uno de los colonos de la dama se le habían extraviado dos cerdos y, yendo en su busca, acertó a pasar cerca de la torre poco después de la partida del estudiante. Mientras iba mirando a un lado y a otro, oyó el llanto de la desventurada en lo alto de la torre.

—¿Quién llora ahí arriba? —gritó.

Elena reconoció la voz de su colono, y, llamándole por su nombre, le dijo:

—Ve en seguida por mi criada y ayúdala a subir aquí.

—¡Oh, señora! —exclamó el colono—. ¿Sois vos? ¿Quién os llevó ahí arriba? Vuestra criada os ha estado buscando todo el día. ¡Quién iba a pensar que estaríais aquí!

Y tomando la escalera y afianzándola, la volvió al sitio de donde la había quitado el estudiante. En esto llegó la criada, desolada, entró en la torre, y, no pudiendo contenerse, comenzó a arañarse y a gritar:

—¡Ay de mí, señora mía! ¿Dónde estáis?

Elena respondió:

—Estoy aquí arriba, hija mía; no te aflijas y tráeme esos vestidos.

Al oírla hablar, la criada cobró ánimos, subió por la escalera colocada por el colono, y, ayudada por éste, llegó a la azotea. Al ver a su señora que parecía más bien un tronco carbonizado que un cuerpo humano, desnuda en el suelo, la criada se clavó las uñas en la cara y comenzó a llorar y gemir, como si su ama estuviese muerta. Pero Elena le rogó que callase y la ayudara a vestirse cuanto antes.

Enterada por la criada de que nadie sabía dónde había estado, a excepción del estudiante y el colono, algo aliviada por esto, rogóles que no dijesen nada a nadie. Tras muchas exclamaciones y demostraciones de asombro, el labrador cargó en sus hombros a la dama para sacarla de la torre. La infeliz criada, que los seguía, al bajar la escalera resbaló y se fracturó una pierna, arrancándole el dolor rugidos tales que parecían los de un león.

El labriego, después de colocar a la dama sobre el césped, fue a ayudar a la criada, y la colocó también en el césped, al lado de su señora. Al ver ésta lo ocurrido, y que se había roto una pierna aquélla de quien esperaba auxilio, poseída de indecible dolor, renovó sus quejas y su llanto con tal angustia, que no sólo el labriego no podía consolarla, sino que también compartió sus lágrimas.

Pero como el sol iba ya hacia el ocaso y con el fin de que no les sorprendiera allí la noche, el labriego fue a su casa, llamó a sus dos hermanos y a su mujer, y entre todos colocaron a la señora Elena y a su criada sobre unas tablas y las llevaron a su casa. Después de aliviar a Elena con agua fresca y unas buenas palabras, el labriego la tomó en sus brazos y la llevó a una alcoba. La mujer del labriego le hizo comer un poco de pan mojado en aceite y después la desnudó y la acostó, hasta que por la noche pudieran llevarla a Florencia, en compañía de la criada.

Una vez en la ciudad, la señora Elena, que era gran maestra en el arte de mentir, inventando una fábula totalmente distinta de lo que a ella y a la criada les había acaecido, hizo creer a sus parientes, amigos y vecinos, que aquélla era obra del diablo. Fueron llamados algunos médicos, que no sin gran angustia y afán de la dama —cuya piel se pegaba a tiras en las sábanas— consiguieron curar una y otra llaga, al mismo tiempo que atendían la pierna de la criada.

Finalmente, habiendo olvidado Elena a su amante, en lo sucesivo juzgó prudente abstenerse de hacer burlas y de amar. Por su parte, el estudiante, al saber que la criada se había roto una pierna, juzgó completa su venganza y dejó las cosas como estaban.

He ahí el resultado de las burlas de una mujer necia, que creyó poder divertirse a costa de un estudiante como lo hubiera hecho con otro cualquiera, sin comprender que los que estudian —no todos, pero sí la mayor parte— saben dónde tiene el rabo el diablo. Por consiguiente, amigas mías, guardaos de hacer burlas, y, sobre todo, a los estudiantes.

JUEGO DE CUATRO

*Dos amigos trabajan juntos; uno se acuesta con la
mujer del otro, y éste, en su venganza, hace que la
mujer encierre al amante en un arcón, sobre el que
después se solaza con la mujer de su amigo*

Tristes y lamentables habían parecido a las jóvenes las desdichas
de Elena; pero ya que las estimaban justas, escucharon el relato con
moderada compasión, aunque les pareciera excesivamente larga y
cruel la venganza del estudiante. Y puesto que Pampinea había
concluido de contar su historia, la reina ordenó a Fiammetta que
hablara, y ella, siempre deseosa de obedecer, dijo:

—Como se me figura, gratas señoras, que la severidad del ofendido estudiante os ha entristecido, juzgo conveniente suavizar los
contristados ánimos con una historia más agradable; por eso me
propongo referir la de un joven que supo vengar con espíritu más
sosegado cierta ofensa recibida; este ejemplo os demostrará que le
basta al que burla a alguien recibir una injuria semejante, sin pasar
más de lo conveniente en la venganza cuando el hombre se dispone
a castigar la ofensa recibida.

Según ha llegado a mis oídos, hubo en otro tiempo en Siena dos
jóvenes bastante acomodados y de excelente familia. Llamábase el
uno Spinello Tapena, y el otro Zeppa de Mina. Ambos ocupaban
habitaciones en la Porta Camolina, trabajaban juntos y convivían
como hermanos más que como amigos. Cada uno de ellos tenía por
esposa una mujer bastante bella, y sucedió que Spinello, como fre-
cuentara mucho la casa de Zeppa, estuviera o no presente el amigo,
adquirió tal franqueza con la mujer de éste, que acabó por yacer con
ella, haciéndolo muchas veces sin que nadie se diera cuenta de ello,
hasta que un día, estando Zeppa en casa sin que su mujer lo supiese,

fue Spinello a llamarle. La mujer dijo que su esposo había salido, con lo que Spinello subió rápidamente y comenzó a abrazarla y besarla y a lo cual ella le correspondía.

Zeppa, que esto vio desde la habitación contigua, se mantuvo quieto, y permaneció oculto para ver hasta dónde llegaba aquel juego. Desde su escondite, vio a su mujer y a Spinello dirigirse, abrazados, a la alcoba, entrar en ella y cerrar la puerta, lo que le causó gran turbación. Pero, comprendiendo que un escándalo no disminuiría la ofensa, sino que acrecentaría la vergüenza, púsose a discurrir qué venganza podía tomarse sin que los vecinos lo supiesen; y, tras mucho discurrir, pareciéndole haber hallado el medio, continuó escondido todo el rato que Spinello estuvo con su mujer.

Cuando éste hubo marchado, entró en la alcoba y halló a su mujer que no había aún acabado de arreglarse el cabello que Spinello, bromeando, le había despeinado.

—¿Qué haces, esposa mía? —le preguntó.

—¿No lo estás viendo? —contestó la mujer.

—Sí, lo veo —repuso Zeppa—; y aún he visto otras cosas que no quisiera.

Entonces comenzó a decir cuanto sabía, y la mujer, temblando de miedo, después de diversas historias, viendo que era inútil negar, se lo confesó todo y le pidió perdón llorando.

—Mira mujer —díjole Zeppa—, has obrado mal, y si quieres que te perdone, tienes que hacer exactamente lo que voy a exigirte. Quiero que digas a Spinello, que mañana por la mañana, a eso de las nueve, halle cualquier pretexto para separarse de mí y venir a encontrarte; cuando esté aquí, yo volveré; en cuanto me oigas, le haces entrar en este arcón y le encierras dentro; después que hayas hecho todo esto, ya te diré cómo hay que seguir. Si cumples lo que te ordeno, te prometo perdonarte y olvidar tu falta.

La mujer prometió que lo haría.

Al día siguiente, hallándose trabajando juntos Zeppa y Spinello, a eso de la hora tercia, el segundo, que ya había prometido a la mujer de su amigo que iría a verla a aquella hora, dijo:

—Esta mañana estoy invitado a comer con un amigo, y no quisiera hacerme esperar; así, pues, adiós.

—¡Cómo! ¡Todavía falta mucho para esa hora! —observó Zeppa. Pero Spinello replicó:

—No importa. Debo hablarle de un asunto mío y por eso me conviene ir más temprano.

Separóse de Zeppa y, dando un rodeo, fue a reunirse con la esposa de éste. Apenas habían penetrado en la habitación de ella, cuando Zeppa llegó a su casa; al oírle subir la escalera, la mujer dio muestras de estar muy asustada, e hizo esconder al otro en el arcón, y cuando Spinello se hubo metido en él, le cerró y fue a recibir a su marido.

Al llegar arriba, Zeppa dijo:

—Esposa mía, ¿es hora de comer?

—Sí, lo es —respondió la mujer.

Repuso entonces Zeppa:

—Spinello ha ido a comer esta mañana con un amigo suyo y ha dejado sola en casa a su mujer; asómate a la ventana y llámala; dile que venga a comer con nosotros.

La mujer, temiendo por sí misma, obedeció puntualmente e hizo lo que le ordenaba el marido.

La esposa de Spinello, después de mucho insistirle, y convencida de que su marido no comería en su casa, pasó a la de sus vecinos. En cuanto llegó, Zeppa la recibió con grandes demostraciones de amistad y tomándola familiarmente por una mano, mandó en voz baja a su mujer que se marchara a la cocina y llevó consigo a aquélla a su habitación, cerrando con llave la puerta.

Cuando la mujer de Spinello vio que Zeppa cerraba la puerta, preguntó:

—¿Qué significa esto, Zeppa? ¿Para esto me has hecho venir? ¿Es éste el cariño que le tienes a Spinello y la lealtad que le profesas?

Pero Zeppa, acercándose con la mujer al cofre donde estaba encerrado el marido, teniéndola bien sujeta de los brazos contestó:

—Antes de quejarte, querida, escucha lo que voy a decirte: he querido y quiero a Spinello como a un hermano: pero ayer, sin que él lo sepa, averigüé que la confianza que en él he tenido ha llegado al extremo de que usa con mi mujer de los mismos derechos que contigo; ahora bien, como le quiero, me propongo vengarme de él empleando el mismo medio con que él me ha ofendido; si ha tenido a mi mujer, yo tendré la suya. Pero si tú te niegas, preciso será que yo le reprenda, y como no está en mi ánimo dejar impune esta ofensa, le jugaré una partida que ni a él ni a ti os ha de gustar.

Al oír tales cosas la mujer y después que Zeppa le hubo dado muchas seguridades respecto a ello, le dio crédito y le dijo:

—Zeppa mío, puesto que la venganza debe caer sobre mí, estoy conforme, pero con una condición: que me reconcilies con tu mujer; por mi parte, le perdonaré de buena gana el daño que me ha hecho.

—Así será —contestó Zeppa—; y además te regalaré una joya tan bonita como nunca habrás tenido otra igual.

Y sentándose encima del cofre comenzó a abrazarla, solazándose con la mujer cuanto le plugo.

Spinello, que estaba en el arcón y había oído todas las palabras de Zeppa y las respuestas que le daba su mujer, y escuchaba la danza que sobre su cabeza estaban bailando, sintió tal dolor que creyó morir, y de no haber sido por temor a Zeppa, habría dirigido a su mujer, desde dentro del arcón, unas cuantas palabrotas. Pero considerando que la ofensa partía de él y que Zeppa tenía razón al hacer lo que estaba haciendo, e incluso se había comportado humanamente y como compañero, dijo para sí que quería ser más amigo que nunca de Zeppa, si éste quería.

Zeppa, después que se hubo holgado cuanto quiso con la mujer de Spinello, bajó del arcón, y como ella le pidiera la bonita joya prometida, abrió la puerta de la habitación y llamó a su esposa, que al entrar no dijo a la otra más que:

—Señora, me habéis devuelto pan por hogaza.

Y se echó a reír.

Zeppa se volvió hacia su mujer:

—Abre el arcón —le dijo.

Así lo hizo ella y la mujer de Spinello vio dentro de él a su marido.

Largo sería de contar cuál de los dos se avergonzó más: si Spinello a la vista de Zeppa, ahora que sabía que el amigo conocía todo lo hecho, o su esposa al ver a su marido y darse cuenta de que él había oído todo lo hecho sobre su misma cabeza. Pero Zeppa dijo a la mujer de Spinello:

—He aquí la joya que te regalo.

Spinello, saliendo del cofre y sin entrar en explicaciones, dijo:

—Estamos iguales, Zeppa. Por lo tanto, bueno es, como le decías poco antes a mi mujer, que seamos tan amigos como antes, y puesto que entre nosotros no tenemos para repartirnos sino nuestras mujeres, propongo que sigamos teniéndolas en común.

Consintió Zeppa y los cuatro comieron en la más deliciosa armonía.

Y desde entonces cada una de las mujeres tuvo dos maridos y cada uno de éstos dos esposas, sin que por ello se promoviera jamás cuestión ni riña alguna.

EL ENCANTAMIENTO DE MAESTRO SIMON

*Un crédulo doctor es víctima del engaño de Bruno y
Buffalmacco, que le juegan una mala pasada, para
divertirse y enseñarle a tener seso*

Después que las damas hubieron bromeado acerca de aquella
resolución de vivir en comunidad de mujeres acordada por los dos
sieneses, la reina, que era la única a quien faltaba hablar, para no
disgustar a Dioneo, dijo:

—Bien se ganó Spinello la burla que le hizo Zeppa; por lo tanto,
no creo que deba reprenderse con acritud a quien se mofa de aquel
que va buscando el ridículo o se lo gana voluntariamente, como hizo
Spinello. Yo quiero ahora hablaros de otro individuo que se buscó
la befa del prójimo, convencido de que quienes le jugaron la broma
no son dignos de censura sino de elogio. La víctima fue un médico,
muy ignorante, que regresaba de Bolonia a Florencia.

Con frecuencia vemos que nuestros conciudadanos suelen regresar de aquella ciudad, quién convertido en juez, quién en médico, y
quién incluso en notario, con largas y holgadas túnicas, carmesíes y
ardillas, y mucha presunción, cuyos efectos tocamos cada día.

Uno de ellos, doctor en medicina, según él mismo decía, volvió
a Florencia, no ha mucho, vestido de carmesí y con un gran bonete,
y alquiló una casa en la calle que hoy llamamos Vía del Cocomero.

Ese doctor, llamado Simón de Villa, más rico en bienes patrimo-
niales que en ciencias, tenía, entre otras costumbres dignas de ser
notadas, la de preguntar a quien con él estaba el nombre, la vida y
milagros de cualquier persona que viera pasar por la calle, como si
los hechos de los hombres le valieran para componer las medicinas
que suministraba a los enfermos; ponía atención en cada cosa y
meditaba todos los detalles.

Entre las diversas personas en quienes se fijó, dos fueron los pintores de los cuales hoy se ha hablado aquí dos veces, Bruno y Buffalmacco, que solían estar siempre juntos y eran vecinos suyos. Y pareciéndole que éstos no se preocupaban por nada y vivían con la mayor alegría y tranquilidad del mundo, preguntó a muchos sobre su condición. Al saber que eran dos pobres pintores, se le metió en la cabeza que no le era posible que pudiesen vivir tan satisfechos en su pobreza; antes bien, pensó que si eran tan astutos como le habían informado, debían sacar grandes beneficios con algún recurso ignorado.

Quiso el buen hombre entablar amistad con alguno de ellos, y le cayó en suerte Bruno, el cual, en las pocas veces que estuvo con él, comprendió que el médico era un bruto, y comenzó a divertirse con sus majaderías, con lo que el doctor recibía no menos placer. Y habiéndole invitado varias veces a comer a su casa, y creyendo que con ello estaba autorizado a hablar familiarmente, le manifestó la sorpresa que él y Buffalmacco le causaban, al observar que siendo pobres viviesen dichosos, por lo que le rogó le enseñara cómo lo conseguían.

Al oír al médico, Bruno estimó que aquella pregunta era como una de las tantas imbecilidades de micer Simón; rióse interiormente, y contestóle cual merecía hombre tan necio:

—No le diría yo a otra persona la manera cómo lo hacemos; pero a vos, doctor, que sois amigo y sé que a nadie lo habéis de contar, no tengo inconveniente en decíroslo. Verdad es que mi compañero y yo vivimos alegremente y tan bien como podáis imaginaros; ni de los pinceles ni del producto que sacamos de algunas posesiones tendríamos con qué pagar ni siquiera el agua que consumimos; pero no vayáis a creer que nos valemos del robo o de la estafa; lo que nos da para vivir, ya que deseáis saberlo, es ir de corso (1), pues de él sacamos cuanto nos conviene para nuestro recreo y necesidades, sin daño de nadie. A esto se debe que vivamos satisfechos como veis.

Maravillóse el médico al oír tales palabras, aunque no entendiera nada, y de pronto sintió grandes deseos de saber qué era aquello de ir de corso; le instó a que se lo explicara, dándole palabra de que a nadie lo diría jamás.

—¡Cuánto lo siento doctor! —exclamó Bruno—. ¿Y qué me

_____

(1) De encantamiento, según lo que más adelante se desprende.

preguntáis ahora? El secreto que deseáis es demasiado importante y si os lo revelo puedo arruinarme y perder la vida, más aún, creo que caería en la boca del diablo en cuanto os lo dijera. Pero es tanto el cariño que os tengo y la confianza que me inspiráis, que no puedo negaros nada que pueda interesaros; de manera que os lo diré, con la condición de que me juréis que, cómo me lo habéis prometido, a nadie lo comunicaréis jamás.

El maestro Simón afirmó que así lo haría, y Bruno añadió:

—Tal vez hayáis oído contar, maestro mío dulzón, que poco tiempo atrás hubo en esta ciudad un gran maestro en nigromancia llamado Miguel Scotta, porque era de Escocia, el cual recibió grandes honores por parte de muchos caballeros notabilísimos, muertos casi todos hoy día. Cuando se dispuso a partir de aquí, dejó, a petición de sus amigos, a dos entendidos discípulos suyos, a los que impuso la obligación de estar siempre dispuestos a satisfacer los deseos que manifestaran quienes tan bien le habían tratado en Florencia. Estos dos discípulos servían a los citados caballeros de la ciudad en ciertas aventuras de amor y en otras cosillas, con toda liberalidad; después, como les agradasen la ciudad y las costumbres de sus habitantes, quisieron fijar aquí su residencia y contrajeron grande y estrecha amistad con algunos, sin inquietarse de si eran de baja o de alta estirpe, pobres o ricos, importándoles únicamente el carácter y el mérito personal. Para complacer a tales amigos, constituyeron una sociedad compuesta de veinticinco individuos, que dos veces al mes se reunían en un sitio elegido por ellos mismos; y allí cada uno exponía sus deseos a los nigromantes, y éstos los satisfacían aquella noche misma. Como Buffalmacco y yo teníamos especial amistad y franqueza con esos dos hombres, se nos admitió en la sociedad y aún pertenecemos a ella; y os aseguro que es maravilloso ver los tapices que hay en la sala donde comemos, las mesas regiamente dispuestas, la muchedumbre de nobles criados de ambos sexos que nos sirven según el capricho de cada uno, y los platos, fuentes, vasijas, copas y botellas de oro y plata en que comemos y bebemos, amén de los muchos y variados manjares, de acuerdo con el gusto de cada comensal, cada uno a su tiempo. Jamás podría explicaros cuántos y cuáles son los dulces sonidos de infinidad de instrumentos y los melódicos cantos que allí se oyen; ni sé deciros cuántas son las velas que en esas cenas arden, ni cuántos los dulces que se consumen y los excelentes vinos que bebemos. No quiero, dulzón maestro mío, que creáis que nos sentamos a tales mesas con estos vestidos que veis;

ninguno hay, por malo que sea, que no parezca digno de un emperador, tan ricamente vestidos y tan preciosamente adornados estamos. Pero sobre todos los placeres que allí hay, el más grato es el de
las bellísimas mujeres que instantáneamente se nos traen de todas
partes del mundo, con sólo que uno quiera. Veríais allí las mujeres
de Barbanischi, la reina de los vascos, la esposa del sultán, la emperatriz de Osbech, la cobejera de Berlinzone, y la truhana de Narsia.
Pero ¿a qué seguir citándolas? Baste deciros que allí se ven todas las
reinas del universo, hasta la barragana del Preste Juan. Después de
comer, beber y bailar, cada una de ellas se va con aquél a cuyas
instancias ha sido traída, y él se la lleva consigo a una habitación
apartada; debo advertiros que aquellas habitaciones son suntuosas y
bellas, y con tan deliciosos olores como puedan tener los tarros de
especias de vuestro laboratorio cuando trituráis el comino; los lechos
son más ricos y elegantes que los del Dux de Venecia; y bien podéis
imaginar para qué sirven. Sólo añadiré que Buffalmacco y yo somos
los más favorecidos a este respecto, porque Buffalmacco, la mayor
parte de las veces, hace venir para sí a la reina de Francia, y yo, para
mí, la de Inglaterra, que son las dos más hermosas mujeres del
mundo. Y tal nos hemos sabido ingeniar, que somos sus preferidos.
Para que podáis calcular, por todo lo dicho, si podemos vivir y estar
más satisfechos que los demás hombres de la tierra, básteos saber
que poseemos el amor de semejantes dos reinas, aparte de que,
cuando queremos mil o dos mil florines, los tenemos al instante. A
todo esto es lo que nosotros llamamos ir de corso, porque así como
los corsarios arrebatan los bienes a los demás, nosotros hacemos lo
mismo, sólo que mientras ellos no los devuelven nunca, nosotros los
devolvemos en cuanto los hemos usado. Ya sabéis, pues, maestro
mío, qué significa ir de corso; y podéis imaginar cuánto interesa
mantenerlo secreto, por lo que no digo más.

El maestro, cuya ciencia no llegaba más allá que a medicar a los
lactantes, dio tanto crédito a las palabras de Bruno como a la más
comprobada verdad; y tan ardientes deseos le entraron de ser admitido en aquel grupo, como pudiera anhelar cualquier otra cosa más
deseable. Por todo lo cual contestó a Bruno que realmente no era
extraño que vivieran tan satisfechos, y a duras penas se contuvo de
pedirle que le admitieran, pensando que en otra ocasión, con más
honor, podría exponerle.

Continuó, pues, frecuentando más al pintor, invitándole a comer
mañana y tarde y manifestándole extraordinario cariño; y a tanto

llegó su familiaridad, que parecía no poder vivir sin la compañía de Bruno. Este, muy satisfecho, con el fin de corresponderle y no parecer ingrato a las atenciones del médico, le había pintado en su sala de Cuaresma, un Agnus Dei a la entrada de su cuarto, y sobre la puerta de la calle un bacín, para que los que necesitaran consultarle no le confundieran con los demás; también pintó, en una galería de la casa, la guerra de los gatos contra los ratones, cosa que pareció excelente al médico.

Si en alguna rara ocasión no habían cenado juntos, al día siguiente el pintor daba por excusa que había estado en la tertulia. Un día dijo al doctor que, habiéndose disgustado un poco con la reina de Inglaterra, mandó traer a la gumedra del gran kan de los tártaros.

—¿Qué quiere decir gumedra? —preguntó el médico—. No entiendo ese nombre.

—¡Oh, maestro! —exclamó el pintor—. No me sorprende, porque he oído decir que ni Puercograso ni Vanacena nada dicen sobre él.

—Decid Hipocraso y Avicena —rectificó el doctor.

—¡Bah! —prosiguió Bruno—; lo mismo entiendo yo vuestros nombres que vos los míos; pero gumedra, en el lenguaje del gran kan, equivale a emperatriz en el nuestro. ¡Que hermosísima mujer! Os haría olvidar todas vuestras medicinas, lavativas y emplastos.

Y repitiéndole estos discursos para más encender los deseos de aquel ignorante, sucedió que cierta noche, cuando el doctor sostenía una luz mientras Bruno retocaba el cuadro de los gatos contra los ratones, le pareció que ya le habría conquistado bastante con sus obsequios y convites, y así creyó llegado el momento de abrirle su corazón. Y como estaban solos, le dijo:

—Bruno, como Dios lo sabe, no hay persona alguna por la que yo hiciera lo que por ti haría; e incluso si me mandases que fuese de aquí a Peretola (1), iría. Por eso no quiero que te extrañe lo que voy a pedirte con entera franqueza. Como sabes, no hace mucho tiempo que me hablaste acerca de vuestra agradable sociedad y tan vivos deseos me han entrado de pertenecer a ella, que no hay cosa en el mundo que desee tanto. Y no es sin motivo, como podrás comprobar en el caso de que pueda hacerlo; desde luego te autorizo a burlarte de mí si no hago venir la más hermosa doncella que hayas visto, a quien conocí en Cacavincigli y que me gustó extraordinariamente; por cierto que la ofrecí diez boloñesas grandes si consentía a mis

_____

(1) Peretola dista unas dos leguas de Florencia.

deseos y no las quiso. Ahora, con toda mi alma te ruego me digas qué debo hacer para ser admitido en vuestro grupo, y te aseguro que tendréis en mí a un buen amigo, fiel y respetuoso; además, soy doctor en medicina, y creo que ninguno de los socios entiende de ello; sé también muchas otras cosas, infinidad de anécdotas y cancioncillas. Voy a cantarte una.

Y sin más, comenzó a cantar.

Bruno sentía tales ganas de reír, que apenas podía contenerse; pero las dominó. Cuando terminó la canción, el médico le preguntó qué le había parecido.

—En verdad —dijo el pintor— que no es posible extracantar con más perfección. A vuestro lado enmudecerían las más armoniosas flautas de los pifanistas.

—Sin duda no lo creyeras si no me hubieses oído —añadió el maestro.

—No, por cierto —dijo Bruno.

—Sé otras muchas canciones —siguió el médico—, pero ahora dejemos esto. Tal cual me ves, mi padre fue un gentilhombre, aunque vivió siempre en el campo; por parte de mi madre desciendo de los Vallecchio; tengo los mejores libros y las más bellas cosas que médico alguno de Florencia pueda poseer. Algunas tengo que me costaron cerca de cien liras de *bagattini* (1) ¡y esto hace ya diez años! Por lo tanto, te ruego encarecidamente me hagas entrar en esa sociedad; y a fe de caballero prometo que si alguna vez estás enfermo, no habré de cobrarte dinero alguno por mis servicios.

Bruno consideró oportuno excitar aún más los deseos de aquel simplón, y dijo:

—Alumbrad un poco de este lado, maestro; os contestaré cuando haya terminado las colas de estas ratas.

Después de pintadas las colas, fingiendo que le costaba mucho decidirse a responder a la petición del médico, dijo:

—Estoy persuadido de cuánto por mí haríais, pero lo que me pedís, aun cuando para la magnitud de vuestro talento parezca pequeño, para mí es enorme; ni creo que haya persona en el mundo por quien lo hiciera si no es por vos, ya porque os quiero cuanto merecéis o porque en vuestras palabras encuentro un seductor juicio y gracejo, y una discreción digna de admirarse; y aún añado que si otra cosa no me hiciera quereros bien, os amaría sólo por saberos tan enamorado de tan bella mujer como dijisteis. Pero debo manifestaros que yo no puedo hacer lo que imagináis, ni conseguir lo que necesitáis; no obstante, si me prometéis sobre vuestra grande e inalterable palabra guardarme el secreto, os diré la manera de llevarlo a cabo, y estoy seguro de que lo conseguiréis, si tengo en cuenta los buenos libros y las hermosas cosas de que antes habéis hablado.

—Habla con toda tranquilidad, Bruno —respondió el maestro, que no cabía en sí de gozo—; creo que no me conoces aún lo bastante e ignoras cómo sé yo guardar un secreto. Pocas eran las cosas que hiciera micer Gasparruolo de Saliceto cuando era juez del podestá de Forlimpópoli, que no me las comunicase en seguida, porque me consideraba a buen secretario. Bástete saber que fui el primero a quien dijo que quería casarse con la Bergamina: ¡ya lo ves!

—Me parece muy bien, maestro —repuso Bruno—, porque si micer Gasparruolo de Saliceto se fiaba, también puedo fiarme yo. Ved lo que debéis hacer: en la sociedad de que os he hablado tenemos siempre un capitán con dos consejeros, que se cambian cada seis meses, y, a primeros de mes le tocará el cargo a Buffalmacco y yo seré uno de sus consejeros. El que hace de capitán puede mucho tocante al ingreso de nuevos compañeros; por consiguiente, os aconsejo que, en cuanto os sea posible, trabéis amistad con mi buen amigo Buffalmacco y le honréis como merece. Vuestra cortesía, vuestra amabilidad y vuestro talento no tardarán en ganaros su voluntad y su cariño, y entonces podréis pedirle lo que deseáis, en lo cual os complacerá de buena gana. Por mi parte, le he hablado de vos y ya empieza a quereros. Cuando hayáis hecho lo que os he aconsejado, dejadme obrar a mí.

—Mucho me place lo que dices —contestó el maestro—, y si a tu amigo Buffalmacco le gusta tratar con personas ilustradas y habla un poco conmigo, haré que me ande buscando siempre, porque si de talento se trata, yo podría abastecer una ciudad y aún quedaría yo sapientísimo.

Así las cosas, Bruno se lo contó todo a Buffalmacco, a quien, al oír tales imbecilidades, se le hacían siglos las horas que faltaban para proporcionar al maestro *Scipa* (1) lo que buscaba. El médico, que ansiaba ir de corso, no descansó hasta que se hizo amigo de Buffalmacco, lo que no le fue difícil conseguir, y comenzó a ofrecerle las comidas y cenas más espléndidas del mundo, en unión también de

Bruno. Cuando le pareció ocasión oportuna, pidió a Buffalmacco lo mismo que había pedido a Bruno; Buffalmacco dio muestras de gran turbación y la emprendió con Bruno, gritándole con aire irritado:

—¡Juro por el Dios de Pasignano que te has de arrepentir de tu intemperancia en el hablar! ¡No sé cómo me contengo y no te doy tal golpe en la cabeza que te meto la nariz en los calcañares, maldito traidor! ¡Sólo tú has podido revelar al doctor nuestro secreto!

Pero maestro Simón excusaba a Bruno, insistiendo en que lo había sabido por otros conductos; y tras muchas de sus sabias palabras, logró pacificarle.

Volviéndose entonces Buffalmacco al maestro Simón, le dijo:

—Bien se ve, mi querido doctor, que habéis estado en Bolonia y habéis mantenido cerrada la boca hasta aquí. Ya veo que no os quedasteis en el abecé, como tantos de los nuestros, sino que lo hicisteis sobre el melón, que es más largo; y si no me equivoco, se os bautizó en domingo. Aunque Bruno me ha dicho que estudiasteis allí la medicina, yo creo que aprendisteis a robar corazones, cosa que sabéis hacer mejor que nadie con vuestra sabiduría y elocuencia.

El médico, interrumpiéndole, dijo a Bruno:

—¡Qué agradable es hablar y tratar con sabios! ¿Quién habría comprendido tan pronto todos los detalles de mi sentimiento, como lo ha hecho este excelente hombre? Tú no te diste cuenta tan pronto como él de lo que yo valía; pero al menos, repite lo que te contesté cuando dijiste que a Buffalmacco le gusta tratar con personas sabias.

—Ya lo sabes —contestó Bruno.

El maestro Simón dijo entonces a Buffalmacco:

—Aún más hubieseis dicho si me hubierais visto en Bolonia, donde no había, grande ni pequeño, doctor ni estudiante que no me quisiese por lo bien que sabía conquistar a todos con mis palabras y mi raciocinio. Y más diré: no decía palabra que no hiciera reír a todos, pues tanto era el placer que les causaba siempre; cuando hube de partir, quedaron consternados; me pedían que me quedase, y para convencerme estaban dispuestos a cederme a mí solo la cátedra, para que enseñara a todos los escolares la medicina; pero no acepté, porque deseaba venir a las grandes heredades que aquí tengo, y a la que ha sido siempre mi casa.

—¿Qué te parece? —dijo a este punto Bruno a su compañero—. Tú no querías creerme cuando te hablé del doctor. No hay en toda Florencia otro médico que entienda tanto en meada de asno como éste, ni quien se le parezca tanto desde aquí a París. ¡Piensa ahora si podrás negarle nada de lo que te pida!

—Bruno tiene razón —le interrumpió el médico—, sólo que aquí no soy conocido, pues he topado con gente simplona; me gustaría que me vierais entre mis colegas.

Dijo entonces Buffalmacco:

—Verdaderamente, doctor, sabéis más de lo que yo nunca hubiera sospechado, por lo cual, hablándoos de un modo, diríamos, faramallero, como conviene a un sabio como vos, prometo hacer todo lo posible para que ingreséis en nuestra sociedad.

El maestro Simón multiplicó, después de esta promesa, sus deferencias para con los dos pintores, y así éstos se divertían haciéndole creer las mayores necedades del mundo, prometiendo darle por mujer a la condesa Civillari (1), que era la más bonita que existía en el asientaculos de la generación humana. El médico preguntó quién era esa condesa y Buffalmacco le informó:

—Se trata de una gran dama; pocas casas hay en el mundo donde no tenga alguna jurisdicción, pues hasta los Frailes menores le rinden tributo al son de castañuelas. Cuando pasea, se hace sentir desde lejos. No hace aún mucho tiempo que pasó ante nuestra puerta por la noche, para lavarse los pies en el Arno y tomar los aires del campo; pero suele residir casi siempre en Leterina. Componen su séquito gran número de alguaciles, que llevan su cetro y sello. En todas partes se encuentran sus barones, tales como Tamaguin de la Porta, don Meta, Mango de Escoba, don Esterco y otros que, si no me equivoco, son vuestros domésticos, aunque ahora no los recordéis; y si el deseo no os engaña, pondremos a tal dama en vuestros brazos, dejando a la de Cacavincigli para otra ocasión.

El maestro Simón, que en Bolonia había nacido y estudiado, no comprendía las groseras palabras de Buffalmacco; y satisfecho por la descripción que le hizo de aquella condesa, se tuvo por muy contento con semejante dama; y al cabo de pocos días le dijeron que había sido admitido en el famoso grupo.

El día en cuya noche debían reunirse, obsequió con una comida a sus dos amigos, y luego les preguntó cómo debía asistir a la reunión. Buffalmacco se encargó de informarle:

—Mirad, doctor; os conviene ser muy animoso, porque si tuvierais miedo os podía resultar impedimento y nos perjudicaría mucho.

---

(1) En Florencia había un maloliente callejón de ese nombre.

Esta noche, a la hora del primer sueño, os hallaréis sobre uno de aquellos sepulcros y fosas que hace poco tiempo se abrieron junto a Santa María la Nueva, llevando puesto uno de vuestros mejores vestidos, en modo que comparezcáis por primera vez ante el grupo de la forma más honorable, y porque quizás —por lo que pudiera decirse si no estuviéramos nosotros—, puesto que sois gentilhombre, quiera la condesa haceros caballero bañado a sus expensas; una vez allí, esperad hasta que llegue aquél que nosotros enviaremos. Y para que estéis bien enterado de todo, habéis de saber que vendrá por vos una bestia negra y cornuda, de regular tamaño, que llegará con gran demostración de soplidos y cabriolas para espantaros; hasta que, al ver que no tenéis miedo, se os acercará mansamente. Cuando la tengáis cerca, subid a lo alto de la fosa y, sin encomendaros a Dios ni a los santos, saltad sobre la bestia, y luego cruzad vuestros brazos sobre el pecho, procurando no tocarla. Ella echará a andar suavemente y os llevará hasta donde nosotros estemos; pero desde ahora os advierto que si tenéis miedo o invocáis a Dios o a los santos, la bestia se enfurecerá y tal vez os arroje a algún agujero pestilencial. Si no estáis seguro de vuestro valor, os aconsejo que no salgáis de vuestra casa, porque os perjudicaríais a vos mismo sin dar a los socios provecho alguno.

—Veo que no me conocéis todavía —repuso el médico—; seguramente pensáis así porque llevo guantes en la mano y la túnica larga. Si supieseis lo que en otro tiempo hice en Bolonia, cuando visitaba las cortesanas con mis amigos, quedaríais asombrados. Cierta noche, no queriendo una de aquellas malditas venir con nosotros, que era flacucha y no llegaba al codo, le di primero tantos golpes, y luego la cogí en mis brazos de tal manera, que en un santiamén la llevé con nosotros. Recuerdo que otra vez, sin que me acompañara nadie, fuera de mi criado, poco después de la hora del Avemaría, pasé junto al cementerio de los Frailes menores, donde aquel día habían enterrado a una mujer, y no tuve miedo alguno. ¿A qué preocuparos por mí? Soy valiente de sobra, y para presentarme del modo más honorable me pondré mi túnica escarlata, con la que fui doctorado, y ya veréis que vuestros compañeros se alegrarán tanto que hasta me elegirán capitán. Confiad en ver entonces maravillas, puesto que, sin haberme conocido todavía, la condesa se ha enamorado tanto de mí que quiere hacerme caballero bañado.

—¡Magnífico! —exclamó Buffalmacco—; pero ved de no burlaros de nosotros no acudiendo a la cita o de que no se os encuentre cuando enviemos a buscaros, y digo esto porque en aquel lugar hace frío y vosotros los médicos os guardáis mucho de él.

—Yo no soy de esos frioleros —replicó el doctor—. No faltaré.

Fuéronse los dos pintores; y cuando llegó la noche, el maestro procuró excusarse con su mujer; después, sacando a escondidas su más hermosa túnica, se la puso y fue cautelosamente a una de las fosas ya dichas. Encima de uno de aquellos mármoles, expuesto al intenso frío, esperó a que llegara la bestia.

Buffalmacco, que era alto y fornido, se proporcionó una de esas caretas que solían usarse entonces en algunos de los juegos que hoy ya no se hacen en nuestra ciudad, y una capa negra que se embutió de tal manera. que bien pareciera un oso si no fuese por la máscara cornuda que le daba aspecto de diablo. Así disfrazado, siguiéndole Bruno para ver lo que ocurriría, se encaminó a la plaza de Santa María la Nueva. Cuando vio que el maestro Simón estaba allí, púsose a brincar de un lado a otro, dando horrorosos aullidos como si fuera la más furiosa alimaña.

Al oír y ver a la fiera, al doctor se le erizaron los cabellos y comenzó a temblar como una mujercilla, y momento hubo en que más hubiese preferido estar en casa que allí. Pero como ya había ido, se esforzó en dominarse, impulsado por el deseo de ver las maravillas que le habían contado. Después de haber dado buenas muestras de furor, Buffalmacco se acercó a la tumba encima de la cual estaba el doctor, y quedó inmóvil. El doctor, que temblaba de miedo, no sabía si montar sobre la fiera o quedarse quieto; pero al fin, temiendo que el monstruo le castigara si no subía a sus lomos, empinóse sobre la tumba, y diciendo por lo bajo «¡Dios me ayude!», de un salto se colocó sobre la bestia como le habían dicho. Entonces Buffalmacco se encaminó despacio hacia Santa María de la Scala; y siempre a cuatro patas le condujo hasta cerca del convento de las monjas de Rípoli.

En aquellos parajes había entonces unos hoyos donde los labradores de las cercanías arrojaban a la condesa Civillari para abonar después con ella sus tierras. Y cuando Buffalmacco estuvo próximo a uno de ellos, acercóse al borde, puso la mano bajo uno de los pies del médico, se lo sacudió súbitamente encima y de cabeza lo echó en el hoyo, comenzando en seguida a saltar, brincar y aullar, corriendo a brincos hacia Santa María de la Scala y el prado de Ognisanti, donde estaba Bruno, que había huido por no poder contener la risa, y con gran jolgorio pusiéronse a mirar desde lejos lo que el emporcado médico hacía.

El pobre maestro Simón, cuando se vio en sitio tan abominable, hizo esfuerzos para levantarse y salir de allí; pero volvía a caer y a levantarse, ensuciándose en aquella maloliente porquería; hasta que, dolorido y afligido, tras haber tragado un poco de aquella sustancia, pudo salir al fin, dejando en el hoyo el birrete; y limpiándose como mejor podía con las manos sin saber qué partido tomar, se volvió a su casa, donde tuvo que llamar muchas veces para que le abriesen.

Apenas hubo entrado, Bruno y Buffalmaco se acercaron a la puerta para oír desde fuera cómo el médico era recibido por su esposa, y oyeron que ella gritaba:

—¡Bien empleado te está! ¡Has ido a ver a alguna mujerzuela y querías presentarte muy honorable con tu túnica escarlata! ¿No te bastaba yo? No a ti, sino a todo un pueblo le bastaría. ¡Ojalá te hubiesen ahogado igual que te echaron al puesto más digno de ti! ¡Eso te enseñará a no dejar en casa a tu mujer para irte con las otras!

Y con éstas y otras palabras, mientras el médico trataba de quitarse la porquería de encima, la mujer le atormentó hasta más de la medianoche.

A la mañana siguiente, Bruno y Buffalmacco, que no querían perder la amistad del médico, se pintaron la piel con llagas y cardenales, fueron a ver al médico y le hallaron levantado. Al entrar en la casa, olieron un fuerte hedor, porque las cosas no habían sido aún del todo lavadas. Cuando el médico supo que habían llegado sus dos amigos, salió a su encuentro, dándoles los buenos días; pero los pintores, con irritado semblante, respondieron:

—No os decimos lo mismo, doctor; antes le pedimos a Dios que os los dé tan malos como merecéis por habernos traicionado, pues por culpa vuestra y por querer honraros y complaceros, poco ha faltado para que nos mataran como perros. Tal paliza hemos recibido esta noche por vuestra deslealtad, que con menos palos iría a Roma un asno, sin contar con que hemos estado a riesgo de ser expulsado del grupo en el que pensábamos recibiros. Y por si lo dudáis, ved cómo tenemos el cuerpo.

Y desabrochándose las ropas, le mostraron el pecho, bien pintado con arañazos y mordeduras, y volvieron a abrocharse en seguida.

El médico quería excusarse y explicar sus desventuras y dónde y cómo había sido arrojado. Pero Buffalmacco le interrumpió, diciendo:

—¡Yo quisiera que desde el puente os hubiera echado al Arno!

¿Por qué os encomendasteis a Dios y a los santos? ¿No os advertimos que no lo hicierais?

—Confieso —contestó el médico—, que no me acordé...

—¡Cómo! —exclamó Buffalmacco—. ¿No os acordasteis? ¡Ya lo creo que sí! Nuestro mensajero ha dicho que temblabais como un azogado, sin saber lo que os pasaba. ¡Nos la hicisteis buena! Pero os juro que en adelante nadie nos jugará otra broma parecida. En cuanto a vos, ya ajustaremos cuentas.

El médico le interrumpió para pedir perdón y rogarles por Dios que no le vituperaran, hasta que consiguió calmarles. Y por el temor de que hicieran público lo que había pasado, les obsequió y mimó mucho más que antes; así, pues, como habéis oído, se enseña a tener seso a quien no lo aprendió en Bolonia.

BLANCAFLOR Y SALABAETTO

*A un mercader que va a Palermo una mujer le quita
cuanto ha llevado, y él, fingiendo traer por segunda
vez mucha más mercancía que la primera, le pide el
dinero a la mujer y le deja agua y borra*

No es necesario preguntar si el cuento de la reina hizo reír a las
damas; pero sí diremos que varias veces sus ojos se llenaron de
lágrimas a causa de la risa excesiva. Y cuando la reina terminó de
hablar, Dioneo, a quien le había llegado el turno, dijo:

—Es cosa sabida, graciosas damas, que tanto más placentero
resulta el arte de la burla cuanto más ingenioso es el artífice que
queda artificiosamente befado. Por eso, aun cuando todos habéis
contado bellísimas historias, me propongo relataros una que tanto o
más os gustará cuanto la burlada era maestra en el arte de befar.

Solía haber —y tal vez existe todavía— una costumbre en todas
las ciudades marítimas que tienen puerto, por la cual los comerciantes que llegan a ellas con mercancías, tras desembarcarlas, las guar-
dan en unos depósitos llamados aduanas, pertenecientes, por lo
general, al señor del país; una vez allí, los comerciantes entregan una
lista de los géneros y sus precios a los encargados de esas aduanas;
por su parte, los funcionarios del puerto asignan a los comerciantes
un depósito para que guarden los géneros bajo llave y, los aduaneros
anotan en sus libros la mercadería de cada comerciante, que paga un
impuesto por la parte de los géneros que vaya sacando. Los corredores de comercio, gracias al examen de las anotaciones hechas en
los registros de las aduanas, pueden saber la calidad y cantidad de
los géneros, amén de sus precios y del nombre del propietario, con
quien más tarde, si llega el caso, podrán discutir las condiciones de
venta.

Esa costumbre existía también en Palermo de Sicilia, donde había y hay aún muchas mujeres hermosísimas, pero enemigas de la honestidad, y a las cuales quien no las conozca tomaría por las más honestísimas damas. Y como esas tales se dedican a desplumar a los hombres sin miramiento alguno, en cuanto ven a un forastero recién llegado, corren al libro de la aduana a informarse de lo que hay y de lo que puede hacerse. Después, con dulces sugerencias, cariños y amorosas palabras, procuran halagar a tales mercaderes y los encandilan con su amor; son ya muchos los infelices que han dejado en sus manos la mercancía, cuando no la nave, la pulpa y los huesos todos. ¡Tal es la suavidad con que esas barberas manejan su navaja!

No hace mucho tiempo llegó allí, enviado por sus amos, un joven florentino llamado Nicolás de Cignano, pero más conocido por Salabaetto, con tantos paños de lana que le habían adelantado en la feria de Salerno, que bien podían valer unos quinientos florines de oro. Después de entregar la lista y pagar el tributo a los aduaneros, dejó su cargamento en un almacén y, sin mostrar gran prisa en vender sus géneros, paseó por la ciudad buscando distracción.

Salabaetto era rubio, de tez blanca y muy atractivo. Y como era buen mozo, acaeció que una de esas barberas, que se hacía llamar señora Blancaflor, habiendo oído hablar de él, le echó los ojos encima. Salabaetto se dio cuenta de ello en seguida, y le gustó, pues era bellísima mujer, por lo que trató de conquistarla con gran cautela, de manera que, sin decir nada a nadie, comenzó a pasear por delante de la casa de la mujer.

Habiéndolo notado la siciliana, y después que durante algunos días le hubo estado incitando con sus miradas, fingiendo desvivirse por él, le envió en secreto a cierta criada suya que era diplomada alcahueta. Fuese ésta a ver al florentino, y le dijo, entre suspiros y lagrimillas, que su belleza y gallardía habían conquistado de tal manera el corazón de su dueña, que no descansaba de noche ni de día. Por lo que de buena gana consentiría, cuando él quisiera, en encontrarse con él a solas en un baño; dicho esto, sacó de su bolsillo una sortija y se la entregó de parte de su señora.

Salabaetto se creyó el hombre más feliz de la tierra, y tomando la sortija la pasó por sus ojos en señal de cariño, la besó, se la puso en un dedo y contestó a la mujer que si la señora Blancaflor, le amaba, él no la correspondía con menor afecto, pues la quería más que a su propia vida y estaba dispuesto a ir donde fuese de su agrado y a cualquier hora. Informada la Blancaflor, mandó a la misma correveidile que indicase a Salabaetto el baño donde al día siguiente, poco después del crepúsculo, tenía que aguardarla. El joven mercader se apresuró a ir a la hora señalada, sin decir nada a nadie y halló que el baño estaba arrendado a nombre de la dama. Pocos minutos hacía que esperaba, cuando vinieron dos esclavas, de las que una traía un hermoso colchón de algodón, y la otra una gran cesta con diversas cosas; extendieron el colchón en un departamento contiguo al baño, sobre una litera, pusieron unas finísimas sábanas listadas de seda, cubriéndolo todo con una colcha de lino de Chipre, muy blanco, y dos almohadas maravillosamente bordadas; hecho esto, las siervas entraron en el baño y lo limpiaron cuidadosamente. Poco después llegó la dama con otras dos esclavas, e hizo grandes agasajos al joven desde el momento que se vio a solas con él. Cuando le hubo acariciado y besado, le dijo:

—No sé quién sino tú podía haberme atraído a este sitio; tú me has puesto el fuego en el alma, dulce toscano mío.

La galante conversación duró unos momentos; luego se desnudaron y entraron en el baño, ayudados por las dos esclavas. Allí Blancaflor, sin permitir que otra la tocara, se lavó con un jabón compuesto de diferentes esencias, y después se hizo secar el cuerpo por las esclavas con toallas finas y perfumadas. El florentino fue objeto de iguales cuidados. Una de las esclavas le cubrió luego con su lienzo, y la otra a la siciliana, y en brazos los trasladaron al preparado lecho. Cuando dejaron de sudar, fueron quitadas las sábanas húmedas, y quedaron desnudos sobre el lecho; sacaron del cesto pomos de plata con agua de rosa y otros perfumes, agua de azahar y de jazmín, y perfumaron la estancia; luego sirvieron confituras y deliciosos vinos, con lo que Salabaetto y la siciliana se confortaron.

Salabaetto se creía en el paraíso; contempló mil veces a la mujer, que era muy bella, y deseaba de todo corazón que salieran las esclavas para hallarse a solas entre los brazos de su amada. La mujer mandó a las criadas que se retiraran y así lo hicieron, no sin dejar en la habitación una pequeña antorcha encendida. Cuando quedaron solos, se abrazaron con grandísimo placer de ambos, y sobre todo del joven toscano, que se creía el más amado de los hombres. Y en tal deleite se pasaron una hora larga.

Cuando la siciliana creyó llegado el tiempo de abandonar el lecho, llamó a las esclavas para que la vistieran, mandándoles que sirvieran de nuevo confituras y vinos para reconfortar al galán, que bien lo necesitaba.

Antes de separarse y después que se hubieron lavado la cara y las manos con agua perfumada, dijo Blancaflor:

—Si a ti ha de serte agradable, me gustaría mucho que esta noche vinieras a cenar conmigo.

Salabaetto, que estaba ya prendido en las redes de aquella artificiosa picaruela, convencidísimo de que estaba locamente enamorada de él, respondió:

—Todo lo que a vos os guste, señora, me gusta a mí; por lo tanto, no sólo esta noche, sino a todas horas haré lo que a vos os plazca y mandéis.

Cuando Blancaflor llegó a su casa, hizo adornar su propia habitación, dispuso una espléndida cena y esperó a Salabaetto, el cual, en cuanto hubo oscurecido, encaminóse allí, recibiéndole su amada con grandes agasajos, y le sirvió una excelente cena.

Después entraron en la alcoba, donde el toscano percibió el maravilloso aroma del áloe, y vio el lecho abundantemente provisto de pajarillos de Chipre, el bello moblaje, las preciosas túnicas que colgaban de las perchas; todo lo cual persuadió al joven de que debía tratarse de una dama riquísima y de elevada estirpe. Aunque oyó decir de ella todo lo contrario, por nada del mundo atendería a tales rumores, debidos sin duda a la envidia; y aun suponiendo que llegase a creer que hubiera engañado a alguien, no le parecía posible se propusiera engañarle a él.

Yació toda la noche con la siciliana, con gran placer suyo, encendiéndose siempre más en su pasión. Y llegada la mañana, ciñóle ella una bella cinturilla de plata con una bolsa y le dijo:

—Dulce Salabaetto mío, así como mi persona está a tu albedrío, así lo está lo que aquí hay; y todo lo que tengo y puedo queda a tus órdenes.

El joven contestó con nuevas caricias, asegurándole que su amor sería eterno; después salió de la casa y se fue a donde solían reunirse los otros mercaderes.

Y familiarizándose cada vez más con la siciliana, sin gastar nada, más enamorado cada día, sucedió que vendió todos sus géneros en dinero contante, con buen beneficio. Informada de ello Blancaflor, no por el joven toscano sino por otros conductos, puso sus miras en la cantidad que aquella venta le había producido, y pensó en la manera de quitársela. Y una noche en que Salabaetto había ido a verla, comenzó a bromear con él, y acariciarle, y mostrarse tan enardecida, cual si debiera morir de amor en sus brazos; quería regalarle dos hermosísimas copas de plata, lo que Salabaetto no quiso admitir, puesto que, entre una cosa y otra, ya había recibido de la dama presentes por valor de más de treinta florines de oro, sin lograr que ella aceptase de él ni por valor de un sueldo. Al fin, cuando ya tenía al toscano enardecido con sus manifestaciones de generosidad y de pasión, una de sus criadas —previamente prevenida por su ama— fue a llamarla, por lo que ella salió de la habitación. Al cabo de unos instantes, volvió llorando, y, echándose sobre la cama, prorrumpió en los más dolorosos lamentos.

Sorprendido Salabaetto ante cambio tan repentino, la abrazó y comenzó a gemir con ella.

—¿Qué os ha sucedido, dulce corazón mío? —preguntó—. ¿A qué se debe este dolor? ¡No me ocultéis nada, alma mía!

Después que se hubo hecho de rogar un buen rato, la siciliana contestó:

—¡Ay de mí, dulce sueño mío! No sé qué hacer ni qué decir; acabo de recibir carta de Mesina en la que mi hermano me escribe que, aunque tenga que venderlo y empeñarlo todo, le envíe sin falta, antes de ocho días, mil florines de oro, porque de lo contrario, le cortarán la cabeza; yo no sé qué hacer para tenerlos tan pronto; si tuviese al menos quince días de tiempo, hallaría medio de sacarlos de algún sitio donde tengo mucho más, o vendería alguna de mis posesiones. ¡Pero ahora preferiría haber muerto antes de que me llegara tan fatal noticia!

Y dicho esto, siguió en sus llantos y gemidos, presa de gran tribulación.

Salabaetto, a quien el amor había quitado buena parte del debido juicio, creyendo verdaderas aquellas lágrimas y más aún las palabras de la mujer, dijo:

—Yo no puedo daros mil, señora, pero quinientos sí, si creéis poder devolvérmelos dentro de quince días, y gran suerte es que ayer vendiera mis paños, pues de no ser así no podría prestaros nada.

—¡Cómo! —exclamó Blancaflor—. ¿Has estado escaso de dinero? ¿Por qué no me lo pediste? Aun cuando no tengo mil florines, podía darte cien y hasta doscientos; así me has quitado todo el valor para aceptar el servicio que me ofreces.

Cada vez más sojuzgado por las palabras de la siciliana, Salabaetto replicó:

—No quiero, señora, que lo dejéis por eso, pues si yo hubiese tenido esta necesidad como la tenéis vos, os habría pedido el dinero.

—¡Ay, Salabaetto mío! —exclamó ella—. Bien conozco que tu amor hacia mí es verdadero y perfecto, porque sin aguardar a que te pida tan importante cantidad de dinero, tú mismo te anticipas a ofrecérmela en ayuda de esta necesidad. Toda tuya era yo sin esto, pero ahora lo seré más aún; nunca habré de olvidar que te debo la vida de mi hermano. Pero bien sabe Dios que a la fuerza tomo ese dinero, pues sé que los comerciantes lo necesitan para hacer sus compras, y que a veces pierden una buena oportunidad por falta de fondos. Sin embargo, como la necesidad me apremia y tengo la seguridad de devolvértelo en seguida, lo tomaré, y en prenda empeñaré algunas cosas mías, si no hallo otro medio de pagarte.

Y diciendo esto, abrazó llorando a Salabaetto, quien la consoló. Y después de pasar la noche en su compañía, para darle pruebas de su abnegación, sin esperar a que ella repitiera la petición, le llevó los quinientos florines de oro que ella recibió con sonrisa en el corazón y llanto en los ojos, contentándose Salabaetto con una simple promesa suya.

Cuando la mujer tuvo el dinero, las cosas comenzaron a cambiar; y así como antes Salabaetto iba a ver a Blancaflor siempre que lo deseara, ahora surgían siempre inconvenientes, debido a los cuales de cada siete veces apenas podía entrar una, y aún ésta no le recibía con los agasajos y caricias de antes.

A todo esto pasaron un mes y dos, y siempre que Salabaetto pedía el dinero, le pagaba con palabras. Hasta entonces no comprendió el toscano la astucia de aquella malvada mujer y lo ingenuo que él había sido, y sabiendo que de ella nada más podía pedir que lo que a ella le acomodara, puesto que no tenía escritura ni testigo alguno, avergonzábase de quejarse a alguien, ya fuera porque no había previsto lo sucedido, o porque creyera justas las burlas que había recibido a causa de su locura; así, dolorido y triste, lloraba su propia estupidez. Además, sus patronos de Florencia le escribían a menudo, diciéndole que cambiara aquel dinero y se lo mandase cuanto antes; y a fin de que no descubriesen lo sucedido, decidió marcharse; y embarcándose en una pequeña nave, se fue, no a Pisa, como debía, sino a Nápoles.

En Nápoles vivía a la sazón nuestro conciudadano Pedro de Canigiano, tesorero de la emperatriz de Constantinopla, hombre de gran inteligencia y de sutil ingenio, amigo íntimo de Salabaetto. A poco de su llegada, el joven toscano fue a comunicar sus cuitas a ese Pedro, pidiéndole, además, su ayuda y consejo para salir adelante, pues estaba resuelto a no volver a Florencia.

Lamentando lo sucedido, Canigiano le dijo:

—Mal hiciste, mal te has portado, mal has obedecido a tus patronos, demasiado dinero has gastado en lascivias; pero lo hecho hecho está, y ahora se trata de buscar un remedio.

Y como hombre sagaz que era, pronto hubo pensado lo que debía hacer Salabaetto, y se lo dijo.

Habiéndole agradado la idea del prudente amigo, se dispuso a ponerla inmediatamente en ejecución, y con algún dinero que aún le quedaba, y algo que le prestó Canigiano, empaquetó bien apretados veinte bultos de paño, y llenado otras tantas latas de aceite, con este cargamento se volvió a Palermo. Hizo con los aduaneros lo que debía, declarando los bultos y el precio del aceite, inscribiéndolo todo a su nombre. Después lo depositó en los almacenes, como de costumbre, diciendo que no quería tocar nada hasta que llegaran otras mercancías que esperaba.

Enterada de esto Blancaflor y oyendo decir que lo que consigo había traído valía más de dos mil florines de oro, sin contar que lo que esperaba valdría tres mil, por lo menos, pensó restituirle los quinientos con el fin de quedarse la mayor parte de los cinco mil; y con este objeto le mandó llamar.

El joven toscano acudió a su llamada, con un poco más de malicia. La siciliana fingió no saber nada de lo que él había traído y le recibió con grandes demostraciones de alegría, diciéndole:

—Tal vez estés enfadado conmigo porque no te devolví tu dinero en el plazo fijado...

Salabaetto la interrumpió, riendo, y diciendo:

—Realmente, señora, me desagradó un poco, pues en aquellos momentos me hacía falta; pero ahora quiero que veáis cómo estoy enfadado con vos. Es tanto y tal el amor que os profeso, que he mandado vender la mayor parte de mis posesiones y he traído mercancías por valor de más de dos mil florines, y aguardo de Poniente otra partida que no bajará de tres mil. Me propongo instalar un depósito y quedarme en esta tierra para poder estar siempre a vuestro lado, puesto que sois necesaria a mi felicidad.

La siciliana dijo:

—Mira, Salabaetto; mucho me agrada tu resolución, porque te amo más que a mi vida, y me place que hayas venido con intención de quedarte, con lo que espero que pasemos juntos muy buenos ratos. Pero quiero darte alguna satisfacción por las veces que deseándolo no pudiste verme, o viéndome, no fuiste tan bien tratado como solias; y además, porque no te devolví el dinero en el plazo señalado. Debes saber que entonces me hallaba yo en gran dolor y aflicción, y quien en tales circunstancias se encuentra, por mucho que ame a uno, no le puede recibir como mereciera; aparte de que no ignorarás lo ingrato que es para una mujer encontrar mil florines de oro; no han hecho más que engañarme día tras día, sin cumplir lo que prometían, por lo que también yo me vi obligada a mentir; ésta y no otra es la causa de que no te devolviera tu dinero: lo obtuve poco después de tu partida y, si hubiese sabido dónde enviártelo, ten por seguro que lo habría hecho; pero como no lo supe, preferí guardártelo.

Y trayendo una bolsa donde estaban las mismas monedas que el toscano le diera, se las puso en la mano y añadió:

—Mira si hay quinientos.

Jamás estuvo tan contento Salabaetto como entonces, y después de contar el dinero y hallarlo completo, se lo guardó, diciendo:

—Comprendo, señora, que decís la verdad y que habéis hecho bastante; por todo ello y por el amor que os tengo, no habrá cantidad que a mi alcance esté que no me apresure a proporcionaros siempre que la necesitéis. Podréis comprobarlo en cuanto me instale aquí.

Y tornando con estas palabras al antiguo amor con ella, el joven toscano volvió a recibir las mayores atenciones y complacencias.

Pero Salabaetto, que quería castigar con un engaño el de la siciliana, un día que recibió invitación de ir a cenar a su casa, llegó con aire tan melancólico y triste que parecía que iba a morir. Llenándole de caricias, Blancaflor le preguntó a qué era debida su melancolía, y él, después de haberse hecho mucho de rogar, dijo:

—Estoy arruinado; el buque en que viene la mercancía que esperaba ha caído en poder de los corsarios de Mónaco, y habiendo sido rescatado por diez mil florines de oro, de los cuales me toca pagar mil, no dispongo en este momento ni de un ochavo, pues los quinientos que me devolvisteis los mandé inmediatamente a Nápoles para invertir en telas que han de enviarme aquí. Por otra parte, si me decido a vender la mercadería que aquí tengo, como no es tiempo oportuno, apenas sacaría la mitad de su valor. Además, no soy bastante conocido aún en esta ciudad para encontrar quien me preste. No sé qué hacer... Temo que, si no envío pronto ese dinero, los corsarios se llevarán la mercancía a Mónaco, en cuyo caso no podré recobrar nada.

La mujer, muy disgustada por semejante noticia —como si la pérdida fuese de ella— pensó cómo debía hacer para que aquella riqueza no fuese a Mónaco, y dijo:

—Bien sabe Dios cuánto lo siento, por el amor que te tengo; pero, ¿por qué atribularse tanto? Si yo tuviese ese dinero, en seguida te lo prestaría. Verdad es que conozco una persona que me prestó los quinientos florines que me faltaban, pero pide una usura tan grande que no baja del treinta por ciento; si quisiera recibirlos de este individuo, habría necesidad de buena garantía en prenda; yo, por mi parte, estoy dispuesta a empeñar por ti todas estas cosas e incluso mi persona por todo el tiempo que él acepte el préstamo, para poder servirte en algo; pero el resto, ¿cómo lo garantizarías tú?

Salabaetto comprendió el motivo que inducía a Blancaflor a prestarle este servicio, y no le cupo duda que los dineros del préstamo debían ser de la misma mujer; así, pues, empezó por darle las gracias y dijo que no le importaba la cantidad de la usura, ya que la necesidad apremiaba; luego añadió que la garantizaría con los géneros que tenía en la aduana, haciéndolos inscribir a nombre del que le prestara el dinero, pero que él quería guardar la llave de los almacenes, ya para poder enseñar la mercancía si se la pidiera, o para que nada se pudiese tocar o cambiar.

La mujer contestó que todo aquello estaba muy bien, y que la garantía era buena, por lo que, llegado el día, Blancaflor mandó llamar a un corredor amigo suyo de toda confianza, y después de tratar con él de este asunto, le entregó mil florines de oro que el hombre prestó al florentino, e hizo inscribir a su nombre lo que Salabaetto tenía en el depósito; y hechas a un mismo tiempo las escrituras y contraescrituras y puestos de acuerdo, Salabaetto y el agente se despidieron en buena armonía.

El joven toscano embarcó en una nave en cuanto pudo, y con mil quinientos florines de oro fue a reunirse en Nápoles con Pedro de Canigiano, desde donde remitió íntegras cuentas a sus patronos de Florencia; y después de pagar a Pedro y a todos aquéllos a quienes algo debía, permaneció algunos días con su amigo Canigiano gozando con él del engaño de la siciliana, Luego, decidido a no dedicarse más al comercio, se dirigió a Ferrara.

Maravillada Blancaflor al no encontrar a Salabaetto en todo Palermo, comenzó a sospechar que a su vez había sido engañada; y cuando hubo esperado un par de meses sin tener noticias suyas, viendo que no aparecía, hizo que el agente fuese a la aduana y forzara la puerda del alamacén. Abiertas primero las barricas que creían llenas de aceite, encontraron que estaban llenas de agua, y que sólo junto al tapón había un poco de aceite; después, deshechos los bultos, hallaron que sólo uno contenía verdadero paño, porque el resto era todo borra; en una palabra, todo aquello reunido no valía más allá de doscientos florines. Viendo la siciliana cómo había sido engañada, lloró con amargura los quinientos florines devueltos, y mucho más los mil prestados, repitiendo una y otra vez:

—Quien negocia con toscanos ha de tener los ojos bien abiertos.

Y de esta manera se quedó con el daño y la burla.

CONCLUSION

Cuando Dioneo hubo terminado esta historia, conociendo Lauretta que también había acabado su reinado, después de elogiar el sagaz consejo de Canigiano y lo bien que lo llevó a cabo Salabaetto, quitóse la corona de laurel y colocándola gentilmente en la cabeza de Emilia, le dijo:

—No sé, señora, qué grata reina tendremos en vos, pero muy bella sí la tendremos; haced, pues, por manera que vuestras obras correspondan a vuestra belleza.

Y dichas estas palabras volvió a sentarse.

No tanto por ser proclamada reina como por las alabanzas que se le hacían en aquello de que las mujeres se envanecen más, Emilia se mostró algo vergonzosa, y su rostro se puso como suelen ponerse a la aurora las nubes. Y cuando, tras haber estado con los ojos bajos un buen rato, desapareció el rubor de su rostro, habiendo ya tratado con el mayordomo acerca de cuanto concernía al grupo, habló de esta manera:

—Con frecuencia, amables damas, solemos ver que cuando los bueyes han trabajado parte del día uncidos al yugo, se les libera de éste y pueden entonces ir a pacer libremente por bosques y prados; asimismo sabemos que no son menos bellos, sino mucho más, los jardines abundantes en variadas plantas que los bosques donde sólo hay encinas; por ello, y después de tener en cuenta los muchos días que nuestras historias están sometidas a determinada ley, creo que más que útil será oportuno vagar libremente, para volver después a sujetarnos al yugo. Por tanto, no es mi intención obligaros a un tema concreto en los cuentos que mañana contaréis, sino que es mi deseo que cada uno relate lo que más le plazca, pues estoy segura de que la variedad de las cosas que se cuenten no será menos graciosa que el sujetarnos a un argumento. Y así, quien me suceda en el reinado podrá, una vez descansados, ceñirnos nuevamente y con mayor seguridad a las leyes fijas.

Tras estas palabras, dio a todos libertad hasta la hora de la cena.

Las palabras de la reina fueron alabadas como dignas de mujer inteligente, y levantándose del lugar en que estaban hizo cada uno lo que más le plugo: las doncellas tejieron guirnaldas y se solazaron, los jóvenes jugaron y cantaron, y así pasaron lo que quedaba de la tarde, hasta la hora de la cena. Llegada ésta, se sentaron alrededor de la fuente y cenaron con alegría y placer, y después, según era en ellos costumbre, se divirtieron con cantos y danzas.

Finalmente, juzgando que todos recibirían gustosos el descanso, mandó que cada uno se retirara a su cámara a dormir.

JORNADA NOVENA

La luz del día, a cuyo resplandor huye la noche, había ya cambiado todo el octavo cielo de azul en celeste claro y las florecillas comenzaban a abrirse e hizo llamar a sus compañeros. Llegados éstos, y siguiendo los lentos pasos de la reina, se dirigieron a un bosquecillo no muy distante del palacio; y penetrando en él, vieron diversos animales, corzos, ciervos y otras especies que, despreocupados de los cazadores a causa de la epidemia reinante en Florencia, parecían haberse hecho domésticos y familiares. Acercábanse a ellos y los jóvenes los perseguían como por juego, haciéndoles correr y saltar.

Mas como subiera ya el sol, parecióles que debían volverse. Iban todos adornados con guirnaldas de roble y en las manos llevaban hierbas aromáticas y flores. Quien les hubiera visto, se habría dicho: «Estos no serán vencidos por la muerte, o los matará en pleno contentamiento».

Así, pues, paso a paso, cantando, charlando y bromeando, llegaron al palacio, donde hallaron todas las cosas bien dispuestas, y alegres y contentos a sus servidores.

Descansaron un poco, y antes de ir a la mesa cantaron seis cancioncillas, a cual más jovial; después de lavarse las manos, se sentaron y comieron con buen apetito. Luego danzaron en corro e hicieron música durante un buen rato, hasta que, por orden de la reina, fue a descansar quien quiso hacerlo.

Llegada la hora acostumbrada, reuniéronse en el lugar de todos los días; y la reina, mirando a Filomena, le dijo que diera comienzo a los cuentos de aquella jornada, por lo que Filomena, sonriendo, empezó de esta manera:

LOS MUERTOS DE DOÑA FRANCISCA

Una hermosa dama compromete en una aventura a dos galanteadores suyos, logrando su propósito de desengañarlos

Mucho me agrada, señora, puesto que a vos os place, que por este campo abierto y libre, en el cual nos ha colocado vuestra magnificencia, sea yo la primera en hablar; y no dudo que, si cumplo bien mi cometido, los que me sigan me superarán.

Muchas veces, amigas mías, se ha demostrado en nuestras historias cuántas y cuáles son las fuerzas del amor; pero no creo que se haya dicho todo plenamente, ni se diría aunque durante todo un año no hablásemos de otra cosa; y como la pasión amorosa no sólo lleva a los amantes a verdaderos peligros de perder la vida, sino incluso a penetrar en las tumbas fingiéndose muertos, pláceme contaros acerca de esto una historia, por la cual no sólo comprenderéis las poderosas fuerzas del amor, sino también el buen juicio de cierta dama, empleado para librarse de dos importunos que la asediaban.

Vivía en otro tiempo en Pistoya una hermosísima viuda, a la que amaban con pasión dos conciudadanos nuestros que estaban allí desterrados; llamábase el uno Rinuccio Palermini, y el otro Alejandro Chiarmontiesi, y se habían enamorado a la vez de aquella dama, sin comunicarse el uno al otro el secreto de su corazón.

Ambos habían hecho todo lo posible para conquistar a la gentil dama por medio de embajadas y súplicas; y ella —cuyo nombre era Francisca de Lazzari— aunque estaba lejos de sentir en su pecho los impulsos del amor, como les hubiese incautamente dado oídos varias veces, más tarde se arrepintió y quiso retraerse; pero, no pudiendo hacerlo, para librarse de aquellos importunos concibió el proyecto de pedirles un servicio que no quisieran o no pudieran cumplir, aunque se tratara de algo posible, y en su negativa encontrar un honesto pretexto para no atender en adelante sus amorosas embajadas.

El proyecto fue el siguiente: había muerto aquel día en Pistoya un individuo que, a pesar de descender de noble familia, era reputado por el hombre peor no sólo de la ciudad, sino de todo el mundo; en vida había tenido un cuerpo tan contrahecho y tan deforme rostro que infundía pánico a primera vista. Acababa de ser enterrado en una tumba de la parte exterior de la iglesia de los Frailes Menores. Y la dama creyó que ese hecho podía ayudarla en sus proyectos, por lo que dijo a una de sus criadas:

—Tú sabes cómo me fastidian los constantes galanteos de esos dos florentinos, Rinuccio y Alejandro, pues no estoy dispuesta a darles satisfacción con mi amor; para librarme de ellos he pensado que, ya que tantas cosas prometen, ha llegado la hora de ponerlos a prueba en algo que difícilmente realizarán, con lo que acabaré con tan desagradable insistencia. Ya sabes que esta mañana el Scanadio —así se llamaba aquel hombre infame de que os he hablado antes— ha sido enterrado en una de las tumbas de la iglesia de los Frailes Menores; también sabes el miedo que, no ya muerto, sino en vida, les causaba a los hombres más animosos de esta tierra; pues bien, irás primero a ver a Alejandro y le dirás: «Mi señora Francisca me manda decirte que ha llegado la ocasión de conquistar el amor que tanto has deseado, y encontrarte a solas con ella, si tú quieres, con sólo que hagas lo que te pide. Por ciertos motivos que después sabrás, uno de sus parientes debe llevar a casa de mi señora el cadáver de Scanadio, que fue enterrado esta mañana, pero ella, que tiene miedo del muerto, no quiere que tal cosa suceda, por lo que te suplica le hagas el señalado servicio de ir esta noche, a la hora del primer sueño, a la sepultura de Scanadio, cubrirte con su mortaja y echarte en su lugar, hasta que llegue alguien a recogerte, y sin decir ni hacer cosa alguna te dejes sacar de allí, como si, efectivamente, se tratase de un muerto; de esta forma te llevarán a casa de mi señora, donde ella te recibirá bien y estarás en su compañía hasta que quieras irte». Si Alejandro dice que lo hará, está bien; pero si se niega, puedes decirle de mi parte que no se presente donde esté yo, y si estima en algo su vida, que no me envíe mensajes y embajadas. Después irás en busca de Rinuccio, y le dirás: «Mi señora dice que está dispuesta a satisfacer tus deseos, si le prestas un gran servicio, que consiste en lo siguiente: hoy, hacia la medianoche, debes ir a la tumba donde Scanadio ha sido enterrado esta mañana, y sin decir nada de cuanto veas y oigas, sacas el cadáver y se lo llevas a su casa; allí sabrás para qué lo quiere la señora, y, en recompensa, ella accederá a tus deseos. Si te desagrada hacerle este gran favor, te manda que no vuelvas a enviarle nunca más mensajes ni embajadas».

La criada se fue a ver a ambos jóvenes, informándoles de cuanto le había encargado su señora. Tanto Alejandro como Rinuccio contestaron que no sólo a una tumba sino hasta los profundos infiernos irían, si la señora Francisca se lo pidiese. La criada llevó las contestaciones de ambos a su ama, que quedó a la espera para ver si eran tan locos que hicieran lo que les pedía.

Llegada la noche y a la hora indicada, Alejandro se desnudó, quedando sólo en jubón, y salió de su casa para ir a ocupar en la tumba el puesto de Scanadio; y mientras andaba, acudióle a la mente un negro pensamiento y comenzó a decirse: «¡Dios mío! ¿Adónde voy? ¡Estúpido de mí! ¿Qué sé yo si los parientes de ella, enterados tal vez de que la amo, creyendo lo que no hay, la obligan a hacer esto, para matarme en aquella tumba? Si esto sucede, yo me quedaré con el daño y nadie sabrá quiénes fueron los culpables. Además ¿sé, por ventura, si algún rival a quien ella ame le ha sugerido este lazo para librarse de mí?» Y después se contestaba a sí mismo: «Aun suponiendo que nada haya de eso y que sus parientes me conduzcan realmente a su casa, debo creer que éstos no quieren llevar el cadáver de Scanadio para tenerlo entre sus brazos o ponerlo en los de Francisca, más bien es de suponer que quieran vengar alguna mala jugada que les hiciese en vida. Ella me dice que no me mueva a pesar de lo que ellos hagan o digan: ¿y si me sacaran los ojos o me arrancaran los dientes o me cortaran las manos o hicieran conmigo algún otro bonito juego? ¿Cómo podré estarme quieto? Y si hablo, me conocerán y pueden hacerme daño, o si no me lo hacen, a la menor señal impedirán que me encuentre a solas con Francisca; y después ella dirá que no he cumplido mi promesa y se negará a satisfacer mis deseos».

Pensando todo esto y otras cosas, a punto estuvo de volver a su casa; pero su gran amor le impelía a seguir adelante con argumentos opuestos y de tanta fuerza, que le condujeron hasta el lugar del sepulcro. Llegado allí, abrió la tumba, desnudó a Scanadio, se cubrió con la mortaja, colocóse en lugar del muerto, y cerró la urna. Luego empezó a pensar en quién había sido Scanadio, y en las cosas que solían decirse acerca de cuanto ocurría de noche no sólo en los sepulcros, sino en otros lugares; con lo que se le erizaron los cabellos, pareciéndole a cada momento que Scanadio se levantaría y le asesinaría allí mismo. Pero ayudado por su ferviente amor, dominó estos y otros no menos pavorosos pensamientos, permaneciendo como si estuviera muerto, a la espera de lo que hubiere de suceder.

Por su parte Rinuccio, al acercarse la medianoche, salió de su casa para hacer lo que su dama le había pedido, y mientras iba por el camino asaltáronle muchos y variados pensamientos sobre las cosas que le podían acontecer, como encontrarse con los alguaciles de la Señoría mientras llevara a hombros el cadáver de Scanadio por las calles; si tal ocurriera, sería condenado a la hoguera por brujo; y, en todo caso, caería en el odio de sus parientes; y en éstos y otros pensamientos a punto estaba de detenerse. Pero luego, reanimándose, pensó: «¿Voy a negarme a la primera cosa que me pide esa gentil dama, a quien tanto he amado, sobre todo ahora cuando debo conquistar sus favores? Aunque debiera hallar una muerte segura, he de hacer lo que prometí». Y siguiendo adelante, llegó al sepulcro y lo abrió sin dificultad.

Cuando Alejandro oyó que abrían la tumba sintió gran pavor, pero se estuvo quieto.

Rinuccio penetró en la sepultura, y creyendo que se trataba del cuerpo de Scanadio, agarró a Alejandro por los pies y tiró de él hacia fuera, se lo echó al hombro y anduvo, presuroso, hacia la casa de su dama. Como no paraba mientes en su carga, unas veces la golpeaba contra una esquina, otras contra cualquier saliente de la calle, pues la noche era tan oscura que no podía distinguir dónde ponía el pie. Cuando llegó a la puerta de la casa de la señora Francisca, ya estaba ésta a la ventana con su criada para ver si Rinuccio traía a cuestas a Alejandro, dispuesta a despedirles a los dos; quiso entonces la casualidad que los guardias de la Señoría, que estaban andando en seguimiento de un bandido, oyeran el ruido que hacía Rinuccio con los pies; embararon los escudos y sacando una antorcha para ver de qué se trataba, gritaron:

—¿Quién va ahí?

Al reconocerles Rinuccio, sin tiempo para grandes meditaciones, soltó a Alejandro y echó a correr como alma que lleva el diablo. En cuanto a Alejandro, se levantó en seguida, y a pesar de los abundantes lienzos de la mortaja, huyó también a todo correr.

La señora Francisca, gracias a la antorcha encendida por los de la ronda, vio claramente a Rinuccio con Alejandro a cuestas, y que éste estaba envuelto en la mortaja de Scanadio, lo cual le produjo gran asombro por el valor de los dos caballeros; pero, a pesar de su asombro, rió de buena gana al ver cómo los dos escapaban de los guardias de la Señoría. Y dando gracias a Dios por haberla librado del asedio de los dos enamorados, volvió a su cámara convencida de que ambos la amaban mucho, puesto que por ella habían cumplido tan difícil petición.

Rinuccio, afligido y renegado de su desventura, no se volvió sin embargo a su casa: cuando creyó que la ronda se habría alejado, volvió al lugar donde echara a Alejandro y empezó a buscarlo a gatas, para cumplir lo prometido; pero al no encontrarle, creyó que los guardias se lo habían llevado, y se volvió contrariadísimo a su casa. También Alejandro, sin haber reconocido a su portador, volvió a la suya, muy entristecido por tan grave contrariedad.

A la mañana siguiente, como apareciese abierta la tumba de Scanadio y no se viera dentro de ésta el cadáver, por haberlo echado al fondo Alejandro, muchas cábalas se hicieron sobre lo sucedido; y los más necios aseguraban que se lo había llevado el diablo. Por su parte, los dos enamorados trataron de volver a la gracia de la dama, explicando cada uno lo que había hecho y el porqué de no haber podido dar término a la empresa; pero ella, fingiendo no darles crédito, les dijo con sequedad que nada debían esperar, porque no habían cumplido lo que les pidiera, con lo que se libró de ellos.

ISABEL Y LA ABADESA

*Una monja es sorprendida con un joven en su celda
pero la abadesa no puede castigarla por haber unos
calzones de por medio*

Callaba ya Filomena y todos elogiaron el buen juicio de la señora
Francisca al librarse de los dos importunos cuyo amor no deseaba,
considerando, al mismo tiempo, que la arriesgada presunción de esos
dos enamorados era más bien locura de amor, cuando la reina le dijo
graciosamente a Elisa:

—Sigue tú ahora.

Y Elisa apresuróse a hablar:

—Con ingenio y prudencia supo la viuda, queridísimas damas,
librarse de un enojoso asedio, según acabamos de oír; pero también
con el auxilio de la fortuna, una joven monja se salvó de un peligro
con oportunas palabras. Como ya sabéis, son muchos los que, siendo
muy necios, se constituyen en maestros de los demás; pero, como
podréis ver por mi historia, la fortuna los vitupera muchas veces
merecidamente. Así le acaeció a una abadesa, bajo cuya obediencia
se hallaba la monja de que os debo hablar.

Existía en Lombardía un monasterio que tenía gran fama de
santidad y de observancia religiosa, entre cuyas monjas había una
joven de noble estirpe, dotada de maravillosa belleza, llamada Isabel,
la cual, hallándose en el locutorio cierto día que fue a verla un
pariente suyo, se enamoró de un guapo joven que le acompañaba.
Y éste, al verla tan hermosa y habiendo comprendido por sus miradas
su pasión, enamoróse igualmente de ella; pero durante mucho tiempo
no obtuvieron de su amor otro fruto que el tormento de la privación.
Al fin, andando los dos tan solícitos en el mismo amor, el joven, más

rico en inventiva, descubrió un medio de llegar ocultamente hasta su monja, y consintiéndolo ella, la visitó no una sino muchas veces, con buen placer de entrambos.

Pero como las visitas se repitieran, sucedió en cierta ocasión que el joven fue visto por una monja mientras se despedía de Isabel y salía por el lugar secreto, sin saber que alguien les estaba viendo. La religiosa se lo comunicó a otras compañeras suyas y juntas pensaron en acusarla a la abadesa, llamada Usimbalda, buena y santa mujer, según la opinión de las monjas y de cuantos la conocían. Pero después creyeron mejor, para que Isabel no pudiese negarlo, esperar una ocasión en que la misma madre abadesa pudiera sorprender a la joven en brazos del mancebo. Y, guardando silencio, repartiéronse entre sí la vigilancia, para cogerlos en culpa.

Como Isabel nada recelaba, una noche hizo acudir a su amante, cosa que inmediatamente supieron las monjas que vigilaban, las cuales, cuando les pareció llegado el momento oportuno, ya muy adelantada la noche, se dividieron en dos bandos, quedando unas para espiar por el ojo de la cerradura, mientras las otras iban corriendo a la celda de la abadesa, a cuya puerta llamaron con fuertes golpes, diciendo desde afuera:

—Levantaos, señora, y venid pronto; la hermana Isabel tiene un joven en su celda.

Aquella noche, la abadesa estaba acompañada de un clérigo que con frecuencia se hacía traer encerrado en una caja, y al oír esto, temiendo que las religiosas, en su precipitación, empujaran tanto la puerta que ésta se abriera, se levantó a toda prisa, vistióse a oscuras, y creyendo tomar ciertos velos plegados que las monjas suelen llevar y llaman tocas, cogió equivocadamente los calzones del clérigo, y tanta fue su prisa, que, sin darse cuenta de ello, se los puso en la cabeza en lugar de la toca y salió de la celda, cerrando apresuradamente la puerta tras sí diciendo:

—¿Dónde está esa maldita?

Y con las otras, que tan ávidas estaban de sorprender en pecado a Isabel, que no observaron lo que la abadesa llevaba en la cabeza, llegó a la puerta de la celda y casi de un empujón la tiraron por tierra, penetrando en la estancia y hallando a Isabel en el lecho con su amante, ambos estrechamente abrazados y tan sorprendidos por aquella impresión, que, sin saber qué hacer, continuaron como estaban. La joven fue cogida inmediatamente por las demás y llevada a Capítulo por orden de la abadesa. El mancebo quedó en la celda;

vistióse en seguida y púsose a esperar en qué paraba todo aquello, con intención de jugarles una mala pasada a aquellas monjas, si algo malo se le hacía a su amante, en cuyo caso, además, se la llevaría consigo.

La abadesa ocupó su sitial en el Capítulo, en presencia de todas las monjas, que sólo tenían ojos para la desgraciada Isabel, y comenzó a decir a ésta las mayores injurias que jamás se han dicho a una mujer, acusándola de haber empañado la reputación y santidad de que gozaba el monasterio, puesta en peligro si llegaba a saberse lo que allí ocurría; y a las injurias añadía gravísimas amenazas.

La joven, avergonzada, como culpable que era, no acertaba a responder; antes bien, callando excitaba la compasión de las demás, y como la abadesa multiplicara sus denuestos, Isabel acabó por levantar los ojos y vio lo que aquélla llevaba en la cabeza, y además los cordones que de una y otra parte le colgaban. Inmediatamente comprendió de qué se trataba, y, animándose, dijo:

—Señora, por Dios, anudaos la cofia; luego decidme lo que queráis.

La abadesa, que no la entendía, exclamó:

—¿De qué cofia estás hablando, infame? ¿Te atreves aún a replicar? ¿Te parece que lo que has hecho te permite hablar?

—Señora, anudaos la cofia —repitió la joven—; luego decidme lo que os acomode.

Ante esa insistencia, muchas de las monjas levantaron los ojos para ver lo que ocurría en la cabeza de la abadesa; al mismo tiempo, ésta se llevó las manos a la toca, con lo que todas comprendieron por qué Isabel decía tales palabras.

Al observar la abadesa que las demás habían descubierto su propio pecado, y que no había modo de ocultarlo, cambió de lenguaje y habló en un tono muy distinto del que usara antes, concluyendo que era muy difícil resistir los estímulos de la carne; y añadió que; en adelante, las monjas que lo desearan podían satisfacer sus deseos. Y dejando en libertad a la joven, volvió a su clérigo, e Isabel, a despecho de las envidiosas, hizo volver secretamente a su amante una y mil veces, holgándose en su buena ventura.

EL PARTO DE CALANDRINO

Calandrino cree que está embarazado y, engañado por
Bruno, Buffalmacco y Nello, les da capones y dineros
a cambio de medicinas para no parir.

Cuando Elisa concluyó su cuento, la reina ordenó a Filostrato que continuara, y, éste, sin más hacerse de rogar empezó así:

—El mal educado juez de la Marca de quien ayer os hablé, me privó de contaros una historia de Calandrino que me proponía referir. Y puesto que hablar de él es motivo de regocijo, a pesar de que ya bastante se ha dicho de tal personaje y sus compañeros, os contaré lo que pensaba deciros ayer.

Con harta claridad se ha visto ya quién era Calandrino y quiénes los otros personajes de esta historia, por lo que, sin más preámbulos, digo que murió una tía de Calandrino y le dejó en herencia doscientas liras, con lo que Calandrino comenzó a decir que quería comprar una hacienda, y entablaba tratos con todos los corredores de comercio de Florencia, como si se tratase de gastar por lo menos diez mil florines de oro; pero las negociaciones terminaban siempre en cuanto se hablaba del precio que le pedían por la hacienda.

Bruno y Buffalmacco, que esto sabían, habíanle dicho repetidas veces que mejor haría en divertirse en compañía de ellos que andar en compras de tierra; pero ni siquiera habían logrado que gastara una lira para invitarles a beber una sola vez.

Cierto día que estaban censurando a Calandrino, juntóseles un compañero llamado Nello, pintor, y los tres se pusieron a deliberar sobre el medio de correrse una buena juerga a costa de Calandrino. Sin más tardanza, puestos de acuerdo en lo que debían hacer, a la mañana siguiente apostáronse cerca de la casa de Calandrino, y en cuanto éste salió Nello fue a su encuentro y le dijo:

—Buenos días, Calandrino.

Calandrino le devolvió el saludo, y después Nello, deteniéndose un poco, fijó sus ojos con atención, mezclada de sorpresa, en el rostro de su amigo. A lo que dijo Calandrino:

—¿Qué miras?

Nello contestó:

—¿Te ha pasado algo esta noche? Porque no pareces el mismo de siempre.

Asustóse Calandrino y exclamó:

—¡Cómo! ¿Qué dices? ¿Te parece que me ocurre algo?

—¡Bah! No sé —contestó Nello—. Pero de todos modos, el caso es que te veo tan cambiado... Aunque tal vez no sea nada.

Y dicho esto Nello se alejó de él.

Calandrino siguió adelante, preocupado e inquieto, a pesar de no experimentar ningún dolor; pero Buffalmacco, que estaba a corta distancia de allí, cuando vio que se había separado de Nello le salió al paso y, saludándole, le preguntó si se encontraba bien, a lo que contestó Calandrino:

—No sé... pero ahora mismo Nello me decía que me notaba cambiado... ¿Será posible que esté malo?

—Será cualquier tontería —repuso Buffalmacco—, aunque pareces medio muerto.

A Calandrino le parecía ya tener calentura. Y he aquí que en ese preciso momento apareció Bruno y antes de saludarle le miró fijamente, diciendo, al fin:

—¿Qué cara es ésa, Calandrino? Pareces un desenterrado. ¿Qué te pasa?

Al oír Calandrino que todos le decían lo mismo, no le cupo duda de que estaba enfermo, y les preguntó asustado qué debía hacer.

—A mí —contestóle Bruno—, me parece que deberías volverte a casa, meterte en la cama, hacerte abrigar bien y enviar tu orina al maestro Simón, que, como sabes, es íntimo amigo nuestro; él te dirá en seguida lo que has de hacer, y nosotros iremos a hacerte compañía; con gusto te ayudaremos, si lo necesitas.

Y reuniéndoseles Nello, volviéronse con Calandrino a casa de éste, que entró entristecido en su habitación y dijo a su mujer:

—Ven a taparme bien, porque me siento muy mal...

Después de descansar un rato, con una criada mandó la orina al maestro Simón, que a la sazón tenía la botica en el Mercado Viejo, con la enseña del melón.

Y Bruno dijo a sus compañeros:

—Vosotros quedaos aquí con él, mientras yo voy a ver qué dice el médico; en caso necesario, le haré venir.

—¡Ay, sí, amigo mío! —repuso Calandrino—. Anda y vuelve a decirme lo que hay, porque no sé qué siento por dentro.

Bruno salió y llegó a la casa de maestro Simón antes que la criada que llevaba la orina, e inmediatamente le informó de lo que ocurría. Por lo cual, cuando hubo llegado la muchacha y después de hecho el análisis, maestro Simón dijo a la criada:

—Anda hija, y dile a Calandrino que conserve bien el calor, que iré en seguida y le diré lo que tiene y lo que debe hacer.

La criada dio el recado a su amo, y no pasó mucho tiempo sin que llegaran el médico y Bruno. Sentóse maestro Simón al lado del enfermo, le tomó el pulso, y al cabo de un rato le dijo, en presencia de su mujer:

—Mira, Calandrino, hablándote como buen amigo, te diré que todo tu mal se reduce a que estás preñado.

Al oír esto, Calandrino, fuera de sí, exclamó:

—¡Ay de mí! ¡Tú tienes la culpa, Tessa, por no querer estar sino encima! ¡Ya te lo decía yo!

La mujer, que era muy honesta, se ruborizó al oír los términos en que se expresaba su marido, y, bajando la cabeza, salió de la habitación sin contestar palabra. Pero Calandrino no cesaba de lamentarse:

—¡Ay, ay, ay, triste de mí! ¿Qué va a sucederme? ¿Cómo daré a luz a este hijo? ¿Por dónde saldrá? ¡Bien veo que voy a morir a causa de la liviandad de esa mujer, a quien Dios le dé mal año! A fe que de no estar enfermo, me levantaría de la cama para darle una buena tanda de palos! ¡Pero bien empleado me está, que nunca debí dejar que se me pusiera encima! ¡Si salgo con bien del paso, juro que se quedará con las ganas!

Bruno, Buffalmacco y Nello se esforzaban por contener la risa. Quien reía a carcajadas era el médico, con la boca tan abierta que podían habérsele arrancado uno a uno todos los dientes. Finalmente, habiendo Calandrino pedido al médico que le diera consejo y auxilio, éste le dijo:

—No te desanimes, Calandrino, porque afortunadamente nos hemos dado a tiempo cuenta del caso, que te libraré de tu mal con poco trabajo, en pocos días, aunque debo advertirte que has de gastar algún dinero.

—¡Oh, querido doctor! —exclamó, suspirando, Calandrino—. ¡Lo que convenga! Aquí tengo doscientas liras que destinaba a la compra de una hacienda; tomadlas todas si hace falta, con tal que no tenga que llegar a parir, pues no sabría cómo hacerlo; que oigo a las mujeres hacer tal clamor cuando están de parto (aunque tienen bastante por donde hacerlo), que estoy seguro de que si tuviera tales dolores moriría antes de dar a luz.

—No te preocupes —repuso el médico—. Te prepararé una bebida destilada muy buena y agradable al paladar, que en tres mañanas lo resolverá todo y quedarás más sano que un pez; pero después has de ser prudente y no volver a caer en esas torpezas. Ahora bien, para esa bebida darás tres pares de capones bien gordos; por lo demás darás a éstos cinco liras para que compren lo necesario, y lo traigan a mi botica. Mañana temprano te enviaré, Dios mediante, esa destilación maravillosa, de la que beberás cada vez un buen vaso.

Al oír esto, Calandrino dijo:

—Maestro mío, lo dejo todo en vuestras manos.

Y entregando a Bruno cinco liras y dinero para los capones, le rogó que se tomase la molestia de hacerle aquel servicio.

El médico le preparó una medicina con clarete, y se la dio. Bruno compró los capones y demás cosas necesarias para la fiesta que pensaban hacer, de todo lo cual dieron buena cuenta los amigos y maestro Simón. Calandrino bebió durante tres días de aquella medicina preparada por el médico; y cuando éste volvió a su casa, le tomó el pulso y le dijo, en presencia de sus compañeros:

—Estás completamente curado, Calandrino; puedes dedicarte de nuevo a tus ocupaciones cuando quieras.

Contentísimo levantóse Calandrino y se fue a sus quehaceres, elogiando mucho la magnífica cura que le había hecho maestro Simón, quitándole la preñez sin la menor molestia.

Bruno, Buffalmacco y Nello quedaron asimismo satisfechos por haber sabido burlar la avaricia de Calandrino. Pero su mujer, que adivinó la farsa, no dejó de gruñir y regañar a su ingenuo marido.

EL JUEGO DE FORTARRIGO

*Fortarrigo juega a Angiulieri tan mala pasada, que
éste queda en camisa en medio de un camino*

Con grandes carcajadas fueron oídas las lamentaciones de Calandrino respecto a su esposa; y cuando dejó de hablar Nicostrato, tomó la palabra Neifile a indicación de la reina, y dijo:

—Graciosas damas, si no fuese a los hombres más difícil mostrar a los demás su virtud y buen juicio que el vicio o la estupidez, en vano se fatigarían muchos en poner freno a sus palabras; y esto os lo ha demostrado la estulticia de Calandrino, que para sanar de un mal en que estúpidamente creía, ninguna necesidad tenía de ventilar en público los deleitosos secretos de su esposa. Lo cual me ha traído a la memoria un hecho opuesto al anterior, ya que la malicia de cierto individuo superó la prudencia de otro, con grave daño y afrenta de éste. Este caso es el que voy a contaros.

Pocos años atrás vivían en Siena dos hombres ya un tanto maduros de edad, llamados ambos Cecco, si bien el uno descendía de los Angiulieri y el otro de los Fortarrigo. Aunque muy diferentes en costumbres y carácter, en una cosa estaban acordes, y era en el odio que sentían por sus propios padres, hasta el punto de que sólo esto bastó para ligarles en estrecha amistad.

Angiulieri, que era hombre arrogante y de excelentes maneras, viendo que el dinero que su padre le daba era insuficiente para vivir bien en Siena, y sabedor de que en la Marca de Ancona estaba como legado del Papa un cardenal gran protector suyo, resolvió avistarse con él, convencido de que tal personaje mejoraría su posición. Y comunicándolo a su padre, logró que éste le entregara lo que debiera darle en seis meses, para poder vestirse decorosamente y comprar una cabalgadura.

Buscando alguien que le acompañara en el viaje, llegó esta noticia a oídos de Fortarrigo, que inmediatamente se presentó a su amigo y le rogó, de la mejor manera que supo, que le llevara consigo como criado o familiar, no exigiendo más salario que sus gastos personales. Contestóle Angiulieri que no quería llevarlo en su compañía, no porque no le creyera apto para cualquier servicio, sino por su afición al juego, y porque además solía embriagarse. Fortarrigo ofreció abstenerse totalmente de ambas cosas, prometiéndolo con muchos juramentos, añadiendo además tantas súplicas que, al fin, Angiulieri lo aceptó a su servicio.

Y habiéndose puesto en camino cierta mañana, fueron a Buonconvento. Después que allí hubieron comido, como hacía mucho calor y Angiulieri quisiera descansar un rato, hízose preparar una cama en la hostería, se desnudó y acostó, recomendando a Fortarrigo que le despertara cuando diese la hora de nona.

Mientras el amo dormía, Fortarrigo se fue a la taberna, y después de haber bebido bastante, comenzó a jugar a los dados con algunos de los allí presentes, quienes en breve rato le quitaron el poco dinero que tenía, y, además, toda la ropa que llevaba puesta. Deseoso de rehacerse, tal como estaba, en camisa, se fue a la habitación donde dormía Angiulieri, y viendo que roncaba, sacóle de la bolsa todo el dinero que encontró, y volvió al juego, siéndole la fortuna tan adversa, que perdió el dinero de su amo como había perdido el suyo.

Despertó Angiulieri, se levantó, se vistió, y preguntó por Fortarrigo; como no le dieran noticias de él, pensó que estaría durmiendo la borrachera en algún rincón, como solía hacer otras veces; por lo cual decidió dejarlo e hizo ensillar su caballo, pensando contratar otro criado en Corsignano. Pero al ir a pagar al posadero, hallóse sin dinero, por lo que armó gran vocerío y puso en alarma a todos los de la posada, diciendo que en aquella casa le habían robado y amenazándoles con llevarles presos a Siena.

En aquel momento llegaba Fortarrigo, en camisa, dispuesto a llevarse las ropas de su amo como había hecho con el dinero, pero al verle a punto de montar a caballo, le preguntó:

—¿Cómo es eso, Angiulieri? ¿Es que nos vamos ya? Espera un momento, porque debe llegar en seguida uno que ha empeñado mi jubón por treinta y ocho sueldos y estoy seguro de que me lo devolverá por treinta y cinco, pagándole en el acto.

Mientras así hablaba el criado, llegó un individuo que aseguró a Angiulieri que era el mismo Fortarrigo quien le había robado su dinero, mostrándole la misma cantidad que había aquél perdido en el juego. Angiulieri, muy irritado, le dijo grandísimas villanías y que le habría hecho cualquier cosa si no temiera más de él y de las leyes humanas que de Dios. Y amenazándole con hacerle colgar o desterrar de Siena, montó a caballo.

Fortarrigo, como si Angiulieri se dirigiera a otra persona y no a él, decía:

—Dejemos en buena hora, Angiulieri, estas palabritas y pensemos en esto otro: las recobraremos por treinta y cinco sueldos pagando ahora mismo, mientras que, si lo aplazamos a mañana, nos pedirá los treinta y ocho que me prestó. Hazme este favor, porque me fié de su honradez. ¿Por qué no nos hemos de beneficiar de esos tres sueldos?

Desesperábase Angiulieri al oírle hablar así, y mayormente al ver que todos le miraban como si no creyeran que Fortarrigo se hubiese jugado los dineros de Angiulieri, sino que era éste quien retenía los de aquél. Exasperado, le dijo:

—¿Qué me importa tu jubón? ¡Así te ahorquen, ya que no solamente me has robado y has jugado lo mío, sino que, por añadidura, me has retrasado el viaje, y aún, por si fuera poco, pretendes burlarte de mí!

Fortarrigo permanecía impávido como si nada de aquello se refiriera a él, y añadía:

—Pero ¿por qué no me quieres dejar que me saque esos tres sueldos de más? ¿Crees que no te los puedo restituir? Hazlo, si me estimas en algo. ¿Por qué tanta prisa? Todavía llegaremos temprano a Torrenieri. Anda, encuentra tu bolsa; pero ya sabes que aunque buscara por todo Siena no hallaría un jubón que me sentara tan bien como aquél. ¡Y pensar que se lo dejé por treinta y ocho sueldos! Vale cuarenta o más de modo que me perjudicarías en dos maneras.

Angiulieri, encendido en cólera al verse robado por aquel truhán que le salía con discursos, volvió grupas y, sin decir nada, emprendió el camino de Torrenieri. Fortarrigo, que tenía formado su plan, comenzó a correr detrás de él, en camisa como estaba; y habiendo andado ya más de dos millas, siempre pidiéndole su jubón, mientras Angiulieri espoleaba a su caballo a fin de librarse de aquel importuno, vio Fortarrigo a unos labradores que trabajaban en un campo inmediato al camino, a los que gritó con toda la fuerza de sus pulmones:

—¡Cogedlo! ¡Cogedlo!

Todos corrieron presurosos, unos con una azada, otros con escardillos, y cortaron el paso a Angiulieri, imaginando que había robado al hombre que le perseguía en camisa.

En vano el jinete les contó lo sucedido. Llegó en esto Fortarrigo donde estaban todos, y, fingiendo estar enfurecido, encarándose con Angiulieri le dijo:

—¡No sé cómo no te mato, ladrón, desleal, que te escapabas con lo mío!

Y volviéndose a los aldeanos, añadió:

—Mirad en qué arnés me ha dejado en la posada, después de jugarse y perder cuanto tenía; bien puedo dar gracias a Dios y a vuestras mercedes, porque logro recobrar esto, y os aseguro que siempre os lo agradeceré.

Angiulieri, decía todo lo contrario, pero sus palabras no eran escuchadas. Fortarrigo, ayudado por los aldeanos, le hizo descabalgar, y, después de desnudarlo, vistió sus ropas, montó a caballo, y dejando a su compañero en camisa y descalzo, regresó a Siena, diciendo en todas partes que había ganado a Angiulieri el caballo y los vestidos. Y éste, que pensaba presentarse rico y bien compuesto ante el cardenal legado de la Marca de Ancona, regresó pobre y en camisa o Buonconvento, sin atreverse a volver a Siena por aquellos días; y cuando le hubieron prestado nuevas ropas, montando en el rocín que cabalgaba a Fortarrigo, el cual quedó empeñado en la posada a cuenta de lo que debía, fue a Corsignano, a casa de unos parientes suyos, con quienes permaneció hasta que su padre le envió nuevos recursos.

Ved ahí cómo la malicia de Fortarrigo, perjudicó los buenos proyectos de Angiulieri, aun cuando en su día no quedó impune tan villana acción.

CUENTO QUINTO

CALANDRINO Y EL CONJURO AMOROSO

Calandrino se enamora de una joven; Bruno le hace una
fórmula mágica, con la cual, cuando él la toca, la
muchacha va tras de él; pero su esposa les halla
juntos y sostienen una grave discusión

Terminada la breve historia de Neifile, que no provocó las risas
ni los comentarios de los contertulios, la reina, volviéndose a Fiammetta, le ordenó que contara la suya. Y ésta, obedeciendo gustosa,
dijo así:

—Gentilísimas damas, todas sabéis que no hay cosa de que,
cuando más se hable, más se quiera oír, si el que la dice sabe elegir
el tiempo y lugar oportunos. Por esta razón, si considero el motivo
por el cual nos hallamos aquí —que no es otro que divertirnos— creo
que nos encontramos en el momento y lugar más adecuados para
aprovecharnos de cuanto nos proporcione algún placer. Y así, aun
cuando hayamos hablado de un tema una o cien veces, no puede
darnos menor deleite el insistir en él. Por ello, aunque de las aventuras de Calandrino nos hayamos ocupado bastante, atendiendo a
que, según poco antes dijo Filostrato, son todas agradables, me
atreveré a añadir una nueva historia a las ya relatadas; y por cierto
que, si quisiera apartarme de la realidad de los hechos y cambiar los
nombres, podría componer otro cuento; pero como apartarse de la
verdad de un cuento disminuye en gran parte el deleite de los
oyentes, lo referiré en su propia forma, apoyándome en la razón antes
expuesta.

Nicolás Cornacchino fue un conciudadano nuestro y hombre rico
que, entre otras muchas posesiones, tenía una muy bonita en Camerata, donde hizo construir una magnífica quinta, y deseando hacerla
pintar como convenía, encargó este trabajo a Bruno y a Buffalmacco,

los cuales, no siendo corto el trabajo, llevaron consigo a Nello y a Calandrino. Había por entonces en la casa sólo alguna alcoba amueblada; y habitaba allí una criada vieja, que guardaba la casa, pues no había otra servidumbre, circunstancia que aprovechaba un hijo de dicho Nicolás, llamado Felipe, el cual solía llevar allí, de vez en cuando, para su recreo, a alguna mujer de su gusto, estaba con ella uno o dos días y la despedía después.

Cierto día Felipe llevó consigo a una tal Niccolosa, a la cual prestaba por dinero un sujeto de mala vida, a quien llamaban el Mangione (Comilón), en cuya casa de la vía Comaldoli vivía aquélla. Esta Niccolosa era una muchacha bonita, elegante en el vestir, y, para una de su clase, bastante educada y bien hablada.

Una tarde salió de su habitación en camisa de fustán con los cabellos en desorden, para lavarse la cara y las manos en un pozo que en el patio había, y mientras allí estaba, llegó Calandrino a sacar agua del pozo y la saludó con familiaridad. Ella, después de responderle, se quedó mirándole, más porque Calandrino le parecía un hombre nuevo que porque le gustara. Calandrino, por su parte, la miró también, y, encontrándola muy hermosa, comenzó a buscar pretextos para charlar con ella, en vez de llevar el agua a sus compañeros; pero, como no conocía a la mujer, no se atrevía a hablarle, ni hallaba qué decir.

Niccolosa, que había notado sus obstinadas miradas, para divertirse un poco a su costa le dirigía nuevas miraditas y de vez en cuando lanzaba algún suspirillo; por lo cual, Calandrino se enamoró de ella más de lo que le convenía, y no se marchó del patio hasta que Felipe la llamó desde dentro.

Vuelto Calandrino al trabajo, no hacía otra cosa que soplar, lo que Bruno notó en seguida, pues observaba siempre lo que el otro hacía, divirtiéndose mucho con todas sus cosas. Con esta intención le preguntó:

—¿Qué diablos te pasa, Calandrino, que no haces más que soplar? Calandrino contestó:

—Si tuviese quien me ayudase, me encontraría bien.

—¿Qué quieres decir? —preguntó Bruno.

—No se lo digas a nadie —repuso Calandrino—; aquí hay una joven más bella que una ninfa, que está locamente enamorada de mí; lo he notado ahora mismo, cuando iba por el agua.

—¡Eh! —observó Bruno—; ¡cuidado que no sea la mujer de Felipe!

—Así lo creo —dijo Calandrino—; porque él la llamó, y ella se entró en su alcoba. Pero ¿qué importa eso? ¡Al mismísimo diablo se la quitaría! Cuanto más a ese Felipe... La verdad, amigo, me gusta tanto, que no te lo sabría explicar.

—Yo me enteraré de quién es ella —observó entonces Bruno—, y si es la mujer de Felipe, arreglaré tu asunto en dos palabras, porque es muy amiga mía. Pero ¿cómo haremos para que Buffalmacco no lo sepa? No puedo hablar con ella sin que él esté presente.

—Buffalmacco me tiene sin cuidado —repuso Calandrino—; de quien debo guardarme es de Nello, pues es pariente de mi mujer y lo estropearía todo.

—Tienes razón —asintió Bruno.

Bien sabía Bruno de qué mujer se trataba, porque la había visto llegar, y además, el mismo Felipe se lo había dicho. Por consiguiente, en cuanto Calandrino dejó unos instantes el trabajo y salió para ver a su dama, Bruno contó cuanto sucedía a sus compañeros, y reservadamente acordaron los tres lo que tenían que hacer para divertirse, como otras veces, a costa de aquel infeliz.

Cuando Calandrino estuvo de vuelta, Bruno le preguntó en voz baja:

—¿La has visto?

—¡Oh, sí! —respondió Calandrino—. La he visto, y me ha enloquecido.

—Voy a ver si es la mujer que pienso —dijo Bruno—. Si lo es, déjame hacer.

Despidióse Bruno y fue en busca de Felipe y la Niccolosa; les contó quién era Calandrino y lo que había comunicado a sus amigos; dispusieron después lo que cada uno había de hacer para divertirse con la pasión de aquel tonto; inmediatamente se volvió a donde estaba Calandrino y le dijo:

—Ella es, en efecto; por consiguiente, hay que proceder con mucho tacto; si Felipe se diera cuenta, toda el agua del Arno sería poca para lavarte. ¿Qué quieres que le diga de tu parte, si tengo ocasión de hablar con ella?

—¡Toma! —respondió Calandrino—. Desde luego le dices que la quiero con todos mis cinco sentidos, pero con ese amor de empreñar; después, que estoy a su servicio para lo que ella quiera. ¿Me has entendido bien?

—Sí —dijo Bruno—; déjame hacer a mí.

Llegada la hora de la cena, dejaron el trabajo y bajaron al patio, donde se encontraban Felipe y Niccolosa, y, para complacer a Calandrino, se quedaron allí un rato. Este empezó a mirar a la moza y a hacer tan extraños gestos, que hasta un ciego lo hubiera notado. Por su parte, la mujer ponía en juego todas las artes de la coquetería, y siguiendo las instrucciones de Bruno divertíase de lo lindo con él, mientras Felipe y los demás pintores fingían conversar y no darse cuenta de lo que pasaba, hasta que al cabo de un rato se marcharon, con gran contrariedad de Calandrino; y mientras se encaminaban a Florencia, díjole Bruno a Calandrino:

—Verdad es que la estás derritiendo como el hielo puesto al sol; si traes tu laúd y le cantas alguna de tus canciones de amor, harás que se tire de la ventana para llegar hasta ti.

—¿Lo crees así? —preguntó Calandrino—. ¿Te parece que la lleve?

—Sí —dijo Bruno.

—Tú no lo creías cuando te lo dije —añadió Calandrino—; y por cierto, amigo mío, estoy viendo que soy quien sabe mejor lo que quiere. ¿Quién sabría, como yo, enamorar tan pronto a una mujer como ésa? Ahora quiero que me veas con el laúd, verás cómo lo toco. No soy viejo como parezco, y ella lo ha notado, y más lo habrá de notar si le pongo la mano encima, porque entonces le haré tal juego, que vendrá detrás de mí como una loca.

—¡Oh! —exclamó Bruno—. Estoy seguro de que le meterás el hocico; ya me parece verte morder con esos dientes tuyos que parecen clavijas aquella boquita de carmín y aquellas mejillas como dos rosas, y luego manosearla de pies a cabeza.

A Calandrino le parecía hallarse ya en el juego, al oír estas palabras, e iba cantando y saltando, tan contento, que no cabía en su pellejo. Al día siguiente trajo el laúd, y con gran regocijo de sus compañeros cantó unas cuantas canciones; en una palabra, tal agitación le produjo al ver con frecuencia a Niccolosa, que en vez de trabajar se pasaba el día asomado a la ventana o junto a la puerta o corría al patio para verla; y ella, siguiendo las instrucciones de Bruno, le daba siempre buenas razones.

Por su parte, Bruno le traía respuesta a todas sus embajadas y añadía unas cuantas por encargo de la dama. Cuando ésta estaba ausente, que era la mayor parte del tiempo, le traía cartas suyas, en las que daba a Calandrino grandes esperanzas, diciéndole que entonces se hallaba en casa de sus padres, adonde él no podía ir a verla. Y de esta suerte, Bruno y Buffalmacco, que manejaban aquel asunto, se divertían a costa del enamoramiento de Calandrino, haciendo que éste les entregara, como pedido por la joven, ya un peine de marfil, ya una bolsa, ya unas tijeras, u otras chucherías por el estilo, a cambio de lo cual le entregaban alguna sortija de oro falso y sin valor alguno, que llenaba de satisfacción a Calandrino; y además de esto le sacaban buenas meriendas y otras invitaciones para que atendiera a sus deseos con la mayor solicitud.

Después de haberle hecho pasar dos meses así, sin obtener nada positivo, viendo Calandrino que iba concluyéndose el trabajo, y comprendiendo que una vez éste terminado no habría más posibilidad de ver a la dama, suplicó a Bruno que se ocupara de su asunto con más ahínco que antes; y una vez que volvió la Niccolosa, Bruno, después de hablar con Felipe y con ella acerca de lo que convenía hacer, dijo a Calandrino:

—Oye, amigo, esa mujer me ha prometido más de mil veces hacer lo que tú quisieras, pero luego no hace nada. Creo que se está burlando de ti. Por consiguiente, ya que no cumple lo que promete, nosotros se lo haremos cumplir, quiera o no quiera, con sólo que tú lo desees.

—¡Vaya si lo deseo! —exclamó Calandrino.

Dijo entonces Bruno:

—¿Querrás tocarla con un conjuro que te daré?

Respondió Calandrino que lo haría, y Bruno añadió:

—Pues procura traerme un pedazo de pergamino nonato, un murciélago vivo, tres gramos de incienso y un cirio bendito; lo demás déjalo de mi cuenta.

Calandrino se pasó toda la noche siguiente procurando cazar un murciélago, y cuando al fin logró capturarlo, se lo llevó a Bruno con todo lo demás. Este se retiró a una habitación, escribió en el pergamino ciertas frases mezcladas con algunos signos cabalísticos, y luego se lo entregó, diciéndole:

—Aquí lo tienes, Calandrino; si tocas a la moza con este pergamino mágico, ella te seguirá en el acto y hará lo que tú quieras. Por consiguiente, si Felipe se va hoy, acércate a la Niccolosa, tócale con el conjuro y llévatela a la cabaña que está ahí al lado, que es el mejor sitio del mundo para que nadie os vea; ya verás cómo te sigue; y cuando estéis allí ya sabes qué tienes que hacer.

Calandrino tomó el pergamino con indecible alegría, y dijo:

—Déjala de mi cuenta.

Nello, de quien Calandrino procuraba guardarse, se divertía con esto tanto como los demás; por consiguiente, cuando, siguiendo las instrucciones de Bruno, se fue a Florencia, dijo a la mujer de Calandrino:

—Ya recuerdas, Tezza, la paliza que Calandrino te dio sin ton ni son el día que llegó a casa con las piedras del Mugnone, por lo que quiero que ahora te vengues; si no lo haces, no me tengas más por pariente ni por amigo. El caso es que tu marido se ha enamorado de una mujer tan miserable que se encuentra con él muy a menudo; hace poco se las amañan para estar a solas; a ti te toca ahora castigarlos como se merecen.

Cuando la mujer de Calandrino oyó esto, no lo tomó a broma; se puso en pie de un brinco y exclamó:

—¡Ay de mí, bribonazo! ¡Hacerme esto a mí! ¡Por éstas que las cosas no quedarán así y que te las cobraré todas juntas!

Y tomando una capa y haciéndose acompañar por una criada, siguió a Nello con paso vivo.

Bruno, al verles llegar a lo lejos, dijo a Felipe:

—Ya se acercan los que esperamos.

Con lo que Felipe se fue a donde estaban trabajando Calandrino y los demás, y les dijo:

—Maestros, tengo que ir ahora mismo a Florencia; trabajad de firme.

Y dicho esto, fue a esconderse cerca de la cabaña, desde donde podría ver lo que sucediese sin ser visto.

En cuanto Calandrino vio que Felipe se alejaba, bajó al patio, donde halló sola a Niccolosa, y entabló conversación con ella. La moza, que sabía perfectamente lo que había que hacer, acercóse a él con más familiaridad, y así Calandrino la tocó con el pergamino del conjuro. Apenas la hubo tocado, sin más palabras, echó a andar hacia la cabaña, adonde la Niccolosa le siguió con docilidad, y cuando estuvo dentro, cerró la puerta, abrazó a Calandrino, le tiró sobre la paja que allí había, poniéndosele encima a horcajadas y cuidando de mantenerle las manos sujetas, de modo que él no pudiera tocarle la cara, mirábale con ojos amorosos, y le dijo:

—¡Oh, tierno Calandrino mío, alma mía, bien mío! ¡Cuánto tiempo he deseado estrecharte en mis brazos! ¡Con tus galanterías me has rendido a tus deseos; me has encadenado a las cuerdas de tu laúd! ¿Es posible que te tenga aquí?

Calandrino, que apenas podía moverse, exclamaba:

—¡Ay, alma mía dulcísima, deja que te abrace!

—¡Cielos! ¡Qué prisa tienes! —repuso la Niccolosa—. Deja antes que sacie mis ojos en la contemplación de tu dulce rostro.

Bruno y Buffalmacco, que se habían reunido con Felipe, lo veían y oían todo desde un lugar oculto.

En el momento en que Calandrino quería besar a la joven, se presentó su mujer, acompañada de Nello.

—Apuesto a que están juntos —dijo éste.

Y en cuanto hubieron llegado a la puerta de la cabaña, la mujer, dando un empujón a su pariente entró en la cabaña, hecha un basilisco, cuando la Niccolosa cabalgaba sobre Calandrino. Cuando la moza vio entrar de aquella manera a Tessa, levantóse en un instante y corrió a donde estaba Felipe.

Tessa se lanzó sobre Calandrino, que aún no se había levantado, le clavó las uñas en la cara, le agarró por los cabellos y lo zarandeó de un lado a otro, diciendo:

—¿Así me ultrajas, perro infame? ¡Maldito sea el día en que te quise! ¿Acaso no tienes bastante en tu casa, para que vayas por ahí enamoriscándote en las de otros? ¿Tan poco te conoces? ¿No sabes, mal nacido, que si te exprimieran no sacarían de ti jugo bastante para una desmedrada salsa? ¡Miserable! ¡Vive Dios que no era tu Tessa la que hace poco te estaba preñando, que debe ser bien mala cosa cuando halla deleite en tan buena alhaja como eres tú!

Al ver llegar a su mujer, Calandrino quedó más muerto que vivo, sin atreverse a oponerle resistencia; antes al contrario, después de haberse dejado arañar y traquetear, púsose en pie y empezó a rogarle humildemente que no gritara, si no quería que lo cortaran en pedazos, porque la moza que con él estaba era la mujer del dueño de la casa.

A lo que Tessa contestó:

—¡Que Dios le dé mal año!

Bruno y Buffalmacco, que en compañía de Felipe habían reído a más y mejor la divertida escena, comenzaron a hacer ruido y entraron en la cabaña, consiguiendo apaciguar a la mujer; luego aconsejaron a Calandrino que se marchase a Florencia y no volviera más, para evitar que Felipe —si llegaba a saber lo ocurrido— se vengase de él.

Y Calandrino, triste y cariacontecido, lleno de arañazos, volvióse a Florencia. Mucho tiempo estuvo sin regresar a aquel lugar, agobiado día y noche por los reproches de su mujer, dando por terminado aquel amor que tanto hizo reír a sus compañeros, a la Niccolosa y a Felipe.

NOCHE DE EQUIVOCACIONES

Dos amigos pasan la noche en una posada; uno de ellos
se acuesta con la hija del hostelero, y la mujer de
éste lo hace, equivocadamente, con el otro; el primero
pasa después a la cama del padre, y, creyendo que
está con su amigo, le cuenta lo ocurrido; de ello se
sigue una fuerte discusión; entretanto, la mujer del
posadero despierta, pasa al lecho de su hija, y,
finalmente, logra imponer la paz

Como tantas otras veces, las simplezas de Calandrino suscitaron
la risa de todos los oyentes. Cuando las jóvenes guardaron silencio,
la reina ordenó a Pánfilo que contara su cuento, y él empezó así:

—Honorables damas, el nombre de esa Niccolosa, amada por
Calandrino, me ha traído a la memoria un cuento de otra Niccolosa,
que deseo contaros, porque en él veréis cómo una buena mujer evitó
con prudencia un gran escándalo.

En el llano de Mugnone, inmediato a Florencia, vivió tiempo
atrás un excelente hombre que, por pocos dineros, daba de comer y
beber a los viandantes; y como era pobre y su casa era pequeña, sólo
en casos de gran necesidad admitía a dormir a algún amigo o conocido.

Tenía ese buen hombre una esposa bastante bella, de la que le
habían nacido dos hijos; uno era una jovencita linda y agraciada, de
unos quince o dieciséis años, que no tenía aún marido; el otro, un
niño de apenas un año de edad, que su propia madre criaba.

Puso sus ojos en esta muchacha un gentilhombre de nuestra
ciudad, que a menudo transitaba por el camino donde estaba situado
aquel mesón y se enamoró de ella apasionadamente; y ella, que se
sentía muy honrada al saberse amada por un joven noble, esforzábase
en retenerle en su amor, con agradables gestos, hasta enamorarse de
él con idéntica pasión. Si Pinuccio —que así se llamaba el joven—
no hubiera temido tanto por su honra y por la de su enamorada, no

pocas veces se habría cumplido el amoroso deseo de los dos. Pero como de día en día se acentuaba el amor, Pinuccio buscó el medio de encontrarse con su amada; en este pensamiento le sucedió por acaso tener que albergarse cierto día en la posada del padre, y como conocía bien la disposición de la casa, determinó que procuraría estar a solas con la muchacha, sin que nadie lo notara. Y como tal lo pensó, lo puso sin demora en ejecución.

Acompañado de un fiel amigo suyo, llamado Adriano, que estaba enterado de su amor, montados en dos rocines sobre los que pusieron dos alforjas, seguramente llenas de paja, un buen día salieron de Florencia, y, dando un rodeo, se adentraron en el llano del Mugnone, adonde llegaron ya de noche, y una vez allí, como si viniese de la Romaña, se acercaron a las casas y golpearon en la puerta del buen hombre, el cual, como les conocía, se apresuró a abrirles.

Pinuccio les dijo:

—Mira de darnos alojamiento esta noche, pues pensábamos llegar a Florencia, y ya ves a qué hora de la noche estamos aquí.

—Ya sabes, Pinuccio —le contestó el posadero—, las dificultades que tengo para albergaros; sin embargo, puesto que habéis llegado a estas horas y no hay posibilidad de ir a otra parte, os daré de buena gana el hospedaje que pueda.

Descabalgaron los dos jóvenes y entraron en la posada después de haberles dado un pienso a sus rocines; luego se sentaron a la mesa para cenar en compañía del posadero. En la casa no había más que una habitación, muy reducida, donde el mesonero instaló tres camas de la mejor manera posible, sin que quedara mucho espacio para caminar holgadamente, pues dos de los lechos estaban casi juntos y el tercero frente a ellos, casi tocándolos. En uno acomodó el posadero a los dos jóvenes, y luego, cuando les creyó dormidos (no era así, pues sólo fingían el más profundo sueño), hizo acostar a su hija en la otra, siendo la tercera para él y su mujer, que puso muy cerca la cuna donde dormía el pequeñín.

Dispuestas así las cosas, Pinuccio, que todo lo había visto, cuando le pareció que todos dormían, se levantó sigilosamente y fuese a acostar en lecho ocupado por la jovencita, que aunque al principio le acogió con temor, mostróse luego muy satisfecha y ambos gozaron de aquel placer tanto tiempo deseado.

Entretanto y mientras así estaban Pinuccio y su amada, sucedió que un gato hizo caer algún objeto, y el ruido despertó a la esposa del hostelero; la buena mujer, temerosa de que se tratara de otra cosa, levantóse en seguida y, a oscuras, fue hacia el sitio de donde parecía haber partido el ruido. Por su parte, Adriano, impelido por una necesidad natural, se levantó para satisfacerla, pero se encontró con la cuna que le entorpecía el paso, y como no podía pasar sin apartarla, la sacó del sitio en que estaba y la dejó junto a su cama; una vez satisfecha la necesidad, volvió a acostarse sin acordarse de devolver la cuna a su sitio.

La buena mujer, tras comprobar la causa del ruido y averiguar que no era nada grave, no se cuidó ni siquiera de encender una vela, sino que, después de regañar al gato, se volvió a la habitación, y a tientas se dirigió a la cama donde dormía su marido; pero, no topando con la cuna, dijo para sí: «¡Buena iba a hacerla! ¿Pues no iba a meterme en la cama de nuestros huéspedes?», y avanzó unos pasos más, tropezó con la cuna, y convencida de acostarse con su esposo se metió en la cama junto a la cuna. Adriano, que apenas si estaba dormido, viendo quién se acostaba con él, recibió a la mujer con gran satisfacción, y cabalgándola inmediatamente, soltó amarras con gran placer de la mujer.

Entretanto, Pinuccio, que ya había saciado el deseo que le llevara allí, temeroso de que le sorprendiera el sueño en compañía de su amada, separóse de ella para ir a dormir a su cama; acercóse a tientas y tropezó con la cuna, lo que le hizo suponer que la cama próxima era la del posadero, por lo cual avanzó un poco más y, equivocadamente, se acostó con el hostelero, que, con la llegada de Pinuccio, se despertó. Convencido Pinuccio de que quien tenía al lado era Adriano, le dijo:

—Te aseguro, Adriano, que en el mundo no hay nada mejor que la Niccolosa. ¡Vive Dios que ningún hombre ha podido gozar tanto con mujer alguna como yo con ella! Por lo menos he entrado cuatro veces en la plaza; me ha embriagado de voluptuosidad.

El posadero, al oír tales cosas, que no le agradaron poco ni mucho, primero comenzó a pensar: «¿Qué diablos hace éste aquí? ¿Y qué me está contando?» Y en seguida, cediendo más a la cólera que a la prudencia, gritó:

—¡Gran bellaquería es la tuya, Pinuccio! ¡Y sea cual fuere la razón de lo que has hecho, te juro que me las pagarás!

Pinuccio, que no era demasiado inteligente, al comprender su error, no acertó a enmendarlo como pudiera, sino que dijo:

—¿Qué te he de pagar? ¿Qué podrás hacerme tú?

La mujer del posadero, que creía estar con su marido, dijo a Adriano:

—Oye a nuestros huéspedes; parece que discuten.

—Déjales en paz —contestó, riendo, Adriano—; debieron beber demasiado anoche.

La pobre mujer, que creía haber oído la voz de su marido y ahora oía a su lado la de Adriano, comprendió inmediatamente dónde y con quién estaba; por lo que, obrando prudentemente y sin decir palabra, saltó de la cama, tomó la cuna de su hijo, y como la habitación estaba a oscuras, la llevó junto al lecho donde dormía su hija y se acostó con ella; pero fingiendo despertar en aquel instante por el alboroto que metía su marido, le llamó y le preguntó qué era lo que estaba discutiendo con Pinuccio, a lo que el hostelero respondió:

—¿No has oído tú lo que dice que ha hecho esta noche con nuestra Niccolosa?

—Miente como un bellaco —replicó la mujer—, puesto que con ella me acosté yo, y desde aquel instante no he podido dormir. ¡Eres un estúpido si le crees! Los hombres bebéis tanto por la noche, que después vais de un lado para otro sin daros cuenta y os figuráis hacer maravillas. ¡Lástima que no os deis un buen trompazo! Pero ¿qué hace ahí Pinuccio? ¿Por qué no está en su cama?

Adriano, por su parte, viendo la cordura con que la mujer cubría su vergüenza y la de su hija, dijo:

—Cien veces te he dicho, Pinuccio, que no duermas fuera de tu casa, porque esa costumbre que tienes de andar durmiendo y decir lo que se te ocurre en sueños alguna vez te costará un disgusto. ¡Vuelve aquí y déjanos dormir tranquilos!

El posadero, al oír las palabras de su mujer y las de Adriano, empezó a creer, con toda ingenuidad, que Pinuccio era sonámbulo. Así, pues, comenzó a zarandearle por los hombros y decirle:

—Pinuccio, Pinuccio, despierta y vuelve a tu cama.

Pinuccio, que bien lo había comprendido todo, hizo como si en aquel momento entrara en nuevos delirios, lo que excitó las carcajadas del posadero. Finalmente, fingiendo despertar y llamando a Adriano, le preguntó:

—¿Por qué me despiertas? ¿Es ya de día?

—Sí, ven acá —dijo Adriano.

Pinuccio se levantó, fingiendo gran sueño, y se acostó junto a Adriano.

Llegado el día, el posadero empezó a reírse y burlarse de Pinuccio y sus sueños; y así, mientras ensillaban sus rocines, y después de beber con el posadero, emprendieron el camino de Florencia, contentísimos de cómo habían ido las cosas y del feliz término de la aventura. Después de lo cual, Pinuccio halló otros medios de encontrarse con la Niccolosa, que firmemente había asegurado a su madre que Pinuccio había soñado; así, la buena mujer, que con placer recordaba los abrazos de Adriano, quedó convencida de haber sido la única que de veras gozó aquella noche, aunque algunas veces le asaltara la duda de si la Niccolosa había estado realmente dormida.

EL SUEÑO DE TALANO

*Talano di Imolese sueña que un lobo destroza la
garganta de su mujer; la avisa que se guarde de los
lobos; pero ella no le hace caso y le ocurre
la desgracia*

Terminada la historia de Pánfilo y celebrada por todos la sensatez
de la hostelera, la reina pidió a Pampinea que contara la suya, y ésta
comenzó en estos términos:

—Otras veces se ha hablado, estimables damas, de las verdades
puestas en evidencia por los sueños, que muchos menosprecian;
pero aunque así sea, me dispongo a contaros en una breve historia
lo que sucedió, no hace mucho tiempo, a una vecina mía, por no
haber creído cierto sueño de su marido.

No sé si conocisteis a Talano di Imolese, persona bastante res-
petable, que casó con una joven llamada Margarita, extraordinariamente caprichosa, displicente y terca, hasta el punto de que nada
quería hacer de lo que otros le aconsejaban. Esos defectos, aunque
muy difíciles de soportar, Talano los sufría pacientemente.

Cierta noche sucedió que estando Talano con su esposa en una
hermosa quinta de su propiedad, en el campo, soñó que veía a
Margarita adentrarse en un bellísimo bosque cercano a la casa;
mientras así la veía, de pronto un enorme lobo se lanzaba furioso al
cuello de la infeliz, y la tiraba a tierra; la pobre gritaba y se esforzaba
por escapar, pero cuando lo conseguía, no era sino para mostrar cómo
la fiera le había destrozado el rostro y la garganta.

Este terrible sueño sobresaltó al marido, y en cuando despertó a
la mañana siguiente, dijo a su esposa:

—Mira, mujer, aunque tu terquedad no me haya permitido tener
contigo un día bueno, sentiría que ocurriera cualquier desgracia; por
eso, si haces caso de mi consejo, no salgas hoy de casa.

Margarita le preguntó el porqué, y él le contó el horrible sueño. La mujer, moviendo la cabeza, contestó:

—Quien mal te quiere mal te sueña; tú aparentas tener piedad, pero sueñas lo que querrías que ocurriese; ten por cierto que me guardaré bien, hoy y siempre, de que tengas que alegrarte de éste o de cualquier otro mal mío.

—Ya sabía yo —repuso Talano— que me contestarías así, porque esto se gana con hacer bien a los ingratos. Interpreta mi sueño como te plazca; lo digo por tu bien, y aún te vuelvo a aconsejar que te quedes hoy en casa, o, al menos, que te abstengas de ir al bosque.

—Bueno, lo haré —contestó Margarita.

Y luego dijo para sí: «¿Has visto cómo ese hombre se figura haberme asustado para que no vaya al bosque? Seguramente ha citado allí a alguna mujer y no quiere que les vea. ¡A mí no me engaña, y tonta sería si no le conociese! Pero no lo conseguirá; es preciso que yo vea, aun cuando tenga que pasarme allí todo el día, qué asunto es ese que quiere resolver.»

Luego, como su marido saliese por un lado, ella salió por el otro, y con el mayor sigilo posible se fue al bosque, ocultándose en el lugar más frondoso de él, poniendo atención y mirando hacia todos lados por si veía venir a alguien. Y mientras así estaba, sin ni remotamente acordarse de los lobos, he aquí que de un matorral salió uno enorme que, sin darle tiempo ni a santiguarse, se le echó a la garganta, y, bien aferrado, comenzó a arrastrarla cual si se tratara de un corderillo. La mujer tenía el cuello tan fuertemente cogido, que no podía gritar ni defenderse de otra manera; el lobo la hubiera matado sin remedio, si unos pastores que por allí pasaban no le obligaran a abandonar la presa.

Aquellos hombres reconocieron a la desdichada y la llevaron a su casa, donde los médicos lograron sanarla con prolongadas curas, no sin que le quedara una parte del cuello y de la cara desfigurada de tal suerte, que siendo antes mujer hermosa, ahora era fea y deforme. De ahí, avergonzándose de aparecer donde la conocieran, lloró muchas veces amargamente su terquedad y el no haber dado crédito, cuando tan poco le costaba, al profético sueño de su marido.

LA BURLA VENGADA

*El glotón Ciacco se venga de Biondello por no haberle
dejado comer unas lampreas, haciendo que le den una
buena paliza*

De acuerdo estuvieron todos en decir que lo que Talano había
tenido no era un sueño, sino una verdadera visión, puesto que tan
exactamente se había cumplido.

Y cuando todos callaron, la reina ordenó a Laurétta que continuara. Esta dijo:

—Los que han hablado antes que yo, discretas señoras, se han
inspirado en algo dicho anteriormente, y yo, a mi vez, lo haré en la
rígida venganza del estudiante referida ayer por Pampinea, contándoos otra bastante dolorosa para quien hubo de soportarla, aunque
no tan cruel como la citada.

En Florencia vivía un sujeto a quien todos llamaban Ciacco,
hombre tan glotón como jamás hubo otro alguno, y no pudiendo sus
recursos sostener los gastos que su glotonería exigía, siendo, por otra
parte, hombre de maneras bastante aceptables y de oportunas ocurrencias, se dedicó a ser si no un perfecto gentilhombre, sí al menos
ingenioso en la conversación, con lo que frecuentaba el trato de los
ricos, que suelen deleitarse con una buena mesa, y en más de una
ocasión comió con ellos sin que nadie le invitara.

En aquellos tiempos vivía igualmente en Florencia otro sujeto, a
quien llamaban Biondello, bajo de estatura, elegante y más pulido
que una mosca, con la cofia a la cabeza, la rubia cabellera bien
arreglada, sin un solo cabello fuera de lugar, que se dedicaba al
mismo oficio que Ciacco.

Ese Biondello fue cierta mañana de cuaresma al mercado de

pescado y compró dos grandes lampreas para micer Vieri de Cerchi; vióle Ciacco, y, acercándose a él, le preguntó:

—¿Qué significa esto, Biondello?

El interpelado contestó:

—Pues que ayer enviaron otras dos lampreas mayores que éstas y un esturión, a micer Corso Donati, pero como no le bastaran para una comida que piensa ofrecer a unos caballeros, me ha hecho comprar otras dos. ¿No vendrás tú también?

—Ya sabes que sí —contestó Ciacco.

Y cuando le pareció hora oportuna, se fue a casa de micer Corso y hallóle en compañía de algunos vecinos suyos, que aún no habían comenzado a comer. Como le preguntaran qué hacía por allí, contestó:

—Vengo a comer con vos y vuestros amigos, micer.

—Bien venido seas —díjole tranquilamente micer Corso—, y puesto que ya es hora, pasemos al comedor.

Sentados a la mesa, sirviéronles primero garbanzos y atún salado; después pescado frito del Arno, y nada más.

Al momento se dio cuenta Ciacco del engaño de Biondello. Irritado interiormente en gran manera, propúsose vengarse; y no pasaron muchos días sin que se encontrara con él, que ya había hecho reír a muchos con esta burla. Al verle Biondello, le saludó y le preguntó, riendo, cuántas habían sido las lampreas de micer Corso, a lo que Ciacco respondió:

—Antes de ocho días sabrás decirlo tú mejor que yo.

Y sin pérdida de tiempo, cuando se separó de Biondello, fue en busca de un baratijero, y después de acordar el precio, le compró un frasco de vidrio, que llevó cerca de la galería de los Cavicciuli, en compañía del vendedor; señaló a éste un cierto caballero llamado Felipe Argenti, hombre alto, nervudo y fuerte, de genio arrebatado, vanidoso y extraño, y díjole:

—¿Ves ese caballero? Te dirigirás a él con este frasco en la mano y le dirás: «Señor, me envía a vos Biondello y me encarga os diga que tengáis la bondad de llenarle este frasco con vuestro buen vino tinto, hasta que el cristal quede como un rubí, porque quiere solazarse un poco con sus amigotes.» Pero ten cuidado de que no te ponga las manos encima, porque no saldrías bien librado y echarías a rodar todos mis planes.

—¿Tengo que decir algo más? —preguntó el baratijero.

—No —respondió Ciacco—, anda, y cuando hayas cumplido el

encargo, vuelve a encontrarme aquí con el frasco, que ya te pagaré tu trabajo.

Echó a andar el hombre y le dio el recado a micer Felipe; éste, que tenía poca correa, creyendo que Biondello, a quien conocía perfectamente, quería burlarse de él, con el rostro encendido exclamó:

—¿Qué rubíes, ni qué vino, ni qué amigotes son ésos? ¡Mala peste con él y contigo!

Y poniéndose en pie, quiso coger al hombre con su manaza; pero éste puso rápidamente tierra de por medio y, dando un rodeo, fue a reunirse con Ciacco y le repitió lo que micer Felipe había dicho y hecho. Ciacco, satisfecho, pagó al baratijero, y no descansó hasta encontrarse con Biondello, al que dijo:

—¿Has estado hace poco por la galería de los Caviccciuli?

—No —replicó Biondello—. Pero ¿por qué lo preguntas?

—Porque micer Felipe te está buscando —contestó Ciacco—; no sé lo que quiere.

—Bueno —repuso Biondello—, voy hacia allí y le saludaré.

Cuando Biondello marchó, Ciacco le siguió a cierta distancia, para ver cómo iría la cosa. Micer Felipe, que no había podido alcanzar al baratijero, estaba enfurecido, porque de las palabras de aquel hombre sólo había podido entender que Biondello, a instancias de Dios sabía quién, le estaba gastando una broma. Mientras en esos pensamientos estaba, apareció Biondello, y cuando le vio venir, micer Felipe se adelantó y le pegó un puñetazo en la cara.

—¡Ay! —gritó Biondello—. ¿Qué es esto?

Micer Felipe le cogió por los cabellos, le arrancó la cofia y tirándole el capuchón por tierra, sin dejar de golpearle, repetía:

—¡Toma, traidor! ¡Yo te enseñaré bien qué es eso de rubíes! ¿Qué chanzas me mandas decir? ¿Crees poder burlarte de mí como si fuera un niño?

Y así diciendo, con las manos, que parecían de hierro, le descargaba en la cara una granizada de golpes, y no le dejó cabello sano en la cabeza, y arrastrándole por el fango le destrozó las ropas; tanto se afanaba en golpearle, que desde el principio de la paliza no pudo Biondello decir ni una palabra, ni preguntarle por qué hacía aquello.

Biondello había entendido lo de los rubíes y las chanzas, pero ignoraba a qué venían aquellas palabras. Finalmente, cuando micer Felipe se cansó de pegarle y numerosas gentes se reunieron en derredor, lograron arrancarle de aquellas manos, aunque en muy lamentable estado; algunas personas le contaron la razón de que micer Felipe hubiera hecho tal cosa con él, reprochándole la embajada y que todavía no conociera el talante del otro, que no era hombre de bromas.

Biondello se excusaba llorando, y juraba que nunca había mandado pedir vino a micer Felipe. Y cuando se hubo repuesto algo, se volvió triste y dolorido a su casa, comprendiendo que el causante de todo había sido Ciacco.

Y cuando al cabo de algunos días, habiéndole desaparecido los magullamientos de la cara, empezó a salir a la calle, se encontró con Ciacco, que le preguntó sonriendo:

—¿Qué tal te pareció el vino de micer Felipe, Biondello?

—¡Ojalá —respondióle Biondello— te hubieran parecido a ti lo mismo las lampreas de micer Corso!

—De ahora en adelante, ya lo sabes; siempre que me quieras dar de comer como lo hiciste, yo te daré de beber tan bien como lo tuviste.

Biondello, que sabía que contra Ciacco valían más las malas intenciones que las obras, procuró estar en paz con él y se abstuvo de hacerle nuevas burlas.

LOS CONSEJOS DE SALOMON

*Un joven pregunta a Salomón qué debe hacer para ser
amado; otro quiere saber cómo castigar a su esquiva
mujer. Salomón dice al primero que ame, y al segundo,
que vaya al Puente de las Ocas*

Como la reina quería respetar el privilegio otorgado a Dioneo,
sólo ella quedaba para contar, y después que sus compañeros hubieron reído bastante la desventura de Biondello, comenzó a decir,
sonriente:

—Si se contempla, amables damas, con mente sana el orden de
las cosas, conoceremos con facilidad que la mayoría de las mujeres
están sometidas a los hombres, ya por la misma naturaleza, ya por
las costumbres y por las leyes, y que deben regirse y gobernarse
según la discreción de aquéllos. Por lo cual, toda mujer que desee
tener sosiego, solaz y reposo con el hombre a quien pertenece, debe
ser humilde, sufrida y obediente, amén de honesta, que es el mayor
y peculiar tesoro de toda mujer sensata.

Y aunque no nos mostraran esta verdad las leyes que en todas las
cosas miran al bien común, o las usanzas y costumbres, cuyas fuerzas
son grandes y dignas de veneración, nos lo demuestra de modo
evidente la naturaleza, que nos ha hecho delicadas de cuerpo, tímidas
y medrosas de espíritu, de voz agradable, de suaves movimientos en
nuestros miembros; cosas todas que atestiguan nuestra necesidad de
ser gobernadas por otros.

Y quien debe ser ayudado y gobernado por otro, preciso es que
sea obediente, sumiso y reverente con su gobernante. Ahora bien,
¿quiénes a nosotras nos auxilian y rigen, sino los hombres? A ellos,
pues, debemos someternos y honrarles de la mejor manera, y la que
así no lo haga, es digna no sólo de grave represión, sino de duro
castigo.

Ya en otra ocasión aludí a semejantes consideraciones, habiéndome llevado de nuevo a ellas cuanto dijo Pampinea acerca de la terca esposa de Talano, a quien Dios envió el castigo que su marido no había sabido infligirle; y a mi juicio son dignas, como dije ya, de grave represión y de duro castigo, todas aquéllas que renuncian a ser afables, benévolas y dóciles como la naturaleza, las costumbres y la ley lo exigen.

Por esto pláceme contaros una historia sobre cierto consejo dado por Salomón, como útil medicina para curar a quienes de tales males adolecen. Y ninguna que no sea digna de tal remedio piense que este consejo es para ella; teniendo en cuenta aquel proverbio de los hombres que dice: «Buen caballo y mal caballo necesitan espuelas, y buena mujer y mala mujer necesitan palo.» Quien quisiera gustosamente interpretar estas palabras, admitiría que es cierta tal afirmación; pero aun queriendo entenderlas en su sentido moral, creo que deben admitirse. Todas las mujeres son por naturaleza propensas a errar y a dejarse llevar por la pasión; por lo que, para corregir la iniquidad de las que se dejan llevar demasiado lejos de los justos límites, conviene el palo que las castigue, y para sostener la virtud de las otras que no se dejan arrastrar, conviene el bastón que las sostenga y las asuste. Pero dejémonos ahora de sermones, y pasando a lo que me propongo contaros, digo que:

Habiéndose extendido ya por todo el mundo la fama del milagroso juicio de Salomón, y de la liberalidad con que lo impartía a quien para propia experiencia lo necesitaba, muchas gentes se llegaban a él por la gran premura de consejo; y entre quienes a él acudían estaba un joven llamado Meliso, de la ciudad de Lajazzo, donde había nacido y habitaba.

Cabalgaba ese joven hacia Jerusalén y a la salida de Antioquía se encontró con otro joven, de nombre Giosefo, que llevaba el mismo camino, y juntos siguieron el viaje. Como es costumbre entre los caminantes, en seguida trabaron conversación.

Pronto supo Meliso la condición y patria de Giosefo; preguntóle adónde iba y para qué, a lo que contestó el otro que iba a ver a Salomón para saber cómo debía proceder con su esposa, mujer esquiva y mala más que ninguna a quien ni con ruegos ni con halagos ni ningún otro medio había podido cambiar de carácter. Dicho esto, Giosefo preguntó igualmente a su compañero de dónde era, a dónde iba y por qué. Meliso contestó:

—Soy de Lajazzo, y, al igual que tú, soy víctima de una desgracia;

soy joven y rico, y gasto mis dineros en obsequiar a mis conciudadanos con grandes fiestas y banquetes; pero a pesar de mi celo y mis
dispendios, te parecerá extraño que no haya podido hallar aún quien
me ame; por eso voy adonde vas tú, a fin de que Salomón me aconseje
de cómo hallaré quien me quiera.

Siguieron, pues, juntos su camino ambos jóvenes y, llegados a
Jerusalén, y por influencia de uno de los cortesanos de Salomón,
fueron conducidos a presencia de éste.

Meliso fue el primero en exponerle sus necesidades, y Salomón
le contestó:

—Ama.

Tras esta brevísima respuesta, Meliso fue sacado de la sala.
Entonces se adelantó Giosefo y expuso toda su desdicha, a lo que
Salomón se limitó a responder:

—Vete al Puente de las Ocas.

Y dicho esto, también Giosefo fue sacado inmediatamente de la
presencia del rey, y se encontró con Meliso, que le esperaba. En
cuanto le vio, le contó la respuesta que le había dado el rey.

Pensaron uno y otro en aquellas palabras, y no pudiendo comprender su significado ni lo que pudieran valer para sus necesidades,
diéronse por burlados y volvieron a ponerse en camino.

Después de algunas jornadas de cabalgar, llegaron a un caudaloso
río cruzado por un hermoso puente. En aquel momento pasaba por
él un numeroso tropel de mulas y caballos, debido a lo cual les fue
preciso aguardar a que pasaron aquellos animales. Cuando ya habían
pasado casi todos los animales, he aquí que un mulo se plantó en
medio, impidiendo el paso, y como tantas veces suelen hacer, por
nada del mundo quería seguir adelante; el mulero comenzó a pegarle
con un bastón, primero con suavidad y después con más fuerza; pero
el mulo iba a derecha e izquierda del puente, sin avanzar; entonces
el hombre, irritadísimo e impaciente, comenzó a darle grandes bastonazos, sin perdonarle la cabeza ni las ancas ni las grupas, pero todo
era inútil.

Meliso y Giosefo, que veían esto, gritaban al mulero:

—¡Eh, miserable! ¿Qué estás haciendo? ¿Lo quieres matar? ¿Por
qué no lo llevas con más suavidad? Te obedecerá más pronto por las
buenas.

El mulero les respondió:

—Vosotros conocéis vuestros caballos; yo conozco mi mulo; dejadme hacer.

Y dicho esto, renovó los bastonazos; y tanto le dio en todas las partes del cuerpo, que, al fin, el mulo pasó adelante y el mulero se salió con la suya.

Cuando se disponían los dos jóvenes a seguir su camino, Giosefo le preguntó a un buen hombre que estaba sentado a la entrada del puente cómo se llamaba éste; a lo que dijo el buen hombre:

—Señor, aquí lo llaman el Puente de las Ocas.

Apenas hubo oído esto, Giosefo recordó las palabras de Salomón y dijo a Meliso:

—Ahora te digo, compañero, que el consejo que me dio Salomón debía de ser bueno y verdadero, pues bien a las claras comprendo que no he sabido tratar a mi mujer con los bastonazos que merece; pero ese mulero me ha dado una lección que aprovecharé.

Habiendo llegado, al cabo de algunos días, a Antioquía, Giosefo hizo que Meliso se quedara en su casa para descansar; y como su mujer le recibiera de mala gana, el marido le encargó que preparara una cena a gusto de Meliso; éste, al ver que así lo deseaba su amigo, aceptó en pocas palabras. La mujer, persistiendo en su modo de obrar, no dispuso las cosas como a Meliso le gustaban y según el mandato del marido, sino todo lo contrario.

Irritado Giosefo, dijo a su mujer:

—¿No se te ha dicho cómo debías hacer esta cena?

La mujer, volviéndose hacia él, replicó con altivez:

—¿Qué significa esto? Se me dijo otra cosa, pero a mí me ha parecido bien hacerla así; si te agrada, bien, y si no, no comas.

Sorprendido Meliso de la réplica de aquella mujer, no pudo por menos que censurarla en su interior y la tuvo por pésima; pero Giosefo, más irritado que sorprendido, dijo:

—Mujer, sigues siendo la misma; pero ten entendido que te haré cambiar.

Y volviéndose a Meliso, añadió:

—Pronto veremos, amigo mío, que tal resultado dará el consejo de Salomón; pero te ruego que no tomes a mal que lo ponga en ejecución delante de ti, y no consideres un juego lo que voy a hacer. Ahora bien, para que no me pongas impedimento, acuérdate de la respuesta que nos dio el mulero cuando protestamos del trato que daba a su mulo.

—Estoy en tu casa —dijo Meliso—; no es mi intención contrariarte en nada.

Como Giosefo hallara a mano una vara de fresno, verde y flexible, fue a la habitación donde su mujer se había recluido, después de retirarse encolerizada de la mesa, y agarrándola por los cabellos, la arrojó al suelo y comenzó a golpearla con la vara. Al principio ella gritó, amenazó después, pero viendo que ni gritos ni amenazas valían de nada, porque Giosefo no cesaba de pegarle, púsose a pedirle misericordia por Dios y rogarle que no la matara, añadiendo que nunca más dejaría de hacer su voluntad. No por esto se enterneció Giosefo, antes al contrario, seguía apaleándola con mayor dureza, dispuesto a no parar hasta que le venciera el cansancio. Cuando no pudo más, y a la mujer no le quedó parte del cuerpo bien vapuleada, fue a reunirse con Meliso y le dijo:

—Mañana veremos el resultado del consejo de «Vete al Puente de las Ocas».

Después de reposar un rato y lavarse las manos, cenó con Meliso; luego, cuando les plugo, se fueron a acostar.

En cuanto a la pobre mujer, se levantó del suelo con gran fatiga, y, bien que mal, pudo echarse sobre la cama. A la mañana siguiente levantóse muy temprano e hizo preguntar a Giosefo qué deseaba que se hiciera para comer. El marido, riéndose con Meliso, contestó lo que creía conveniente, y a la hora de comer lo hallaron todo perfectamente dispuesto, según las órdenes dadas, por lo cual elogiaron en gran manera el consejo que al principio no habían sabido entender.

Al cabo de algunos días, despidióse Meliso de Giosefo y regresó a su casa; contóle a cierto hombre muy prudente lo que Salomón le había contestado, y el inteligente amigo le dijo:

—Nadie podía darte consejo mejor ni más exacto. Tú sabes que no amas a nadie; las fiestas con que honras a los demás, no significan amor hacia alguno, sino ostentación, egoísmo, vano deseo de pompa. Ama, pues, como te aconsejó Salomón, y serás amado.

Así fue cómo Giosefo, pudo corregir a su difícil mujer, y Meliso, amando, conoció el amor.

LA YEGUA ENCANTADA

*Juan, a instancias del compadre Pedro, hace un
conjuro para convertir a la mujer de éste en mula;
pero cuando va a colocarle la cola, Pedro dice que
no quería cola y deshace todo el encantamiento*

La historia contada por la reina dio algo que murmurar a sus
compañeras y mucho que reír a los jóvenes; pero en cuanto se hubo
restablecido el silencio, Dioneo comenzó a decir:

—Entre muchas palomas blancas, graciosas damas, aparece más
hermoso un cuervo negro que un nevado cisne; y asimismo, entre
muchos hombres sabios, un necio no sólo da mayor esplendor y
belleza a la madurez de aquéllos, sino que, además, les sirve de recreo
y deleite. Por lo cual, siendo todas vosotras discretas y moderadas,
yo, que soy poco juicioso, al hacer resaltar más vuestra virtud con
mi defecto, os inspiraré mayor simpatía, pues de tener yo mayores
méritos podría oscurecer vuestras cualidades; por consiguiente, más
cuidado debo poner en manifestarme tal cual soy y debéis vosotras
tolerarme con más paciencia, al escuchar lo que voy a contaros, que
si en realidad fuese, o mostrarse más circunspecto. Os contaré, pues,
una historieta no muy larga, en la que comprenderéis con cuánta
diligencia deben observarse las condiciones exigidas por quienes
hacen algo por fuerza de encantamiento, y cuán fácilmente se des-
virtúa, al más pequeño fallo, todo lo hecho por el encantador.

El año pasado hubo en Barletta un clérigo llamado Juan de
Barolo, el cual, debido a la pobreza de su iglesia, viose obligado, para
poder vivir, a recorrer las ferias de la Apulia, y comerciar, comprar
y vender, sirviéndose para ello de una yegua en la que cargaba sus
productos. En esas correrías trabó estrecha amistad con un tal Pedro
de Tresanti, que hacía aquel mismo oficio con un asno. Siguiendo la

costumbre de aquella comarca y en señal de familiaridad, le llamaba sencillamente compadre Pedro, y siempre que éste iba a Barletta le llevaba a su iglesia y casa, alojándole y obsequiándole lo mejor que podía.

Por su parte, el compadre Pedro, que era muy pobre y sólo tenía una casita en Tresanti, suficiente apenas para él, su joven y bella esposa y el asno, cuantas veces llegaba Juan al pueblo lo conducía a su hogar, correspondiendo, de la mejor manera posible, a los honores recibidos en Barletta; no obstante, en cuanto al alojamiento, puesto que no poseía más que una pequeña cama que compartía con su mujer, no podía alojarle cual hubiese querido y con harto sentimiento suyo le llevaba a un reducido establo, donde estaban el asno del compadre y la yegua del cura, y allí, sobre la paja, le arreglaba una yacija.

La mujer, enterada de las atenciones que el cura dispensaba a su marido en Barletta, varias veces propuso que iría a dormir con una de sus vecinas, llamada Zita, para que el sacerdote se acostara con su marido; y en algunas ocasiones así se lo había manifestado, pero el cura nunca consintió en tal arreglo. Un día entre otros, para justificar su negativa, le dijo:

—No os preocupéis por mí, comadre Gemmatta, que yo estoy bien, porque cuando me acomoda convierto a mi yegua en una hermosa doncella y me estoy en su compañía; después, cuando me parece, vuelvo a convertirla en yegua; ya podéis imaginaros que no me separaría de ella por nada del mundo.

Gemmatta, que era una joven muy sencilla, creyó a pies juntillas cuanto oía, e inmediatamente fue a contarlo a su marido, añadiendo:

—Si es tan amigo tuyo como dices, ¿por qué no le pides que te enseñe ese encantamiento, para que puedas convertirme en yegua? De esta manera, con nuestro asno y yo ganarías el doble; y después, al volver a casa, me convertirías de nuevo en mujer.

El compadre Pedro, que era también muy simplón, creyó lo que su mujer le decía y aceptó el consejo, por lo cual, de la mejor manera que supo, empezó a solicitar al clérigo que le enseñara el conjuro. Juan hizo todo lo posible por sacarle de su ingenuidad, pero, al ver que no lo conseguía dijo:

—Ya que tanto te empeñas, mañana nos levantaremos, según costumbre, al despuntar el alba, y te enseñaré cómo se hace; pero debo advertirte que lo peor en este asunto es pegar la cola, como verás.

El compadre Pedro y la comadre Gemmatta esperaban con tal impaciencia, que apenas durmieron en toda la noche; poco antes de amanecer se levantaron y llamaron al cura, el cual, en camisa, acudió a la pequeña habitación del compadre, y dijo:

—A nadie en el mundo quería descubrir mi secreto, pero como a ti no puedo rehusarte nada y en vista de vuestra insistencia, voy a hacerlo; no obstante, os conviene hacer lo que os diga, si queréis que el resultado sea bueno.

Marido y mujer prometieron hacer lo que les dijera; entonces el cura tomó una vela, la puso en la mano del compadre Pedro, y le dijo:

—Fíjate bien en lo que hago y atiende a mis palabras; por lo que más quieras, guárdate de echar a perder algo, de manera que por nada que veas u oigas vayas a decir ni una sola palabra; y pídele a Dios que la cola se pegue bien.

El compadre Pedro tomó la luz y dijo que así lo haría. Entonces Juan hizo que la mujer se desnudara del todo y se pusiera con las manos y los pies en tierra, en la misma postura que las yeguas, recomendándole, asimismo, que por nada que sucediese pronunciara palabra alguna; y luego, tocándole con las manos el rostro y la cabeza, dijo:

—Sea ésta una hermosa cabeza de yegua.

Luego le tocó los cabellos y añadió:

—Que se conviertan en graciosas crines de yegua.

Después le tocó los brazos, diciendo:

—Que bellas patas y manos de yeguan sean.

Tocóle a continuación el pecho, y como lo hallara firme y terso, despertóse y levantóse quien no había sido llamado; y el clérigo dijo:

—Que sea un hermoso dorso de yegua.

Lo mismo hizo con las piernas, los muslos y las grupas; y por último, cuando no quedaba más que la cola, levantóse la camisa, púsole el *planto hóminem* en su sitio, y dijo:

—Y que ésta sea bella cola de yegua.

Al compadre Pedro, que hasta entonces había seguido todo el proceso del conjuro con suma atención, no le pareció bien lo de la cola, y exclamó:

—¡Eh, compadre! ¡No quiero cola!

Y así el clérigo la sacó, cuando estaba ya a punto de pegarse; y volviéndose al compadre Pedro, le increpó:

—¡Ay, compadre! ¿Qué has hecho? Te advertí que no abrieses

la boca por ningún motivo. La yegua ya estaba a punto, y con tu ligereza, lo has echado todo a perder. ¡Y ahora ya no podrá hacerse más!

—Bueno —replicó el otro—; yo no quería una cola así. Además, ¿por qué no me dijisteis que la pusiera yo? Por otra parte, la colocabais demasiado baja.

—No te dije que la colocaras tú, porque la primera vez no hubieses sabido hacerlo —repuso el clérigo.

La mujer escuchaba las palabras de ambos, y, poniéndose en pie, dijo:

—¡Ay de mí! ¿Por qué has estropeado nuestros planes? Además, dime si alguna vez has visto un caballo o una yegua que no tuviera cola. Eres pobre, y con el poco seso que tienes, más pobre merecerías ser.

Dado que ya no había oportunidad de convertirla en yegua, por culpa de las palabras de su marido, la joven se vistió, triste y apesadumbrada. Pedro volvió a su oficio con el asno, como había hecho siempre, y siguió acompañando al clérigo a la feria de Bitonto, pero jamás le volvió a pedir que le enseñara aquellos conjuros.

CONCLUSION

Grandes risas provocó lo de la cola de la yegua entre las señoras, que entendieron el cuento más de lo que Dioneo pensara.

Cuando hubieron concluido las historias de la jornada y el sol disminuido la fuerza de sus rayos, la reina, cuyo reinado había llegado a su término, quitóse la corona y la puso en las sienes de Pánfilo, el único de ellos que no había recibido semejante honor. Mientras lo hacía, Emilia dijo, sonriendo:

—Ya que eres el último en ostentar este cargo, buen trabajo te encomiendo, señor mío, cual es enmendar mis defectos y los de quienes hasta hoy me han precedido. Que Dios te ayude con su gracia, como me concede a mí, ahora, la de coronarte rey.

Agradeciendo aquel honor, Pánfilo respondió:

—Como hizo a los otros, señora, vuestra virtud y la de los demás súbditos me hará digno de alabanza.

Luego, siguiendo la costumbre establecida por sus antecesores, arregló con el mayordomo todo lo necesario para la próxima jornada, y después, volviéndose a las damas, dijo:

—Encantadoras señoras, en la pasada jornada la discreción de nuestra reina Emilia dispuso para nuestro descanso que cada uno hablara libremente de lo que quisiera; y ahora, puesto que todos hemos descansado, creo oportuno volver a la ley establecida, por lo que cada uno deberá disponerse mañana para contar una historia acerca de quienes magnífica y liberalmente se mostraron en hechos de amor y de algún otro suceso. Indudablemente, el decir y escuchar tales cosas encenderá vuestros ánimos, siempre dispuestos a obrar valerosamente, con lo que nuestra vida mortal, que no puede ser sino muy breve, se perpetuará así en la laudable fama, que es lo que no sólo deben desear, sino también buscar y poner en práctica con amoroso cuidado, aquellos que no sirven solamente al vientre, como hacen las bestias.

El tema fue del agrado de damas y jóvenes, quienes, previa licencia del nuevo rey, se levantaron del lugar en que estaban y fuéronse a sus placeres, en los que pasaron hasta la hora de la cena; llegada ésta, reuniéronse todos alegremente y después de la cena dieron principio a danzas y canciones.

Después, puesto que la noche estaba ya avanzada, ordenó Pánfilo que cada uno se retirara a descansar.

JORNADA DECIMA

INTRODUCCION

Aún enrojecían algunas nubecillas hacia occidente y las de oriente mostraban sus extremos dorados y brillantes al ser heridas por los rayos del sol, cuando se levantó Pánfilo e hizo llamar a sus compañeros.

Reunidos todos, y tras haber deliberado acerca del lugar aonde preferían ir, el rey echó a andar con paso lento, acompañado de Filomena y de Fiammetta y seguidos por los demás; hablaron largamente de su futura vida, pasearon durante un buen rato, y después, como el sol comenzase ya a calentar demasiado, regresaron al palacio. Allí, en torno a la clara fuente, bebió quien quiso en los plateados vasos, yendo después a solazarse en las agradables sombras del jardín, hasta la hora de comer.

Cuando hubieron comido y descansado, según solían hacer, volvieron a reunirse al disponerlo así el rey, y éste ordenó a Neifile que contara la primera historia, lo que ella hizo en estos términos:

EL REY DE CASTILLA Y LA FORTUNA

Un caballero toscano va a servir al rey de España;
créese mal recompensado, por lo cual el rey le
demuestra que no es suya la culpa, sino de su mala
fortuna, haciéndole luego espléndidos dones

A honra debo tener, respetables damas, que nuestro rey me encomiende la primera historia sobre el tema de la magnificencia, que así como el sol es belleza y ornamento del cielo, así ésta es claridad y luz de toda otra virtud. Referiré, pues, una historia bastante graciosa, cuyo recuerdo, a mi entender, no dejará de seros útil.

Debéis saber que entre los grandes caballeros que desde muchos años hasta hoy han existido en nuestra ciudad, uno de los más famosos fue micer Ruggieri de Figiovanni. Era hombre rico y de gran ánimo, y como viera que la fortuna de vida y las costumbres de Toscana no podían darle ocasión de demostrar su valor, resolvió por algún tiempo entrar al servicio de Alfonso, rey de España, cuya fama de valor superaba a la de los demás soberanos de aquellos tiempos. Esto pensado, se puso en camino hacia España, seguido de una buena compañía de jinetes y abundantes armas, y fue recibido graciosamente por el rey.

Micer Ruggieri vivió espléndidamente en aquella tierra y se distinguió en varios hechos de armas, no tardando en adquirir buena fama de caballero valeroso. No obstante, observando con atención la conducta del rey, parecióle que éste regalaba, con poca discreción, castillos, ciudades y baronías a unos y a otros, puesto que las daba muchas veces a quien no la merecía; y como a él, que conocía su propio valer, nada se le daba, consideró que esto menguaba mucho su fama, por lo cual resolvió marcharse y solicitó licencia al rey. Este se la concedió y le regaló la más preciosa y mejor mula que jamás se haya visto, lo que complugo a Ruggieri, dado el largo viaje que debía emprender. Luego el monarca encargó a uno de sus cortesanos, cuya discreción conocía, que, valiéndose del medio que mejor le pareciera, procurase cabalgar una jornada con micer Ruggieri, pero de modo que éste no sospechara que lo hacía por orden del rey; que escuchara bien cuanto el toscano dijese, de tal suerte que se lo supiera repetir después, y para que a la mañana siguiente le hiciera volver de nuevo a la corte. El cortesano comprendió a maravilla su misión; y en cuanto Ruggieri se puso en camino, procuró unirse a él, dándole a entender que se dirigía a Italia.

El toscano cabalgaba sobre la mula regalada por el rey. Al principio, la conversación recayó sobre cosas indiferentes y generalidades; pero hacia la hora de tercia, dijo micer Ruggieri:

—Creo que debemos dar descanso a nuestras cabalgaduras.

Entraron, pues, en un corral, donde todos, menos la mula de Ruggieri hicieron sus necesidades, lo cual no dejó de observar el florentino. Siguieron luego su camino, atento siempre el cortesano a las palabras de Ruggieri, hasta que, llegados a un riachuelo que había que atravesar, la mula se detuvo para hacer lo que en el corral no hiciera.

—¡Vaya, mala suerte tengas, mula! —exclamó Ruggieri—. Te pareces al señor que te me regaló.

El cortesano recogió esta frase; también recogió otras muchas relativas al rey durante todo el día, pero ninguna le oyó decir que no fuera en elogio del monarca.

A la mañana siguiente, como micer Ruggieri quisiera seguir su viaje a Toscana, el cortesano trató de hacerle volver sobre sus pasos; pero al no poder conseguirlo, le mostró la orden del rey Alfonso, y, sin más réplica, el caballero volvió atrás.

Enterado ya el rey de lo que micer Ruggieri había dicho de la mula, mandóle llamar; le recibió con semblante afable, y le preguntó por qué le había comparado con su mula, o, mejor dicho, a la mula con él.

A lo que micer Ruggieri contestó sin inmutarse:

—La comparé con vos, señor, porque así como vos otorgáis mercedes a quien no las merece, y a quien las merece se las negáis, de igual manera ella hizo sus necesidades donde no debía, después de negarse a hacerlas donde hubiera sido menester.

—El no haberos hecho merced —contestó el rey—, como a tantos otros que, comparados con vos, nada son, mi querido Ruggieri, no ha sido porque no os reconociera esforzadísimo caballero digno de cualquier gran don; vuestra fortuna es la que no me ha permitido regalaros como merecierais, con lo que el pecado es suyo y no mío. Cumplida prueba os daré de la verdad de lo que digo.

—Señor —repuso Ruggieri—, no me quejo de no haber recibido merced de vos, puesto que no la deseaba para aumentar mis riquezas, sino de no haber recibido de vos testimonio de mi valor; tengo, sin embargo, por buena y honesta vuestra excusa, y dispuesto estoy a ver lo que os plazca, aunque sin necesidad de prueba alguna os creo.

Le condujo el rey a una gran sala, donde, en cumplimiento de sus órdenes, había dos grandes cofres cerrados; y en presencia de muchos cortesanos, le dijo:

—En uno de estos cofres están mi corona, el cetro y la bola con la cruz, cinturones, broches y mis joyas más preciadas; en el otro no hay más que tierra. Elegid uno, y lo que dentro haya será vuestro. Así podréis ver quién ha sido ingrato con vuestro valor: si yo o la fortuna.

Cuando vio Ruggieri que así le placía al rey, cogió uno de los cofres; el rey ordenó que lo abrieran, y viose que estaba lleno de tierra. Por lo que el rey Alfonso dijo, sonriendo:

—Ya podéis ver que cuanto os dije de la fortuna es verdad; pero vuestro valor merece que yo me oponga a sus fuerzas. Sé que no tenéis intención de haceros español, por lo que no quiero daros en esta tierra ni castillo ni ciudad, sino aquel cofre que la fortuna os negó, a fin de que podáis llevároslo a vuestro país y gloriaros entre vuestros compatriotas con el merecido testimonio que doy de vuestro mérito.

Tomó Ruggieri el cofre y después de agradecer al rey, como merecía, tan valiosa dádiva, emprendió muy satisfecho el camino de Toscana.

EL ABAD AGRADECIDO

*Ghino di Tacco toma prisionero al abad de Cluny, le
da un remedio contra el dolor de estómago y después lo
deja libre. De regreso a la corte de Roma, el abad
reconcilia a Ghino con el Papa Bonifacio y éste le
nombra caballero hospitalario*

Muy elogiada fue por todos la munificencia del rey Alfonso para
con el caballero florentino; y el rey —a quien mucho había gustado
la historia— ordenó a Elisa que prosiguiera, por lo que ella inició así
su relato:

—Delicadas damas, el haber sido un rey tan magnífico, y haber
mostrado su generosidad con quien tan fielmente le había servido,
merece toda clase de alabanzas; pero ¿qué diremos de un clérigo que
usó tal munificencia para con aquel a quien, si le hubiese tratado
como enemigo, nadie le habría censurado? Indudablemente, se diría
que la actitud del rey fue virtud y la del clérigo milagro, porque bien
sabido es que los hombres de iglesia son mil veces más avaros que
las mujeres, y enemigos encarnizados de toda liberalidad. Aunque el
hombre apetece venganza de las ofensas recibidas, sabido es que hay
clérigos que, a pesar de predicar la paciencia y recomendar el perdón
de las injurias, toman venganza más fogosamente que los demás.
Ahora bien, en el siguiente cuento veréis cómo uno de estos clérigos
fue liberal y magnánimo.

Ghino di Tacco, hombre famoso por su audacia y sus latrocinios,
expulsado de Siena y enemigo acérrimo de los condes de Santa Fiora,
sublevó contra la Iglesia de Roma al castillo de Radicofani, y que-
dándose en él como dueño y señor, mandaba a sus secuaces que
asaltaran y desvalijaran a cuantos viajeros pasaban por sus cercanías.

Siendo en aquel tiempo Bonifacio VIII Papa en Roma, se presentó en la corte el abad de Cluny, del cual se dice que era el más

rico prelado del mundo; y habiéndosele estropeado el estómago, le aconsejaron los médicos que se dirigiera a los baños de Siena, pues su curación era segura si iba allí. Después de obtener la venia del Papa, el abad se puso en camino con gran pompa y acompañamiento de caballos y servidumbre, sin preocuparse de la mala fama de Ghino.

Informado del viaje del abad, Ghino di Tacco tendióle una emboscada, y acorraló en un estrecho lugar al abad con todos sus acompañantes, sin que se le escapara ni un criado. Hecho esto, envió al abad a uno de sus ayudantes más astutos, con buen acompañamiento, para que con toda afabilidad le comunicara que tuviese a bien apearse en su castillo. Pero el abad contestó irritado que no quería ir porque nada tenía que hacer allí; antes bien, continuaría su camino, y le gustaría ver quién osaba impedírselo.

El mensajero, con el mayor respeto, replicó:

—Habéis venido, señor, a un lugar donde para nosotros nada hay temible, fuera del poder de Dios, y donde las excomuniones e interdictos carecen de valor; por lo que os aconsejo tengáis a bien acceder amistosamente a la invitación de Ghino.

Mientras se cruzaban estas estas palabras, todo aquel lugar había sido rodeado por los mesnaderos; el abad, al verse preso con los suyos, se encaminó con aire desdeñoso, acompañado del emisario, al castillo, y con él toda la comitiva y sus bagajes. Allí se alojó por voluntad de Ghino, en una lóbrega y pequeña habitación del palacio, y los demás acompañantes, según su categoría, fueron alojados con bastante comodidad; los caballos y todo el equipaje fueron puestos a buen recaudo, aunque sin tocar cosa alguna.

Hecho esto, Ghino se encaminó al cuarto del abad y le dijo:

—Señor, Ghino, de quien sois huésped, os ruega tengáis a bien indicarle a dónde ibais y por qué razón.

El abad, que como hombre juicioso había depuesto su altivez, le dijo lo que el otro quería saber. Tras lo cual, Ghino se retiró y pensó curarle el mal sin necesidad de baños. Y mandando que se encendiera en la pequeña habitación un buen fuego y fuese bien vigilada, no volvió a visitarle hasta la mañana siguiente; le llevó, envueltas en una servilleta blanquísima, dos rebanadas de pan tostado, y un gran vaso de vino de Corniglia, de las mismas provisiones que el abad traía, y le dijo:

—Señor, cuando Ghino era más joven se dedicó al estudio de la Medicina, y asegura que no hay mejor medicamento para el dolor de estómago, que el que os recomendará, y esto que os traigo es para comenzar; tomadlo, pues, y animaos.

El abad, que tenía más ganas de comer que de bromear, aunque con desagrado comió el pan y bebió el vino. En seguida habló al fingido mensajero con altivez; se quejó varias veces, preguntó sobre muchas cosas, aconsejó otras y pidió ver a Ghino.

Este, al oír tales cosas, consideró vanas algunas de sus palabras, y a las otras contestó cortésmente, afirmando que Ghino le recibiría lo antes posible; y dicho esto, despidióse de él.

No volvió hasta la mañana siguiente, con la misma ración de pan tostado y de vino; y así le tuvo algunos días, hasta que, habiendo notado que su enfermo había comido unas habas secas que él mismo, con disimulo, había dejado en la habitación, le preguntó de parte de Ghino qué tal se hallaba del estómago, y el abad respondió:

—Me parecería estar bien si estuviese libre de sus manos; por lo demás, sus remedios me han curado de tal modo, que tengo un apetito atroz.

Ghino mandó arreglarle una bonita habitación con las cosas del abad, y lo mismo a sus familiares, y ordenó preparar un gran banquete, al que asistieron varios caballeros del castillo y todo el acompañamiento del abad. A la mañana siguiente fue a visitarle y le dijo:

—Señor, puesto que ya os encontráis bien, hora es de salir de la enfermería.

Y tomándole de la mano, le condujo a la habitación preparada, donde dejó al abad con sus familiares, y se fue a disponer el banquete. El abad estuvo contentísimo al ver a los suyos y les contó cuál había sido su vida en su encierro; por su parte, ellos le contestaron lo bien que habían sido tratados por Ghino.

Llegada la hora de la comida, la mesa fue espléndidamente servida, con sabrosos manjares y buenos vinos. Pero Ghino no se dio a conocer todavía al abad.

Por último, después de tratarlo de esta manera durante algunos días, Ghino mandó reunir en una sala todos los objetos pertenecientes al abad y en un patio todos sus caballos, y yendo a la habitación de aquél le preguntó cómo estaba de salud y si se sentía con fuerzas para cabalgar.

El abad contestó que estaba completamente curado del estómago, y que aún mejor se hallaría en cuanto estuviese fuera de las manos de Ghino.

Este entonces le condujo a la sala donde estaban sus equipajes y sus familiares, y haciéndole asomarse a una ventana desde donde podía ver todos sus caballos, le dijo:

—Habéis de saber, señor abad, que el haber sido caballero y verse expulsado de su ciudad, pobre y perseguido por muchos y poderosos enemigos, es lo que ha conducido a Ghino di Tacco a defender su vida y nobleza, en lo que no ha habido nunca maldad de ánimo, y a robar por los caminos y a declararse enemigo de la corte de Roma. Ese Ghino di Tacco soy yo; pero como vos me parecéis un excelente señor, luego de haberos curado vuestra dolencia del estómago, no pienso apropiarme de cuanto sea de vuestra pertenencia, como haría con cualquier otro que cayera en mis manos; antes al contrario deseo que vos mismo considerando mis necesidades, me entreguéis aquella parte de vuestras cosas que voluntariamente queráis darme. Todas están ahí a vuestra disposición, y desde esta ventana podéis ver en el patio vuestras cabalgaduras; por tanto, tomad una parte o el todo, como mejor os plazca, y desde este instante sois libre de marcharos o de quedaros.

El abad se sorprendió mucho al oír tan generosas palabras en boca de un salteador de caminos, y agradándole en extremo tal conducta, depuso súbitamente su ira y desdén, que se trocaron en benevolencia, y con el corazón henchido de amistad por Ghino le abrazó, diciendo:

—Juro por Dios que para ganar la amistad de un hombre como veo que sois vos, consentiría de buena gana en recibir ofensa mucho mayor que la que hasta ahora consideraba me hacíais. ¡Maldita sea la fortuna que os obliga a tan pésimo oficio!

Dicho esto, hizo separar de su equipaje lo más indispensable, haciendo otro tanto con las cabalgaduras, y, dejándole todo lo demás, regresó a Roma.

El Papa había sido informado de la prisión del abad, y como lo sintiera mucho, apenas le vio se apresuró a preguntarle si los baños le habían sentado bien.

—Santo Padre —contestó sonriente el abad—, antes de llegar a los baños me topé con un excelente médico que me ha dejado perfectamente curado para siempre.

Y le contó cómo le había curado Ghino, de lo cual el Papa se rió de buena gana.

El abad, prosiguiendo su conversación, movido por generoso impulso, pidió al Papa una gracia; y éste, sospechando que se trataba de alguna otra cosa, ofreció hacer lo que le pidiera.

—Padre Santo —dijo entonces el abad—, lo que quiero pediros

es que devolváis vuestra gracia a Ghino di Tacco, mi médico, pues entre los hombres de valer y dignos de ser estimados que he conocido en mi vida, él es indudablemente uno de los mejores; todo el mal que hace es más culpa de la fortuna que suya, y si esta fortuna cambiáis concendiéndole algo que le permita vivir según su condición, no me cabe duda de que en poco tiempo le juzgaréis como yo le juzgo.

El Papa, que tenía un gran corazón y apreciaba a los hombres de valer, dijo que lo haría con gusto si era cosa tan importante como el abad decía, y le pidió que le hiciera ir a Roma sin temor alguno.

Fue, pues, Ghino di Tacco a la corte, con la garantía del abad; y poco después el Papa, considerándole hombre de valer, lo volvió a su gracia y le concedió un gran priorato de la Orden de los Hospitalarios, y le hizo caballero, cosas ambas que Ghino, amigo y servidor de la Iglesia y del abad de Cluny, conservó por toda su vida.

MITRIDANES Y NATÁN

*Mitridanes, celoso de la fama de Natán, intenta
quitarle la vida, pero la nobleza de éste confunde a
Mitridanes y le desarma*

A todos pareció milagrosa la generosidad del abad; y cuando las damas cesaron de hablar, el rey ordenó a Filostrato que contara su historia; y éste empezó así:

—Grande fue, nobles señoras, la munificencia del rey de España y tal vez inaudita la del abad de Cluny; pero quizá no menos maravilloso os parezca oír que un individuo, para usar de liberalidad con otro que buscaba nada menos que su sangre, se dispusiera generosamente a entregársela; y lo habría hecho, si quien debía tomarla la hubiera querido. Esto es lo que pienso contaros en una breve historia.

Es cosa que no admite duda —si ha de darse fe a las palabras de algunos genoveses y de otros que vivieron en aquellas regiones— que hubo antaño en las lejanas regiones del Catay un gentilhombre muy rico llamado Natán, el cual tenía una casa a la orilla de un camino por el que necesariamente habían de pasar todos cuantos se dirigían de Poniente a Levante o de Levante a Poniente. Dotado este hombre de corazón grande y generoso, y deseoso de ser conocido por sus obras, mandó construir allí uno de los más bellos y ricos palacios que hayan existido jamás, abasteciéndolo de todo lo necesario para recibir y honrar en él a los nobles caballeros que hubiere de recibir, y como disponía de numerosos criados, recibía y obsequiaba con afabilidad a cuantos iban por aquellos caminos.

Tanto perseveró en esta loable costumbre, que no solamente en Levante, sino también en casi todo Poniente, era conocida la fama de su prodigalidad. Siendo ya de edad avanzada —pero no cansado todavía de su esplendidez para con los demás—, aconteció que un joven llamado Mitridanes, oriundo de un país no muy distante del suyo, y que en riqueza no le iba a la zaga, sintió envidia de su fama y se propuso anular o ensombrecer con mayor magnificencia la de su rival. Y mandando construir un palacio semejante al de Natán, comenzó a tratar a cuantos viajaban por aquellas tierras con la más desmesurada cortesía, mayor que la que pudiera usar ningún otro, y así, en poco tiempo, alcanzó notable celebridad.

Cierto día en que estaba completamente solo el joven Mitridanes en el patio de su palacio, entró una viejecita por una de las puertas a pedir limosna, y él se la dio; la buena mujer volvió una segunda vez, y Mitridanes se la dio de nuevo; y volvió por la tercera y cuarta puerta, y así sucesivamente hasta doce veces, y siempre Mitridanes le dio la limosna; pero a la decimotercera vez, el dueño del palacio dijo a la vieja:

—Buena mujer, muy tenaz eres en el pedir.

Y volvió a darle su limosna.

Al oír esto la viejecita, exclamó:

—¡Oh liberalidad de Natán! ¡Cuán maravillosa eres! Pues habiendo entrado yo por las treinta y dos puertas que tiene su palacio, como éste, nunca dio él a entender que me reconociera, concediéndome siempre la limosna que le pedía; aquí no he entrado más que por trece puertas y he sido ya reconocida y amonestada.

Dicho esto, marchóse y no volvió a entrar.

Oídas las palabras de la vieja, Mitridanes montó en cólera, pues con ellas consideraba disminuida su fama en comparación con la de Natán, y dijo para sí: «¡Desdichado! ¿Cuándo lograré igualar, ya que sobrepasarla no puedo, la liberalidad de Natán en las obras grandes, si en las insignificantes no puedo ni siquiera acercarme a su fama? En vano me fatigo si no le quito de en medio; y puesto que la vejez no se lo lleva de este mundo, preciso será que lo haga yo con mis propias manos».

Y poseído de este furor, sin comunicar a nadie su resolución, montó a caballo, seguido de un corto número de servidores, alcanzando después de tres días de marcha la morada de Natán. Al acercarse a ella ordenó a sus gentes que aparentasen no ir con él ni conocerle, y que se procuraran alojamiento hasta que les avisase. Mitridanes, que había llegado al anochecer, encontró a Natán paseando por las inmediaciones del palacio, solo y vestido con sencillez.

Como no le conocía, preguntó al anciano si podía decirle dónde encontraría a Natán, y éste contestó alegremente:

—Nadie hay en este país, hijo mío, que te lo pueda decir mejor que yo; por lo tanto, te llevaré a él cuando gustes.

El joven respondió que eso le placía mucho; pero que, a ser posible, no quería ser visto ni conocido por Natán, a lo que éste agregó:

—También en esto te serviré, ya que lo deseas.

Mitridanes descabalgó y encaminóse con Natán al espléndido palacio, sosteniendo durante el paseo una agradable conversación.

Llegados allí, Natán dijo a uno de sus servidores que tomara el caballo del joven, y acercándosele al oído, le ordenó que avisara a todos los de la casa que nadie dijese al recién llegado que él era Natán. Y así se hizo.

Natán alojó a Mitridanes en una hermosa habitación donde nadie le veía, a excepción de los que había puesto a su servicio, y, haciéndole obsequiar en gran manera, él mismo le acompañaba y pasaba a su lado muchas horas. Mitridanes a pesar de que considerara al anciano con el respeto que merecían sus canas, le preguntó quién era, a lo que Natán respondió:

—Soy un humilde criado de Natán, a quien sirvo desde mi infancia, a pesar de lo cual nunca me ha otorgado más alto cargo del que ves; por lo que, mientras todos se hacen lenguas de su generosidad, yo no me puedo felicitar de él gran cosa.

Estas palabras dieron a Mitridanes alguna esperanza de llevar a cabo su designio con mejor acierto y seguridad.

Natán, con mucha cortesía, le preguntó a su vez quién era y qué necesidad le llevaba a aquella tierra, ofreciéndole su consejo y ayuda en cuanto le fuera posible.

Mitridanes tardó algo en contestar, y al fin, resuelto a confiar en él, le pidió, con largos rodeos, que le prometiera guardar silencio, y, además, sus consejos y su ayuda; luego le reveló quién era, a lo que había ido y los móviles de su resolución.

Al oír Natán las explicaciones y el cruel propósito de Mitridanes, llenóse de asombro, pero reaccionó en seguida, y con ánimo fuerte y semblante sereno, le dijo:

—Hombre nobilísimo fue tu padre, Mitridanes, cuya justa fama no debes desmentir, después de haber iniciado tan gran empresa como la de ser generoso con todos. No puedo menos que alabar la envidia que te inspira la virtud de Natán, puesto que si existieran muchos seres como él, el mundo, que es miserable, pronto se volvería bueno. Respecto a tu propósito, más puedo prestarte consejo útil que ayuda. Mi consejo es éste: desde aquí puedes ver, a media milla de distancia, un bosquecillo, al que Natán va cada mañana completamente solo, paseándose largo rato por él, de manera que te será fácil encontrarle y hacer lo que te acomode. Y si lo matas, a fin de que puedas volver sin obstáculo a tu casa, no vayas por el camino por donde viniste, sino por el que sale del bosque a mano izquierda, porque aunque sea más agreste, está más inmediato a tu casa y te ofrece mayor seguridad.

Mitridanes, después de recibidos estos datos y cuando Natán hubo marchado, comunicó reservadamente a sus compañeros —que estaban albergados en el palacio— el paraje donde tendrían que aguardarle a la mañana siguiente.

Llegada ésta, Natán, siguiendo su costumbre, fue al bosquecillo para dar su paseo a solas, convencido de que allí había de morir.

Levantóse también Mitridanes, tomó su daga y su espada, montó a caballo y se dirigió al bosquecillo. Desde lejos vio a Natán paseando enteramente solo, y queriendo verle y oírle hablar antes de acometerle, corrió hacia él, y, sujetándolo por la capucha que cubría su cabeza, gritó:

—¡Viejo, muerto eres!

Natán se limitó a responder:

—Así lo habré merecido.

Al oír aquella voz y mirar aquel rostro, Mitridanes reconoció en seguida al que afablemente le había recibido, familiarmente le había acompañado y lealmente le había aconsejado; por lo que al instante desapareció su furor, y su ira se convirtió en vergüenza. Arrojó lejos de sí la espada que había desenvainado para herirle, desmontó del caballo, arrodillóse sollozando a los pies de Natán, y dijo:

—Claramente conozco, amadísimo padre, vuestra liberalidad, al ver con cuánta cautela habéis venido para darme vuestra vida, de la que me mostré deseoso sin razón alguna; pero Dios, más solícito que yo mismo en hacerme cumplir mi deber, me ha abierto los ojos de la inteligencia en el instante en que mayor necesidad había, y que la mísera envidia me había cerrado. Y cuanta mayor es la prontitud que habéis mostrado en complacerme, tanto más reconozco la penitencia a que mi error me ha hecho acreedor; tomad, pues, de mí, la venganza que juzguéis corresponda a mi pecado.

Natán hizo levantar a Mitridanes, le abrazó con ternura y le dijo:

—No es preciso, hijo mío, pedir ni otorgar perdón a tu empresa, aunque tú quieras darle el nombre de crimen u otro cualquiera, puesto que no lo llevas a efecto por odio, sino por el deseo de que se te tuviese por el mejor. Vive, pues, seguro de mí, y ten por cierto que no existe otro hombre que tanto te quiera como yo, teniendo en cuenta la alteza de tu ánimo, no dedicado a acumular dinero como suelen hacer los miserables, sino a gastar en liberalidades lo que pudiste reunir. Y no te avergüences de haber querido matarme para adquirir fama, ni creas que me extrañe por ello; los grandes emperadores y los reyes no han ensanchado de otro modo sus dominios; su fama se basó en el arte de matar, no a un hombre, como tú pretendías hacer, sino a una infinidad de hombres, incendiar países y demoler ciudades; por tanto, si para adquirir fama pretendías matarme a mí, no hacías una cosa nueva, sino algo muy corriente.

Mitridanes, no excusando su pérfido deseo, antes bien alabando la noble excusa hallada por Natán, llegó a decirle a éste que se asombraba extraordinariamente de cómo estaba dispuesto a morir, y aun le diera medio y consejo a este fin encaminados.

El anciano replicó:

—No quiero, Mitridanes, que te admires de mi consejo y de mi disposición, porque desde que fui libre de mis acciones y me propuse hacer lo mismo que tú, juré no rehusar nunca a nadie aquello que estuviera en mi mano hacer, y hasta ahora he cumplido mi juramento. Tú viniste ansioso de mi vida, y yo, al oírtela pedir, para que no fueses el único que se marchaba sin haberle otorgado su petición, me decidí a dártela, y añadí el consejo adecuado para que al obtener mi vida no perdieras lamentablemente la tuya; por lo que te ruego que si ella te place la tomes y te satisfagas a ti mismo. No sé cómo emplearla mejor. Ochenta años me he servido de ella; la he gastado en delicias y placeres y sé que, siguiendo el curso impuesto a la naturaleza, como ocurre con los demás hombres y las otras cosas, está ya casi al final; por esto juzgo mejor regalarla, como he regalado y gastado siempre mis tesoros, que querer conservarla para que me sea quitada contra mi voluntad por la naturaleza. No es gran dádiva entregar cien años; ¿cuánto menor será poner en tus manos los cinco, seis, u ocho que me quedan por vivir? Tómala si te place, te lo suplico, porque a nadie hallé aún que la haya deseado, ni sé cuándo podré hallarlo, si tú ahora no la quieres. Comprendo que cuanto más la guarde, menos valor tendrá; por lo tanto, tómala antes de que valga menos, te lo suplico.

Mitridanes, muy avergonzado, contestó:

—Permita Dios que cosa tan valiosa como vuestra vida no la tome yo, ni vuelva a desearla, como la deseaba hace poco. Lejos de querer abreviar vuestros días, quisiera poder aumentarlos aun a costa de todos los míos.

—¿Los añadirías si pudieras? —se apresuró a decir Natán—. ¿Y me dejarías hacer lo que nunca hice con nadie, esto es, coger alguna de tus cosas?

—No os quepa la menor duda —contestó el joven.

—Siendo así —prosiguió Natán—, harás lo que voy a decirte: acepta este palacio mío, joven como eres, y recibirás el nombre de Natán; yo iré al tuyo y me haré llamar Mitridanes.

—Si estuviese seguro —repuso el joven—, de obrar con tanta nobleza y sabiduría como vos lo habéis hecho, no titubearía en aceptar vuestra oferta; pero como estoy convencido de que mis obras menguarían el brillo de vuestra reputación, no quiero rebajar en detrimento de otro lo que no podría realzar por más que quisiese. Perdonad, pues, que rehúse aceptar lo que me proponéis.

Después de esta conversación volvieron al palacio, donde Natán obsequió en gran manera durante varios días a Mitridanes, y con gran ingenio y saber le animó en sus liberales y nobles propósitos.

EL AMANTE GENEROSO

*Micer Gentil de Carisendi, que ama a la hermosa
Catalina, la salva de la muerte, rescatándola de
la tumba*

A todos les pareció cosa sorprendente que alguien diera tan liberalmente su propia sangre, y sin reparo afirmaron que la generosidad de Natán había superado a la del rey de España y del abad de Cluny.

El rey, después que se hubo agotado este tema, dirigió una mirada a Lauretta y le indicó su deseo de que hablara, por lo que ésta se apresuró a decir:

—Magníficas y bellas cosas han sido las contadas, jóvenes damas, y creo que nada nos queda por decir como no echemos mano de las historias de amor, que proporcionan abundantísimo material para cualquier asunto; por consiguiente, pláceme referiros la historia de la liberalidad de un enamorado, que sin duda no os parecerá menos a las ya expuestas, si es cierto que los tesoros se dan, las enemistades se olvidan, y la propia vida, la honra y la fama, que es mucho más, exponen a mil peligros con tal de poseer el objeto amado.

Hubo en Bolonia, nobilísima ciudad de Lombardía, cierto caballero respetado por sus virtudes y por la nobleza de su sangre, llamado micer Gentil Carisendi, que se enamoró de una hermosa dama llamada Catalina, esposa de un tal Nicolás Caccianimico; y como no era correspondido por ella, se sintió tan desesperado que se encaminó a Módena para ocupar el cargo de Podestá que le habían ofrecido en esa ciudad.

Por aquel tiempo, estando Nicolás ausente de Bolonia y habiendo marchado la mujer, por hallarse encinta, a una posesión a tres millas de la ciudad, sucedió que de improviso le sobrevino una enfermedad tan repentina y grave, que hasta el médico la creyó muerta, y como sus más próximos parientes dijeran que, según ella les había manifestado, la gravidez no era tan avanzada que pudiera ser perfecta la criatura, sin más preocuparse por ello la enterraron, tal como estaba, en una tumba de una iglesia inmediata.

Este suceso fue comunicado por un amigo a micer Gentil, quien lo sintió vivamente, a pesar de la indiferencia que le había mostrado siempre Catalina, y se dijo para sí: «Tú has muerto, Catalina; mientras viviste, nunca pude obtener de ti una mirada; ahora que no puedes defenderte, porque estás muerta, quiero robarte un beso».

Cuando se hizo de noche, tras ordenar micer Gentil que se tuviese oculta su partida, salió a caballo en compañía de un criado, y llegó adonde la dama estaba sepultada. Después de abrir la tumba, entró en ella con sumo cuidado, y, echándose junto al cadáver, acercó su rostro al de Catalina y lo besó, llorando, repetidas veces. Pero como el apetito de los hombres —y muy especialmente el de los amantes— jamás llega a saciarse, pensó: «¿Por qué no pongo mi mano en su pecho? ¡Nunca la toqué, ni podré hacerlo en adelante!» Cediendo, pues, a este deseo, puso la mano en el seno del cadáver, y como allí la mantuviera por algún tiempo, parecióle que el corazón de la mujer latía ligeramente, por lo que, desechando el miedo, observó con más atención y vio que la dama no estaba muerta, aun cuando le pareciera débil y escasa la vida que en ella había.

Con ayuda de su criado, la sacó de la tumba tan suavemente como pudo, y colocándola sobre su caballo la condujo secretamente a su casa de Bolonia. Encontró allí a su madre, señora animosa y prudente, quien, cuando su hijo se lo hubo explicado todo minuciosamente, sintióse movida a piedad y prodigó a la joven toda clase de cuidados; mandó encender un gran fuego, y con baños calientes reanimó la desfallecida vida de la infeliz Catalina, que, al volver en sí, lanzó un suspiro y exclamó:

—¡Ay de mí! ¿Dónde estoy?

La excelente señora respondió:

—Anímate, que estás en lugar seguro.

Catalina, ya algo repuesta, miró en torno suyo y no reconoció el sitio donde se hallaba; y al ver ante sí a micer Gentil, rogó, maravillada, a la madre de éste que le explicara cómo había ido a parar allí, a lo que micer Gentil contó detalladamente todo lo ocurrido.

Apesarada de momento, Catalina le rogó que, por el amor que

tantas veces le había demostrado y por su caballerosidad, la condujera, en cuanto se hiciera de día, a su propia casa, sin permitir que se manchara su buena fama y la de su marido.

—Señora —repuso micer Gentil—, cualesquiera que hayan sido en otros tiempos mis deseos, no pretendo ni ahora ni nunca —pues Dios me concedió la gracia de devolveros la vida, merced al amor que os tuve—, trataros más que como a una queridísima hermana; pero el beneficio que vos habéis recibido de mí bien merece alguna recompensa, por lo que deseo no me neguéis una gracia que voy a pediros.

Benévolamente dijo Catalina que estaba dispuesta a concedérsela, con tal que pudiese hacerlo y fuese digna. Micer Gentil añadió entonces:

—Señora, todos vuestros parientes y toda Bolonia cree y tienen por cierto que estáis muerta; siendo así, la gracia que de vos deseo es que os dignéis quedaros ignorada aquí, con mi madre, hasta que yo regrese de Módena, que será pronto. Os pido esta gracia porque me propongo, en presencia de los mejores ciudadanos de este país, entregaros solemnemente a vuestro marido.

Comprendiendo la dama que estaba obligada al caballero y que su petición era honesta, aun cuando deseara vivamente devolver la alegría a sus parientes, consintió en hacer lo que micer Gentil le pedía; y así se lo prometió bajo palabra. Apenas acabada esta conversación, sintió llegada la hora del parto; por lo que, ayudada tiernamente por la madre de micer Gentil, Catalina dio a luz felizmente a un hijo varón, cosa que aumentó la alegría de la joven y de la dama. Ordenó éste que se trajese todo lo necesario y se la atendiera como si se tratase de su propia esposa, y luego volvióse en secreto a Módena.

Cuando hubo pasado el tiempo de su cargo y estaba en vísperas de regresar a Bolonia, ordenó que para el mismo día de su llegada fueran invitados a un magnífico banquete muchos y muy notables señores de Bolonia, entre los que se hallaba Nicolás Caccianimico; llegó, pues, micer Gentil, encontróse con sus invitados y halló a la dama más sana y hermosa que nunca, y visto que su hijo estaba perfectamente, mandó sentar a la mesa a los convidados y les hizo servir exquisitos manjares.

Cuando la comida llegaba a su fin, de acuerdo con lo que había dicho a la dama y el orden en que quería darles a conocer tan gran noticia, micer Gentil se expresó en estos términos:

—Recuerdo, señores, haber oído decir que en Persia existe una costumbre, digna de elogio en mi opinión, que consiste en que, cuando alguien desea honrar en gran manera a un amigo, le muestra lo más querido que tenga: su esposa o la amiga o la hija, con lo que parece dar a entender que así como muestra aquello, con mucho mayor placer le mostraría su propio corazón. Esta misma costumbre me propongo observar en Bolonia. Vosotros os habéis dignado honrar mi banquete, y yo quiero honraros al estilo de Persia, mostrándoos la cosa que más quiero en el mundo o que jamás tanto haya querido. Pero antes de hacerlo, os ruego me deis vuestro parecer sobre una duda que os indicaré. Una persona tiene en su casa a un servidor suyo, bueno y fiel, que cae gravemente enfermo; este tal, sin aguardar la muerte del servidor enfermo, lo hace llevar al medio de la calle y no se cuida más de él; llega un extraño, se apiada del enfermo, se lo lleva a su casa y le hace recobrar su anterior salud. Yo quisiera saber si teniéndole éste en casa y utilizando sus servicios, puede su señor lamentarse o quejarse razonablemente, si al reclamarlo aquél, éste no se lo quisiera devolver.

Los comensales, después de haber largamente hablado entre sí y haber sido todos de un mismo parecer, encargaron la respuesta a Nicolás Caccianimico, por ser el más apuesto y hablar con más soltura. Este, después de elogiar la costumbre de los persas, dijo que él y todos los demás allí reunidos opinaban que el primer señor ya no tenía ningún derecho sobre su servidor, puesto que lo había abandonado, o más bien, echado de casa, y que en virtud de los beneficios recibidos del segundo, parecía justo que hubiese pasado a ser servidor suyo; y que, por consiguiente, ninguna incomodidad, ninguna imposición, ninguna injuria le hacía al primero reteniéndolo.

Todos los comensales dijeron que era justo y razonable lo que Nicolás había contestado.

Micer Gentil dijo que él también era de la misma opinión, y añadió:

—Ahora, señores, ha llegado el momento de que os honre según lo prometido.

Y llamando a dos de sus criados, les encargó que fueran en busca de la dama, a la que había hecho vestir y adornar egregiamente, diciéndoles que les rogasen quisiera honrar con su presencia a aquellos señores.

Catalina tomó en brazos a su hijito y presentóse en la sala acompañada por los dos criados y, por indicación de micer Gentil, tomó asiento junto a un ilustre caballero.

Cuando todo estuvo hecho, dijo el dueño de la casa:

—Esta es, señores, la joya que más estimo en el mundo. Miradla y decidme si tengo razón.

Los comensales, después de haber elogiado su belleza y de afirmar a micer Gentil que tenía razón por estimarla tanto, comenzaron a mirarla, y muchos hubieran dicho que, de no saberla muerta, aquella mujer les era conocida. Pero quien más la miraba era Nicolás, el cual, como micer Gentil hubiese salido un instante, sin poder contenerse —ansioso por saber quién era ella— preguntó a la dama si era boloñesa o forastera.

Al ser interrogada por su marido, la dama hubo de hacer grandes esfuerzos para no responderle; no obstante, fiel a la promesa hecha a micer Gentil, nada dijo. Alguien le preguntó si era suyo aquel niño; otro si era la esposa de micer Gentil o estaba emparentada con él, pero nadie obtuvo respuesta.

Cuando micer Gentil volvió a entrar en la sala, le dijo uno de los invitados:

—Señor, es muy hermosa, pero parece muda. ¿Lo es realmente?

—Señores —repuso micer Gentil—, el no haber hablado ella ahora, es gran prueba de su virtud.

—Decidnos, pues, vos mismo —añadió el primero—, quién es. Entonces micer Gentil dijo:

—Gustoso lo haré, pero con tal que me prometáis que, diga lo que diga, nadie se moverá de su sitio hasta que haya terminado mi relato.

Todos lo prometieron, y habiéndose levantado la mesa, micer Gentil fue a sentarse al lado de la dama y prosiguió:

—Señores, esta mujer es aquel leal y fiel servidor, de quien os hablé hace poco; pues ella, poco estimada por los suyos y echada en medio de la calle como cosa vil e inútil ya, fue recogida por mí y con mi solicitud la arrebaté a la muerte. Dios, secundando mis buenos designios, me la convirtió de espantoso cuerpo en este dechado de hermosura. Pero a fin de que más claramente comprendáis cómo sucedió esto, en breves palabras os lo voy a explicar.

Y empezando por la pasión que por ella había sentido, relató lo acaecido hasta entonces, con gran asombro de todos, y después agregó:

—Por todo lo cual, si no habéis cambiado de parecer, y especialmente Nicolás, esta mujer me pertenece de derecho y nadie con justo título me la puede reclamar.

Nadie respondió a esto, antes por el contrario todos aguardaban lo que micer Gentil pudiera añadir. Este, poniéndose en pie y tomando en brazos al pequeñín y a la dama por una mano, fue hacia Nicolás y le dijo:

—Ten ánimo, compadre; no te devuelvo a tu mujer, a la que tus parientes y los suyos echaron de casa, pero quiero darte esta dama, comadre mía, con este hijito suyo que estoy seguro que engendraste tú, y que llevé a la pila bautismal dándole el nombre de Gentil; y te ruego que, aun cuando ella haya permanecido en mi casa cerca de tres meses, no por esto le tengas menos cariño. Te juro por aquel Dios que tal vez hizo que me enamorara en otro tiempo de ella, para que mi amor fuese, como lo ha sido, causa de su salvación, que jamás vivió más honestamente con sus padres ni contigo de lo que ha vivido en mi casa al lado de mi madre.

Dicho esto, volvióse a la dama, y añadió:

—Señora, desde este instante os relevo de cuantas promesas me hicisteis y os dejo con vuestro Nicolás.

Y poniendo la mujer y el niño en brazos de Nicolás, volvió a sentarse. Anhelante recibió Nicolás a su mujer y a su hijo, tanto más contento cuanto más distante estaba de esperarla, y dio las gracias al caballero de la mejor manera que pudo y supo; todos los demás, que lloraban enternecidos, colmaron de elogios a micer Gentil.

La dama fue recibida en su casa con grandes festejos, y los boloñeses la miraron durante largo tiempo con asombro y casi como resucitada. Gentil vivió siempre en amistad de Nicolás y de sus parientes y de los de la dama.

EL JARDÍN ENCANTADO

Dianora pide a micer Ansaldo un jardín de enero
hermoso como si fuese de mayo. Micer Ansaldo se lo
ofrece, comprometiéndose con un nigromante; el marido
consiente en que ella acceda a los deseos de micer
Ansaldo, quien, al conocer la liberalidad del esposo,
la absuelve de su promesa; y el nigromante, sin
exigir cosa alguna por su trabajo, libera a micer Ansaldo

Todos ensalzaron hasta el cielo la magnanimidad de micer Gentil de Carisendi. Luego, el rey ordenó a Emilia que continuara, y ésta, con desenvoltura, comenzó así:

—Delicadas damas, nadie podrá decir con razón que micer Gentil no obró munificamente; pero si alguien concluyera de ello que es imposible actuar con mayor liberalidad, no sería difícil demostrarle que está en un error, que es lo que pienso haceros ver con mi historia. .

En Friul, país, aunque frío, alegre por sus hermosas montañas, numerosos ríos y claras fuentes, hay una villa llamada Udine, en la que antaño vivió una bella y noble dama llamada Dianora, casada con un tal Gilberto, hombre riquísimo, amable y simpático.

Mereció esa dama, por sus excelentes prendas, ser apasionadamente amada por cierto noble y gran señor, llamado micer Ansaldo Gradense, cuya valentía y liberalidad eran conocidas por doquier. Como la amaba con ardor y hacía todo lo posible para ser correspondido, solicitábala a menudo por medio de embajadas, que ella no atendía; y como a la dama le disgustara la insistencia del caballero, y viese que, a pesar de sus negativas, no cesaba de amarla y solicitarla, imaginó un recurso para deshacerse del importuno. A tal fin, cierto día le dijo a la vieja mensajera que con frecuencia iba a verla de parte de micer Ansaldo:

—Muchas veces me aseguraste, buena mujer, que micer Ansaldo

me ama sobre todas las cosas, y de su parte me has ofrecido maravillosos regalos, que no he querido aceptar porque jamás consentiría en amarle ni en complacerle a cambio de ellos; pero si estuviese dispuesto a probarme su amor haciendo lo que yo le pidiera, puedes asegurarle que haría lo que él quisiera.

—¿Qué es lo que deseáis, señora? —preguntó la vieja—. ¿Qué queréis que haga él?

Contestó la dama:

—Oye lo que deseo: quiero, junto a esta villa y en el próximo mes de enero, un jardín lleno de verde hierba, de flores y árboles frondosos, como si estuviéramos en mayo; y si no lo hace, dile que no se moleste en enviarte más a ti ni a nadie, porque si continuara importunándome, así como hasta ahora nada he dicho a mi marido ni a mis parientes, en seguida me quejaría a ellos.

Al oír el caballero la petición y propuesta de Dianora, aun cuando le pareció cosa de ejecución harto difícil y aun imposible, conociendo que le pedía semejante prueba con el único objeto de deshacerse de él, propúsose, sin embargo, hacer lo que jamás pudiera hacerse en esta materia, a cuyo efecto envió a buscar por varias partes a alguien que pudiera prestarle consejo y ayuda. Finalmente, supo de uno que, mediante un buen salario, estaba dispuesto a hacerlo valiéndose de artes mágicas.

Puesto de acuerdo micer Ansaldo con el nigromante por una crecida cantidad de dinero, aguardó con impaciencia el mes de enero, llegado el cual, siendo muy intensos los fríos y estando todo cubierto de nieve y hielo, tanto hizo nuestro nigromante ayudado por su arte, que en un bellísimo prado inmediato a la ciudad, en la noche que seguía a las calendas de enero, se ofreció a los ojos de cuantos querían verlo uno de los más hermosos jardines que por aquellos parajes se vieran, con hierbas, árboles y frutas de toda especie.

Cuando micer Ansaldo lo hubo visto, loco de alegría hizo coger algunas de las más hermosas frutas y las flores más bonitas y fue a mostrarlas en secreto a Dianora, invitándola a ver el jardín por ella pedido, para que se convenciera de su amor y, atendiendo a la promesa hecha, la cumpliera como leal mujer.

La dama, al ver los frutos y las flores, y porque ya había oído comentar las maravillas de aquel jardín, comenzó a arrepentirse de su promesa. No obstante, como mujer curiosa que era de ver cosas nuevas, fue al jardín con otras damas de la ciudad. Después que, no sin gran asombro, lo hubo examinado y ensalzado, volvió a su casa con el corazón afligido, pensando en lo que por aquello se veía obligada. Su pesar era tan grande que, no pudiendo ocultarlo, apareció de tal manera que su marido se dio cuenta de ello y quiso saber la causa. La dama, por vergüenza, calló por un rato lo que ocurría; pero, al fin, se lo manifestó todo. Al principio Gilberto sintió gran enojo; mas luego, considerando la buena intención de su esposa, renunció con mejor acuerdo a su propia ira, y dijo:

—Dianora, no es de mujer prudente y honesta dar oídos a tales embajadas, ni pactar bajo condición alguna con nadie la propia castidad. Las palabras que al corazón llegan desde los oídos, tienen mayor fuerza de lo que muchos se figuran, y a los enamorados casi todo les parece posible. Mal obraste, pues, primero en escuchar, y, después, en pactar. Pero como conozco la pureza de tu ánimo, para librarte del compromiso de tu promesa te concederé lo que ningún otro haría. Por otra parte, me induce a ello el temor al nigromante, a quien tal vez micer Ansaldo, si tú hicieras víctima de una burla, indujera a que ejerza sobre nosotros algún maleficio. Deseo, pues, que vayas a él y hagas todo lo posible para que, salvando tu honestidad, quedes relevada de tu promesa; y si no lo lograras, ceda por esta vez el cuerpo, pero resista el corazón.

Al oír a su marido, Dianora lloraba y se negaba a admitir tal gracia de él. Pero Gilberto, a pesar de la empeñada resistencia de su esposa, quiso que así fuese, por lo que, llegada la aurora, la dama se dirigió a casa de micer Ansaldo, precedida de dos criados y acompañada de una camarera.

Grande fue la sorpresa de micer Ansaldo al saber que Dianora estaba en su casa. Se levantó, y haciendo llamar al nigromante, le dijo:

—Ven a ver cuanto bien me ha proporcionado tu arte.

En seguida salió al encuentro de la dama, la recibió con honesta reverencia, sin dejarse llevar por ningún desordenado apetito, hízola entrar con sus acompañantes en una habitación espléndida, y después de invitarla a sentarse, dijo:

—Señora, si el amor que os he profesado merece alguna recompensa, os ruego me digáis abiertamente la razón de haber venido a mi casa a semejante hora y con tal compañía.

La dama, avergonzada y con lágrimas en los ojos, respondió:

—Caballero, no me traen aquí ni el amor que os tengo ni mi palabra empeñada, sino el mandato de mi marido, quien, respetando más las difíciles empresas de vuestro desordenado amor que su honra y la mía, me ha obligado a venir; y por este mandato estoy dispuesta, por esta vez, a complaceros.

Si micer Ansaldo se sorprendió ante la inesperada visita, sus palabras le maravillaron mucho más, y, alentado por la generosidad del marido, su anhelo se trocó en compasión. Y dijo:

—No permita Dios, señora, puesto que es tal como decís, que sea tan desleal e ingrato que manche la honra de quien se compadece de mi amor; por lo tanto, mientras permanezcáis aquí, y podéis permanecer cuanto os plazca, tened la seguridad de que seréis respetada cual si fueseis mi hermana, y cuando os parezca podréis iros con esta condición: daréis a vuestro marido las gracias que creáis oportunas por su generoso proceder, a la par que le roguéis que ahora y siempre me tenga por hermano y servidor suyo.

Loca de alegría al oír estas palabras, Dianora contestó:

—Mucho me costaba creer, atendiendo a vuestras costumbres, que al venir aquí pudierais tratarme de diverso modo a como lo habéis hecho, por lo que os quedaré reconocida siempre.

Y despidiéndose respetuosamente de él, regresó a su casa y refirió a Gilberto lo sucedido, de lo que resultó entre ambos caballeros una estrecha y leal amistad.

El nigromante, a quien micer Ansaldo se disponía a entregar la cantidad ofrecida, al ver la munificencia de Gilberto para con micer Ansaldo y la de éste para con Dianora, dijo:

—No quiera Dios, después de haber visto a Gilberto dadivoso de su honra y a vos de vuestro amor, que no lo sea yo también de mi recompensa, por lo que, convencido que que así es mejor, quiero que os quedéis con ella.

El caballero insistió en hacerle tomar todo o al menos parte de lo que le correspondía, pero todo fue en vano. Y al cabo de tres días, habiendo destruido el nigromante su obra mágica, se despidió afectuosamente y partió. En cuanto a micer Ansaldo, consiguió ahogar el concupiscente amor que sentía por Dianora, que quedó convertido en el más honesto afecto.

LAS PESCADORAS

*El rey Carlos el Viejo se enamora de una jovencita
pero, avergonzado de su loco pensamiento, casa
honrosamente a ésta y a una hermana suya*

Resultaría difícil exponer los diversos razonamientos sostenidos
por las damas acerca de cuál de los tres se mostró más espléndido,
si Gilberto, micer Ansaldo o el nigromante.

Después que el rey permitió la discusión durante un rato, miró
a Fiammetta y le indicó que tomara la palabra; y ella, sin esperar
más, inició así su relato:

—Gentiles señoras, siempre opiné que en reuniones como las
nuestras debería hablarse con amplitud, para que la excesiva estre-
chez de las cosas dichas no diera pie para discutir. Esto es más propio
de las escuelas y de los escolares que de nosotras, que apenas nos
bastamos para la rueca y el huso, y por ello, al ver suscitarse tantas
discusiones, renunciaré a ciertas dudas que me habían asaltado y os
contaré lo que no un hombre cualquiera, sino un valeroso rey,
caballerosamente hizo sin que nada menoscabara su honor.

Todas vosotras habréis oído hablar muchas veces del rey Carlos
el Viejo, o sea el primero, por cuya magnífica empresa y por la
gloriosa victoria obtenida sobre el rey Manfredo fueron arrojados de
Florencia los gibelinos y volvieron los güelfos.

Durante aquella guerra, un caballero llamado micer Neri, de la
casa de los Uberti, que de allí hubo de salir con toda su familia y sus
bienes, no quiso refugiarse sino en la protección del rey Carlos. Y
para vivir en lugar solitario y terminar allí en reposo sus días, partió
para Castellamare di Stabia, donde compró un magnífico terreno
plantado de olivos, nogales y castaños —que son los árboles más

abundantes en aquel país—, situado a tiro de ballesta de las demás mansiones, y edificó en él una bella y espaciosa casa, con un jardín encantador al lado en cuyo centro, como tuviera agua en abundancia, construyó un vivero a nuestra usanza, muy vistoso, que fácilmente llenó de peces.

Y no atendiendo a otra cosa que a embellecer cada vez más su jardín, sucedió un buen día que el rey Carlos, buscando reposo, se trasladó en el verano a Castellamare, y como hubiese oído hablar con elogio del hermoso jardín de micer Neri, tuvo deseos de verlo. Sabiendo a quién pertenecía, pensó que, puesto que el caballero era del bando contrario al suyo, debía comportarse más amistosamente con él, para atraérselo a su partido, y le envió a decir que al día siguiente iría, sin boato alguno, a cenar en su jardín, con cuatro de sus caballeros.

Mucho agradó a micer Neri semejante noticia; arregló magníficamente el lugar, y dispuso con sus criados cuanto debían hacer para recibir con toda dignidad al monarca en su jardín.

El rey, después que hubo visto y encomiado la casa y el jardín de micer Neri, estando dispuestas las mesas junto al vivero, se sentó a una de ellas luego de haberse lavado las manos en la fontana, y ordenó que a su izquierda se sentara el conde Guido de Monforte, que era uno de sus compañeros, y a su derecha micer Neri; y a los otros tres caballeros que con él venían, ordenó tomaran asiento en el orden indicado por el dueño de la casa.

Delicados fueron los manjares, exquisitos los vinos y admirable el orden del servicio, que el rey elogió en gran manera. Y mientras cenaba alegremente y paseaba sus miradas, satisfecho, por aquel delicioso lugar, penetraron en el jardín dos jovencitas de unos quince años, rubias como el oro y con el cabello ensortijado y adornado con una guirnalda de vincapervinca. Sus rostros eran tan delicados y bellos, que más parecían ángeles que mujeres. Llevaban una túnica de lino finísimo, blanco como la nieve, muy ceñida de la cintura para arriba y muy amplia hacia abajo. La que iba delante llevaba a los hombros un par de redes, que sostenía con la mano izquierda, mientras que la derecha se apoyaba en un bastón bastante largo. La otra llevaba una sartén sobre el hombro izquierdo y bajo el brazo un pequeño haz de leña; de una mano pendía un trébede, y de la otra, una aceitera de barro y una tea encendida.

Maravillado el rey ante aquella aparición, esperó a ver qué significaba aquello. Las jovencitas se adelantaron, tímidas y ruborosas, y saludaron al monarca con una reverencia, dirigiéndose en seguida a la entrada del vivero. Una vez allí, la que llevaba la sartén la depositó en el suelo con todo lo demás, tomó el bastón que la otra tenía en la mano, y ambas entraron en el vivero hasta que el agua les llegó hasta el pecho. Uno de los criados de micer Neri encendió el fuego con la leña, y tras poner la sartén encima del trébede y verter aceite en ella, quedó aguardando que las jovencitas le echaran algunos peces del estanque. Entretanto, una de ellas hurgaba en aquellos sitios donde sabía que los pececillos se ocultaban, y la otra preparaba las redes, con gran placer del rey, que todo lo miraba atentamente. En poco rato pescaron bastantes peces, que entregaron al criado, el cual los ponía casi vivos en la sartén, según se le había enseñado y después los colocaba en la mesa, ante el rey Carlos, el conde Guido y el padre de las muchachas, que al ver los saltos que hacían, tenían muy grata diversión. El rey tomaba algunos de aquellos peces y los volvía a tirar a las lindas pescadoras; y así, durante un buen rato, siguieron cortésmente jugando, hasta que el criado hubo frito toda la pesca que le habían entregado y que, por orden de micer Neri, pasó a constituir sabroso entremés en la mesa real.

Por último, las jovencitas salieron del vivero, con las blancas y sutiles túnicas pegadas a sus cuerpos, de modo que ninguna de sus formas se velaba, y después de recobrar los aparejos, pasaron por delante del rey, más ruborosas que antes, y regresaron a la casa.

El rey Carlos, el conde y los caballeros contemplaron, arrobados, a las doncellas, elogiando en sus corazones la juvenil belleza de aquellos cuerpos tan bien formados, tanto más atractivos cuanto más gentiles y honestas eran las muchachas; pero a nadie gustaron tanto como al rey, que tan detenidamente las había contemplado al salir del agua, que si en aquel instante alguien le hubiera pinchado no lo hubiese sentido. Y pensando más y más en ellas, sin saber quiénes eran ni de dónde venían, sintió despertar en su corazón el ardiente deseo de agradarlas, por lo que comprendió que se enamoraría, si no ponía remedio, sin saber él mismo cuál de las dos le gustaba más, por ser tanta la semejanza entre una y otra.

Después que hubo estado largo rato pensando en ellas, volviéndose a micer Neri la preguntó quiénes eran aquellas dos damiselas; a lo que el interpelado contestó:

—Son hijas mías, monseñor; una se llama Ginebra la bella, y la otra, Isotta la rubia.

Elogiándolas mucho el rey, animándole a que las casara, de lo que micer Neri se excusó diciendo que no tenía medios para hacerlo.

Sólo faltaba servir los postres, cuando volvieron las doncellas con sus jubones de seda, ambas bellísimas, llevando en las manos dos grandes bandejas de plata con frutos de la estación, que colocaron sobre la mesa, ante el rey. Hecho lo cual, retrocedieron unos pasos, y con dulzura y gracia entonaron una canción que empezaba así:

> *La ov'io son giunto, amore,*
> *non si poria cantare lungamente...*(1)

El rey las oía y contemplaba con deleite, pareciéndole que todas las jerarquías angélicas habían descendido a cantar en aquel jardín.

Terminada la canción, ambas se arrodillaron con reverencia y pidieron al rey licencia para retirarse; éste, aun cuando apenado, pues hubiera deseado retenerlas a su lado algunos momentos más, las despidió con buena cara.

Terminada la cena, y después que el monarca y sus acompañantes se hubieron despedido de micer Neri, montaron a caballo y, charlando, llegaron al palacio real.

El rey mantenía oculta su pasión; pero no pudiendo olvidar, ni por los más graves asuntos de gobierno, la hermosura y gracia de Ginebra la bella, por cuyo amor también de igual manera amaba a su hermana, tanto se dejó prender en las amorosas redes, que casi no podía pensar en otra cosa. Con cualquier pretexto iba a visitar a micer Neri, y con bastante frecuencia se entretenía en su hermoso jardín con la esperanza de ver a Ginebra.

Finalmente, viendo que no podía dominarse más y habiéndosele ocurrido el pensamiento, por no saber dar con otro medio, de arrebatarle al padre, no solamente una, sino las dos hijas, manifestó su amor y su intención al conde Guido, el cual, como era hombre de bien, le contestó:

—Mucho me sorprende, monseñor, lo que decís; y es tanta mayor mi sorpresa, porque mejor que nadie os conozco desde vuestra adolescencia hasta hoy. Y no habiéndome parecido jamás en vuestra juventud, durante la cual el amor debía clavaros más fácilmente sus flechas, que tal pasión hubieseis conocido, al oíros ahora, que estáis cercano a la vejez, tal extrañeza me causa el veros enamorado, que

---

(1) Allí donde he llegado, Amor, —cantar por mucho tiempo no podría...

casi me parece un milagro. Si me estuviese bien el reprenderos, bien sé lo que os diría, atendiendo a que estáis aún, como quien dice, con las armas en la mano en país recién conquistado, en una nación desconocida, llena de engaños, de traiciones y enteramente ocupado en arduos negocios y elevados asuntos que parece que aún no habéis tenido reposo para instalaros como os conviene. ¡Y que en medio de tan importantes cosas hayáis dado lugar a las lisonjas del amor! Esto no es propio de rey magnánimo, sino de pusilánime jovencito. Decís, además, lo cual es mucho peor, que habéis resuelto quitarle sus dos hijas al pobre caballero que en su casa os ha obsequiado más de lo que podía, y que para mejor honraros os las ha presentado casi desnudas, testificando con esto cuánta es la confianza que en vos tiene y de que cree firmemente que vos sois rey y no lobo rapaz. ¿Tan pronto habéis olvidado que la violencia hecha por Manfredo a doncellas y mujeres os ha abierto la puerta de este reino? ¿Qué traición se cometió jamás más digna de eterno suplicio, que la de quitar a quien tanto os honra, su honor, su esperanza y su consuelo? ¿Qué diría, si esto hicierais? Vos juzgáis, tal vez, que sería excusa suficiente el decir: «Lo hice porque es un gibelino». Pero ¿acaso tal cosa es digna de la justicia de un rey? ¿Puede tratar de esta suerte a quienes en tal forma se ponen bajo su amparo? Os recuerdo, monseñor, que grande es vuestra gloria al haber vencido a Manfredo, pero mayor gloria es vencerse a sí mismo; por consiguiente, vos, que gobernáis a los demás, venceros a vos mismo, refrenad este apetito, para no ensombrecer con semejante mancha lo que habéis conquistado gloriosamente.

Estas palabras hirieron el ánimo del rey, y tanto más le afligieron cuanto más ciertas las comprendía; por lo que, tras un suspiro, contestó:

—Tengo por cierto, conde, que para el guerrero diestro y valeroso no hay enemigo, por fuerte que sea, al que no venza con más facilidad que a su propio apetito; pero por más que mi deseo sea incontenible y grande la fuerza de mi inclinación, vuestras palabras me han hostigado de tal manera que, sin pérdida de tiempo, debo demostrar con mis acciones que si sé vencer gloriosamente a los demás, también sé dominarme a mí mismo.

Pocos días después de esta conversación, vuelto el rey a Nápoles, para apartarse de cualquier ocasión de obrar villanamente y para premiar dignamente al caballero que con tanto honor le había recibido, aun cuando le costara gran trabajo ceder a otro lo que en gran manera deseaba para sí, resolvió casar a las dos hijas de micer Neri como si fueran suyas y no de un enemigo. Y habiéndolas dotado ricamente, con gran placer del padre, dio a Ginebra la bella a micer Maffeo de Palizzi, y a Isotta la rubia a micer Guillermo dalla Magna, nobles caballeros y ricos barones ambos. Y hecho esto, se volvió a la Apulia con viva pena, y tanto maceró con incesantes fatigas su apetito, que, rotas al fin las amorosas cadenas, quedó libre de tal pasión por todo el resto de su vida.

Tal vez alguien diga que nada sorprendente hay en que un rey case de esta manera a dos jovencitas. Convengo en ello. Pero es empresa grandísima el haberlo hecho un rey enamorado, casando a las mujeres que él amaba sin haber cogido de aquel amor ni hojas ni flores ni frutos. Así obró el magnánimo rey Carlos, premiando al noble caballero, honrando laudablemente a las dos doncellas, y, lo que es más aún, venciéndose a sí mismo.

LISA Y EL REY PEDRO

*El rey Pedro, sabedor del ardiente amor que le
profesa Lisa, que por pasión hacia él cae enferma,
la anima y luego la casa con un noble joven. Después,
besándola en la frente, se proclama su caballero*

Fiammetta había terminado su historia y todos ensalzaron la viril magnificencia del rey Carlos, aunque alguna de las presentes (sin duda por ser gibelina) se mantuvo en silencio. Luego, atendiendo a la orden del rey, Pampinea comenzó a decir:

—Queridas damas, ninguna persona que sea discreta dejará de alabar al buen rey Carlos, a no ser que le quisiera mal por algún otro motivo; pero como acude a mi mente un hecho tal vez no menos digno de alabanza, llevado a cabo por un adversario de dicho rey en la persona de una conciudadana nuestra, quiero contároslo ahora.

En la época en que los franceses fueron expulsados de Sicilia, vivía en Palermo un boticario florentino llamado Bernardo Puccini, hombre muy rico que de su esposa no había tenido más que una hija, doncella hermosísima y ya casadera. Y habiendo venido a ser señor de la isla el rey Pedro de Aragón, celebraba en Palermo brillantísimas fiestas con sus nobles, y combatiendo el rey en un torneo a la catalana, acaeció que la hija de Bernardo, cuyo nombre era Lisa, se hallaba en una ventana, y al ver al rey quedó tan prendada de él, que, viéndole una y otra vez, se enamoró perdidamente. Terminadas las fiestas, hallándose en casa de su padre, no podía pensar en otra cosa que no fuera su magnífico y elevado amor. Pero la afligía la conciencia de su ínfima condición, que no le dejaba esperanza alguna; sin embargo, no se decidía a renunciar a la dicha de amar al rey, aunque no se atrevía a ponerlo de manifiesto.

Por su parte, el rey nada había advertido y ni siquiera conocía a la joven, lo cual llenaba a Lisa de pesadumbre. Así, creciendo de día en día el amor en su corazón joven y ardiente, nació en su pecho tal melancolía, que la hermosa muchacha acabó por caer enferma, y día a día íbase consumiendo, como nieve al sol. Sus padres, entristecidos por lo que ocurría, le procuraron los cuidados necesarios; pero todo era en vano, porque Lisa, desesperando de conseguir el objeto de su amor, prefería no seguir viviendo.

Como su apenado padre le ofreciera la satisfacción de todos sus deseos, ocurriósele a Lisa la idea de hacer llegar a conocimiento del rey su pasión antes de morir, y a este fin le rogó que mandase llamar a Minuccio de Arezzo.

Ese Minuccio era tenido en aquellos tiempos como notable cantor y músico, al que gustosamente oía el rey Pedro; el juglar pensó que Lisa seguramente deseaba oírle cantar alguna balada, y como hombre gentilísimo que era, se apresuró a acudir; y después que la hubo animado algo con cariñosas frases, tocó suavemente en su vihuela algunas cancioncillas y entonó después varias baladas, todo lo cual era fuego y llama para el amor de la joven, cuando él creía consolarla con ello.

Cuando cesó de cantar, la enferma pidió que la dejaran a solas con Minuccio, para hablar con él. Y cuando todos se hubieron ido, díjole:

—Te he elegido a ti, Minuccio, para guardián fiel de un secreto mío, confiando que no lo revelarás sino a quien te diré, por lo que te ruego me ayudes en lo que puedas. Debes saber, amigo Minuccio, que el día en que nuestro rey Pedro celebró aquella gran fiesta de su advenimiento al trono, le vi mientras él torneaba, en tal fatal momento para mí, que una turbación desconocida se apoderó en seguida de mi alma, tan grande que me ha conducido al estado en que me ves; y sabiendo cuán mal ha de acomodar mi amor a un rey, y no pudiendo echar este deseo de mi corazón ni disminuirlo, he decidido morir, para acabar con mi pena, y así lo haré. La verdad es que me iría muy desconsolada de este mundo si antes no lo supiera él, y no sabiendo yo por quién pudiera darle a conocer mi secreto, pensé en ti, y te suplico que no te niegues a hacerlo; una vez que lo hayas hecho, ven a decírmelo, para que pueda morir consolada y libre de estas penas.

Las lágrimas no la dejaron continuar.

Admiróse Minuccio de la grandeza de ánimo de aquella joven y de su terrible propósito; compadecióla en gran manera pero pensando cómo podría honestamente servirla, dijo:

—Te doy mi palabra, Lisa, de que puedes estar segura de que jamás faltaré a la promesa dada; y alabándote por tan alta empresa como es haber puesto el pensamiento en tan gran rey, te ofrezco mi ayuda, con la que haré de manera que, con sólo que tú quieras animarte, antes de que pasen tres días podré traerte noticias que te serán muy gratas; y para no perder instante, voy a hacerlo ahora mismo.

Lisa le instó de nuevo, deseándole el mayor éxito en su embajada, y le dejó que se fuera con Dios.

Al salir de aquella casa, Minuccio encontró a un tal Mico de Siena, bastante buen poeta en lengua vulgar, y le rogó que le escribiera una cancioncilla.

Hela aquí:

> *Muoviti, amore, e vattene a Messere,*
> *e contagli le pene ch'io sostegno:*
> *digli c'a morte vegno,*
> *celando por temenza il mio volere.*
> *Mercede, amore, a man giunte ti chiamo*
> *c'a messer vadi, la dov'e dimora,*
> *di'che sovente lui disio ed amo,*
> *si dolcemente lo cor m'innamora*
> *e per lo focco ond'io tutta m'infiamo,*
> *temo morire, e giá non saccio l'ora*
> *ch'i'parta·da si grave pena dura,*
> *la qual sostegno per lui, disiando,*
> *temendo e vergognando,*
> *de il mal mio, pero Dio, fàgli sapere,*
> *Poiché di lui, amor, fu'innamorata,*
> *non mi donasti ardir, quanto temenza,*
> *che io potessi sola una fiata*
> *lo mio voler dimostrare in parvenza*
> *a quegli che mi tien tanto affannata:*
> *cosi morendo, il morir n'é gravezza.*
> *Forse che non gli saria spiacienza,*
> *se el sapesse quanta pena i'sento,*
> *s'a me dato ardimento*
> *avesse in fargli mio stato sapere.*

Poiche'n piacere non ti fu, Amore,
s'a me donasse tanta sicuranza
c'a messer far savessi lo mio core,
lasso! per messo mai o per sembianza:
mercé ti chero, dolce mio signore,
che vadi a lui, e donagli membranza
del giorno ch'io il vidi a scudo e lanza
con altri cavalieri arme portare:
presilo a riguardare
innamorata si, che'l mio cor pere (1).

A estas estrofas Minuccio adaptó una música suave y plañidera, como la naturaleza de los versos requería, y al tercer día se fue a palacio. Hallándose aún comiendo el rey Pedro, le hizo sentar a la mesa y le pidió que cantara alguna cosa, acompañándose con la vihuela.

Minuccio comenzó a cantar con tal dulzura las quejas de aquel amor desdichado, que cuantos estaban en la real estancia escucharon atentos, silenciosos y sorprendidos, y el rey, casi como los demás. Cuando hubo acabado de cantar, preguntóle el monarca de dónde había sacado aquella canción, pues no recordaba haberla oído nunca.

—Monseñor —respondió Minuccio—, no hace aún tres días que los versos y la música han sido compuestos.

Y como el rey le preguntara quién era su autor, contestó Minuccio:

—No osaría revelarlo a nadie sino a vos.

El rey, curioso por saberlo, una vez terminada la comida se retiró a sus habitaciones con él, y allí Minuccio le refirió detalladamente

_____

(1) Muévete, Amor, y vete a mi amado — a decirle la pena que yo tengo; — dile que voy desfalleciendo, — ocultando, temerosa, mi querer. — Gracias, Amor, juntas las manos, reclamo — que a mi amado vayas, sin demora, — repítele que le deseo y amo, — que dulcemente mi corazón enamora — y que por el fuego que me hace arder — temo el morir, de una a otra hora, — por este grave y duro dolor, — que por él vengo sufriendo — con deseo, temor y aturdimiento, — mi mal, por Dios, hazle saber. — Que cuando de su amor fui enamorada, — éste no me dio atrevimiento, sino temor, — sin que yo pudiera por una sola vez — mi cariño demostrar de ninguna forma, — a aquel que me tiene, con tanto anhelo, — así muriendo y el morir es doloroso — cuando pienso que a él le placería — hacerle saber cuánto es mi sentimiento. — Pues no te gustará, Amor, que muera — por no haber dado mi mensaje a mi amado, — cuéntale de mi corazón lastimado, — y gracia te pido, dulce señor mío, — para que vayas a él y le recuerdes — que, desde el día que le vi, con escudo y lanza — con otros caballeros armados, — enamorada estoy y mi corazón muere.

cuanto había visto y oído. Mucho lo celebró el rey, y, elogiando a Lisa, dijo que quería compadecerse de tan animosa muchacha, pidiendo a Minuccio que fuese de su parte a consolarla, porque al anochecer de aquel mismo día él en persona iría a visitarla.

Contentísimo de llevar tan agradables nuevas, Minuccio fue sin tardanza a ver a la enferma, le contó todo lo acaecido, y luego la hizo oír la canción, acompañándose con la vihuela.

Lisa sintió tal satisfacción y alegría, que en seguida aparecieron en ella señales evidentes de mejoría; y sin que nadie de la casa lo presumiese, se dispuso a esperar con ansia el anochecer, hora en que le sería posible ver a su señor.

El rey, que era generoso y benévolo, después que hubo pensado más detenidamente en lo que oyera de Minuccio, y conociendo muy bien a la joven y su hermosura, sintióse aún más compasivo. Llegada la hora del crepúsculo montó su mejor caballo, y fingiendo ir a pasear por pasatiempo, se encaminó a casa del boticario; una vez allí, después de pedir que le abrieran un bellísimo jardín que delante de la casa había, descabalgó, preguntóle a Bernardo qué era de su hija y si ya estaba casada. A lo que Bernardo respondió:

—No está casada, monseñor; antes bien, ha estado y aún está muy enferma, aunque desde la hora de nona ha mejorado de una manera sorprendente.

En seguida comprendió el rey lo que aquella mejoría significaba, y dijo:

—Lástima sería, a la verdad, que tan temprano le fuera arrebatada al mundo mujer tan bella. Queremos visitarla.

Y acompañado únicamente de dos cortesanos y de Bernardo, se encaminó a la habitación de Lisa y una vez allí, se dirigió al lecho donde le esperaba anhelante la joven. Cogiéndole las manos, le dijo:

—¿Qué significa esto, madonna? Sois joven y deberíais animar a los demás, y, sin embargo, os dejáis dominar por el mal. Os suplicamos, por amor nuestro, que os animéis de tal manera que podáis muy pronto restableceros.

Al sentir el contacto de las manos de aquel a quien amaba sobre todas las cosas, la joven se ruborizó, aunque en el fondo de su alma experimentaba el más dulce contento. Hizo un esfuerzo y balbució.

—Señor, el querer someter mis escasas fuerzas a tan grave peso, me causó esta enfermedad, de la que vos, con vuestras bondades, muy pronto me libraréis.

Unicamente el rey entendió esas encubiertas frases, y cuanto más miraba a la joven, más deseaba contemplarla, y maldecía a la fortuna que había hecho hija de aquel hombre a mujer tan bella; y tras permanecer un rato con ella animándola, se despidió.

El acto humanitario del rey fue muy elogiado y considerado como un gran honor para el florentino y su hija, que quedó tan contenta como jamás mujer alguna lo estuvo con su amante. Animada por las mejores esperanzas, curó en pocos días, pareciendo más hermosa que nunca.

Pocos días después, el rey consultó con la reina qué recompensa merecía el gran amor demostrado por la doncella, y montando a caballo, con varios cortesanos, fue a casa del boticario, entró en el jardín y pidió al buen hombre que llamara a su hija. Poco después llegó la reina con muchas damas, que, recibiendo entre ellas a la joven, hicieron en su honor gran fiesta.

Más tarde, el rey, junto con la reina, llamó a Lisa, y el monarca le dijo:

—El gran amor que nos habéis mostrado, virtuosa joven, os ha hecho acreedora a un gran honor que deseamos que, por afecto a nos, recibáis con gran contento. El honor de que os hablamos es éste: como ya sois casadera, queremos que toméis por marido al hombre que os demos, lo cual no impide que en adelante nos mismo nos llamemos vuestro caballero, sin pedir por ello otra recompensa que daros un beso.

La joven, cuyo rostro había encendido el rubor, haciendo suya la voluntad del rey, respondió:

—Muy segura estoy, señor, de que si se supiera que yo me había enamorado de vos, la gente me tendría por loca, creyendo que olvidé quién soy y que desconozco vuestra condición y la mía. Pero Dios, que ve el corazón de los mortales, sabe bien que en el punto y hora en que me prendé de vuestra presencia comprendí que vos erais el rey y yo la hija del boticario Bernardo, con lo que no era discreto que pusiera mi amor en tal alto objeto. Pero como vos sabréis mejor que yo, nadie se enamora según debida y prudente elección, sino según su apetito y placer, ley a la cual muchas veces se opusieron mis fuerzas, sin que lograra dejar de amaros. Y es la verdad que cuando me sentí presa de amor por vos me propuse siempre que vuestra voluntad fuera la mía, por lo que no sólo tomaré gustosa por marido a quien queráis darme, lo cual será mi honra y mi deber, sino que incluso hallaría placer en estar en el fuego, si con ello os diera gusto. En cuanto a teneros a vos, monseñor, por caballero, vos mismo sabéis mejor que yo cuanto supera a mis méritos, por lo que nada digo; ni ese beso que pedís por mi amor os será dado sin la licencia de la reina, mi señora. Que Dios os dé gracias y recompensas por mí, pues nada tengo yo para daros.

Tras estas palabras, guardó silencio.

En gran manera complugo a la reina la respuesta de la joven, y la estimó tan prudente como el rey le había dicho. Hizo el soberano llamar a los padres de la joven, y viéndoles contentos por lo que se proponía hacer, ordenó que fuese a su presencia un joven llamado Perdicone, gentil pero pobre, y poniéndole unos anillos en la mano, con satisfacción de ambos, hizo que se casara con Lisa. Acto seguido, además de numerosas joyas, a las que la reina unió otras suyas para Lisa, el rey les dio Ceffalú y Calatabellotta, tierras de gran riqueza, y dijo al joven esposo:

—Esto te damos como dote de tu mujer; lo que por ti pensamos hacer lo verás más adelante.

Y dichas estas palabras, volviéndose hacia la joven añadió:

—Ahora deseamos tomar el fruto que de vuestro amor nos corresponde.

Y tomándole la cabeza con ambas manos, la besó en la frente.

Perdicone y Lisa, en compañía de sus padres, hicieron gran fiesta, y celebraron sus nupcias con grande alegría.

Según muchos dicen, el rey cumplió fielmente lo pactado con la joven, pues mientras vivió no dejó de llamarse su caballero, no participando jamás en ningún hecho de armas sin llevar la divisa que la joven le hubiera enviado.

Obrando como este prudente rey se conquistan los ánimos de los súbditos, se da a otros ejemplo de bien obrar y se adquiere imperecedera fama; a ninguna de cuyas cosas pocos, por no decir ninguno, llegan hoy, ni tienen presto el entendimiento para este objeto, porque la mayoría de los señores se han convertido en abominables tiranos.

DOS AMIGOS GENEROSOS

Sofronia, a quien se creé esposa de Gisippo, lo es de Tito Quinto Fulvio, con quien se va a Roma, adonde llega Gisippo en miserable estado, y convencido de que Tito le desprecia se acusa de haber asesinado a un hombre, para así poder morir. Tito reconoce a su amigo, y para salvarle dice que él fue el asesino, y al ver esto el verdadero culpable se denuncia a sí mismo. Octaviano pone en libertad a todos, y Tito da a Gisippo por esposa a su propia hermana y comparte con él sus bienes

Habiendo terminado Pampinea su historia y después que todos hubieron elogiado mucho al rey Pedro y a Lisa, Filomena comenzó así, por indicación del rey:

—Magníficas señoras, ¿quién no sabe que los reyes pueden, cuando lo desean, hacer todas las cosas grandes, y que de ellos se espera, sobre todo, que sean magnánimos? Quien, pudiéndolo, hace lo que le corresponde, obra bien; pero no debe maravillarse tanto de ello el hombre, ni ensalzarlo en demasía, como debería hacerse con otro cualquiera que lo hiciese y a quien por sus pocas posibilidades no se pudiera exigir. Por consiguiente, si tanto ensalzáis las obras de los reyes, y tan bellas os parecen, no dudo que más elogiadas deben ser las de nuestros iguales, cuando son parecidas a las de los reyes. Por esto me he propuesto referiros la historia de los laudables hechos y la liberalidad de dos amigos, honrados ciudadanos como nosotros.

Cuando Octaviano César, no llamado aún Augusto, pero componente ya del triunvirato, regía el Imperio romano, vivía en Roma un hombre ilustre, llamado Publio Quinto Fulvio, el cual tenía un hijo, Tito Quinto Fulvio de nombre, joven de maravilloso ingenio, al que mandó a Atenas a estudiar Filosofía, recomendándole mucho a un noble varón de aquella tierra llamado Cremetes, antiguo amigo suyo. Tito fue alojado en casa de ese ateniense, en compañía de un hijo de éste, llamado Gisippo, con el que recibía las lecciones de un filósofo de nombre Arístipo. Gracias a aquel trato frecuente fue tanta la intimidad que nació entre ambos jóvenes, que más que amigos parecían hermanos, de manera que sólo la muerte podría separarlos. No se sentían contentos sino cuando estaban juntos. Unidos habían comenzado los estudios, y como ambos estaban dotados de gran ingenio, escalaban juntos las gloriosas alturas de la Filosofía con igual paso e idéntica alabanza. Y así vivieron tres años, con gran contento de Cremetes, que al uno lo mismo que al otro consideraba como hijo. Transcurrido ese tiempo, como sucede con todas las cosas, llegó el fin de los días de Cremetes, que era ya viejo, y partió de este mundo, de lo que ambos jóvenes recibieron idéntico dolor, como si del propio y común padre se tratara, y ni amigos ni parientes sabían a quién prodigar mayor consuelo.

Transcurridos algunos meses, los parientes de Gisippo, ayudados por Tito, le instaron a que buscara esposa y le propusieron una joven de singular belleza, descendiente de nobles padres y ciudadana de Atenas, llamada Sofronia, y de unos quince años de edad.

Cercano ya el día de las bodas, rogó Gisippo a Tito que le acompañara a visitar a la joven, a la cual el segundo no conocía aún; y cuando llegaron a su casa, mientras Sofronia estaba sentada entre ambos, comenzó Tito a mirarla muy atentamente, casi como juez de la belleza de la futura esposa de su amigo, y le gustaron desmesuradamente cada una de sus partes. Mientras en su corazón alababa cálidamente tanta belleza, enamoróse tan ardientemente, sin dar muestra de ello, que ningún amante puede haber sentido semejante pasión por su amada. Y después que ambos jóvenes pasaron un buen rato con Sofronia, volviéronse a su casa.

Tito se retiró a su habitación y allí comenzó a pensar en la bellísima joven, encendiéndose en su pasión cuanto más en su pensamiento se detenía; hasta que, comprendido lo que le ocurría, exclamó para sí, entre cálidos suspiros: «¡Oh, desdichado Tito! ¿Dónde y en qué pones tu pensamiento, tu amor y tus esperanzas? Los beneficios, los honores que has recibido de Cremetes y de su familia, la entrañable amistad de Gisippo y tú, te imponen el deber de reverenciar a esa joven como a una hermana. ¿Qué es lo que amas, pues? ¿En qué pones tus esperanzas? Abre los ojos de la razón y reconócete, miserable; refrena el concupiscente apetito y dirige a otro punto tus pensamientos; véncete a ti mismo mientras estás a tiempo. No puedes querer lo que quieres, pues no sería honesto; lo que te dispones a seguir, aun estando seguro de lograrlo (lo que no sabes) deberías evitarlo si repararas en lo que es la verdadera amistad y en lo que tú debes. ¿Qué vas a hacer, Tito? Si quieres cumplir con tu deber, renunciarás a este inconveniente amor.»

Pero recordando después a Sofronia, tomaba por un sendero opuesto que condenaba sus anteriores resoluciones; y añadía: «Las leyes del amor son más poderosas que otra ley alguna; quebrantan no sólo las de la amistad, sino aun las divinas. ¿Cuántas veces un padre ha amado a su hija, el hermano a la hermana, la madastra al hijastro? Todo esto, sin duda, es más monstruoso que el amar un amigo a la mujer de su amigo. Además, soy joven y la juventud está sometida a leyes del amor; así, pues, debo hacer cuanto plazca al amor. Las cosas honestas son propias de la edad madura; yo, que soy joven, no puedo tener más voluntad que la del amor. La belleza de Sofronia merece ser amada por cualquier hombre, y si yo, en plena juventud, la amo, ¿quién podrá en justicia reprendérmelo? Aquí peca la Fortuna, que ha concedido esa mujer a mi amigo Gisippo, en vez de dársela a otro cualquiera; y puesto que por su belleza debe ser amada —que debe serlo con justicia por su belleza—, satisfecho debiera estar Gisippo al saber que la amo yo, y no un extraño.»

Y de estas reflexiones pasaba a las contrarias, para volver después a las mismas razones y de nuevo a las otras, día y noche, durante varios días, hasta el extremo de perder el apetito y el sueño, y enfermar.

Gisippo, que había visto la negra melancolía de su amigo y le veía ahora enfermo, sintió mucho lo ocurrido y le cuidó con toda solicitud, preguntándole con frecuencia la causa de sus preocupaciones y de su mal. Pero Tito le contestaba con evasivas, hasta que, presionado por las preguntas de su amigo, empezó a decirle entre sollozos y suspiros:

—Más gustosa me sería la muerte, si a los dioses les plugiera, que seguir viviendo en este estado, cuando pienso que la fortuna me ha llevado adonde necesito poner a prueba mi virtud, que, con gran vergüenza mía, hallarás vencida; pero en verdad no espero la recompensa que merezco, es decir, la muerte, que me sería más agradable que vivir con el recuerdo de mi vileza, la cual, pues que a ti nada puedo ni debo ocultarte, no sin rubor te revelaré.

Y en seguida le contó la razón de sus pensamientos y las luchas sostenidas en su alma y finalmente de quién había sido la victoria, diciéndole que moría de amor por Sofronia y afirmando que, sabiendo lo irrazonable e indigna que era aquella pasión, habíase impuesto por penitencia el morir, de lo que creía estar muy cerca.

Al oír Gisippo tales palabras y ver las lágrimas de su amigo, quedóse por unos instantes perplejo, sin saber qué contestar, como quien más templadamente había sido prendido de la belleza de la joven; pero en seguida pensó que debía serle más cara la vida de su amigo que el amor de Sofronia; y así, contagiado por las lágrimas de Tito, llorando le respondió:

—Si no necesitaras consuelo como lo necesitas, me quejaría a ti por haber violado nuestra amistad ocultándome durante tanto tiempo tu gravísima pasión. Que, aunque tu afición no te pareciera honesta, no está bien que al amigo se le oculten las cosas, sean o no honestas, puesto que quien es amigo, así como se complace con su amigo en las cosas dignas, se esfuerza en apartar de su mente las que no lo son; pero me abstendré de lamentos por ahora y me limitaré a lo que juzgo tu mayor necesidad. No me maravilla que ames a Sofronia, antes bien me asombraría si así no fuese, puesto que conozco su hermosura y la nobleza de tu corazón, tanto más fácil de apasionarse cuanto más excelente es el objeto deseado. Y cuanto más razonablemente amas a Sofronia, más te quejas de la fortuna que me la ha concedido, aunque no manifiestes claramente este pensamiento, convencido de que tu amor sería más honesto si ella perteneciera a otro hombre y no a mí; pero, si eres sensato como sueles serlo, ¿a quién podía dársela la fortuna de manera que estuvieras más obligado a darle gracias, que a mí? Quienquiera que fuese su dueño, y por más honesto que fuera tu amor, la habría querido para sí más que para tí, cosa que no debes esperar de mí, si me juzgas tan buen amigo como soy, pues desde que somos amigos no recuerdo haber tenido cosa alguna que no fuese tan tuya como mía. De manera que, si a tanto llega tu pasión que no pueda remediarse de otro modo, haría con esto como hice con lo demás, porque no sé cómo podrías apreciar mi amistad si no supiera satisfacerte en una cosa que honestamente puede hacerse. Bien es verdad que Sofronia es mi prometida, y que yo la amaba mucho y esperaba con gran alegría nuestras nupcias; pero, puesto que tú, más enamorado que yo, la deseas tan ardientemente, ten la seguridad de que será tu mujer en mi cámara. Deja, pues, tus tristes pensamientos, aleja la melancolía, recobra la perdida salud, el consuelo y la alegría, y desde este instante aguarda contento las recompensas de tu amor, mucho más digno que lo era el mío.

Al oír hablar así a Gisippo, por más que la halagüeña esperanza le causara placer, Tito sintió redoblarse su vergüenza, porque cuanta mayor era la generosidad de su amigo, tanto más inconveniente parecíale el aprovecharse de ella. Por lo que, no cesando de sollozar, replicó:

—Tu generosa amistad, Gisippo, me muestra claramente lo que a la mía le corresponde hacer. No permitan los dioses que jamás acepte yo por mía la mujer que a ti, como a más digno, te han concedido. Alégrate, pues, de haber sido elegido; aprovecha el don y el discreto consejo, y déjame consumir en las lágrimas a que me han condenado, como indigno de tan grande bien; que ellas serán por mí vencidas con satisfacción tuya, o me vencerán a mí librándome de mi pesar.

A lo que repuso Gisippo:

—Si mi amistad me autoriza, Tito, a obligarte a obrar a mi gusto, y a ti inducirte a satisfacerlo, ha llegado el momento de que haga uso de esa autoridad, y haré que Sofronia sea tuya. No desconozco hasta qué punto pueden llegar las fuerzas del amor; también sé que no sólo una sino mil veces han llevado a los amantes a infeliz muerte; tú eres de los que caen vencidos bajo el peso del dolor. ¿Y crees, tal vez, que podría sobrevivirte tu amigo? Así, pues, aunque no pensara más que en mi conveniencia y en mi propia conservación, sería preciso que te unieses a Sofronia; y no fácilmente hallarías otra que más te gustara. En cuanto a mí, volviendo mi amor a otra mujer, me habré contentado a mí mismo a la vez que satisfago tu deseo. Y te aseguro que no me mostraría tan generoso si las mujeres fuesen tan raras de encontrar como los buenos amigos; pero como puedo más fácilmente encontrar otra mujer que otro amigo, prefiero (no diré perderla, porque dártela a ti no es perderla, sino que la paso a otro con el que saldrá ganando) dártela antes que perderte. Por lo mismo, si valen para ti mis ruegos, te suplico deseches tu aflicción y te dispongas a recibir la alegría que tu ferviente amor espera hallar en la mujer amada.

A pesar de que Tito se avergonzase todavía de aceptar a Sofronia por esposa y persistiera en su negativa, atraído de una parte por las palabras de Gisippo, e impelido de otra por su pasión, contestó:

—No sé, Gisippo, si debo cumplir tu gusto o el mío al hacer lo que tú con ruegos me dices que tanto deseas; pero ya que es tanta tu generosidad que vence a mi vergüenza, lo haré; y ten por cierto que no lo hago sin reconocer que de ti recibo no sólo la mujer amada, sino mi vida con ella. Permitan los dioses, si es posible, que con honor y bien tuyo pueda probarte en cuánto estimo lo que haces conmigo, apiadándote más de mí de lo que yo mismo me he apiadado.

Gisippo repuso:

—Para cumplir lo que hemos decidido, Tito, me parece conveniente emplear ese medio: como sabes, después de haber tratado largamente mis parientes y los de Sofronia, ésta se ha convertido en mi prometida; por lo tanto, si yo ahora dijese que no la quiero por esposa, se promovería gran escándalo y se irritarían sus parientes y los míos, lo que no me importaría si por ello viese que Sofronia había de ser tuya, pero temo que, al dejarla yo, sus parientes la entreguen a otro, que seguramente no serías tú, con lo que perderías lo que yo no habría ganado. Por eso me parece oportuno, si te parece bien, que siga adelante mi compromiso, llevándomela como esposa mía a casa; y después, ocultamente y como mejor sepamos hacerlo, yaces con ella como esposa tuya. Más adelante, cuando sea oportuno, descubriremos todo lo hecho; y si les gusta, bien; si no, como por la fuerza ya no podrán deshacerlo, habrán de conformarse.

A Tito le pareció bueno el consejo de Gisippo, y en cuanto se halló curado de su enfermedad se hizo lo concertado. Después de celebrarse las bodas con grandes festejos, llegada la noche, las mujeres dejaron a la recién casada junto al lecho de su marido y se fueron.

La habitación de Tito se comunicaba con la de Gisippo. Éste, habiendo apagado las luces, fue a buscar cautelosamente a su amigo para que pasara a yacer con Sofronia. Resistíase Tito, dominado por la vergüenza pero Gisippo acabó, tras larga discusión, por obligarle a ir. Obedeció Tito, y, acostándose junto a la joven, la tomó en sus brazos y, solazándose con ella, le preguntó en voz baja si quería ser su mujer. Ella, creyendo que era Gisippo, respondió que sí; por lo cual él colocó en su dedo una valiosa sortija, diciéndole:

—Y yo quiero ser tu marido.

Y consumado el matrimonio, tomó de ella largo y amoroso placer, sin que ni Sofronia ni nadie supieran nunca que quien tal hacía no era Gisippo.

Por ese tiempo falleció el padre de Tito en Roma, con lo que le enviaron cartas a éste diciéndole que regresara sin demora a la ciudad para atender a sus intereses. Tito determinó con Gisippo hacer aquel viaje y llevarse consigo a Sofronia, lo que no podía hacerse sin manifestarle a la joven cómo habían ocurrido las cosas, por lo que un día Tito la llamó a su habitación y le explicó todo lo que había pasado. La joven, después que hubo mirado a uno y otro con enojo, se echó a llorar desconsoladamente, y corrió a la casa de sus padres, contándoles el engaño de que todos habían sido víctimas, quejándose mucho de la conducta de Gisippo, del que no era esposa como creían.

Mucho disgustó esto al padre de Sofronia, quien se quejó largamente con sus parientes y los de Gisippo, promoviéndose gran escándalo y la consiguiente turbación. Gisippo se atrajo el odio de sus parientes y de los de Sofronia, considerándolo todos merecedor de severo castigo. Pero él afirmaba que había obrado dignamente y que los parientes de Sofronia debían estarle agradecidos, pues había proporcionado a la joven un marido mejor que él.

Por su parte, Tito lo oía todo y experimentaba gran pesar. Pero sabiendo la costumbre de los griegos de ir siempre más adelante con las amenazas hasta que alguien les respondiese, y que entonces no solamente se volvían humildes sino muy viles, pensó que era el momento de dar respuestas a tantos rumores: y con ánimo romano y sensatez ateniense, hizo reunir en un templo a los parientes de Gisippo y de Sofronia, y, entrando en él en compañía de su amigo, así les habló:

—Dicen muchos filósofos que lo que llevan a cabo los mortales sólo es consecuencia de lo dispuesto y ordenado previamente por los dioses inmortales, de lo que algunos deducen que lo que se hace o se hará, acontece siempre por necesidad; otros subordinan esa necesidad a las cosas ya realizas. Ahora bien, si consideramos detenidamente esas opiniones, claramente veremos que el tratar de rehacer un imposible no denota más que la intención de mostrarse más prudente que los dioses, que, según debemos creer, con ley perpetua y sin error alguno gobiernan todas las cosas. Por lo que fácilmente podéis ver cuán grosera presunción es la de censurar sus hechos y cuán dignos de castigo son lo que a tanto se atreven. Y vosotros, a mi entender, sois de esos, si es cierto lo que habéis dicho a causa de mi enlace con Sofronia, a la que habíais dado a Gisippo, sin reflexionar que estaba dispuesto *ab eterno* que no fuese de Gisippo sino mía, como se ve por los presentes efectos. Pero puesto que el hablar de la secreta providencia e intención de los dioses a muchos les parece duro y difícil de comprender, presuponiendo que aquéllos no se preocupan por acto alguno nuestro, prefiero hablar de las determinaciones de los hombres, por lo que me veré obligado a hacer dos cosas muy opuestas a mis costumbres: la una, elogiarme a mí mismo; y la otra, censurar a los demás. Pero como en ninguna de ambas cosas pretendo alejarme de la verdad, voy a hacerlo tal como el asunto lo reclama. Empiezo por deciros que vuestras quejas, movidas más por el furor que os ciega que por la serena razón, vuestras imprecaciones y murmuraciones no han hecho más que ofender y dañar a Gisippo, bajo el pretexto de que me ha dado por esposa la que habéis destinado para él, razón por la que creo que es más bien digno de alabanza; en primer lugar, por haber cumplido con los deberes de amigo; y en segundo, porque ha procedido con más prudencia que vosotros. No es mi propósito disertar ahora sobre las sagradas leyes de la amistad; me basta con recordar que los lazos de la amistad atan con más fuerza que los del parentesco, porque la fortuna nos da nuestros parientes, mientras que los amigos son el resultado de la elección. En vuestras previsiones habíais concedido Sofronia a Gisippo, joven y filósofo, y Gisippo la cedió a un joven y filósofo; vuestro consejo la entregó a un ateniense, y el de éste, a un romano; el vuestro a un gentilhombre; el de Gisippo, a uno gentilísimo; el vuestro a un joven rico; el suyo a uno riquísimo; vosotros la dabais a un hombre que sólo la amaba débilmente y que apenas la conocía; Gisippo la cedió a un joven que la amaba más que a su propia vida y felicidad. Que eso que digo es cierto y más digno de alabanza que lo que vosotros habíais hecho, vamos a examinarlo por partes. Para probaros que soy joven y filósofo, os bastarán mi rostro y mis estudios. Una misma edad es la suya y la mía y juntos hemos estudiado con igual ardor. Verdad es que él es ateniense y yo romano, pero si se discute acerca de la gloria de nuestras ciudades, os diré que he nacido en una ciudad libre, y él en una tributaria; la mía es dueña de todo el mundo, y la suya le rinde obediencia; mi ciudad es floreciente en armas, imperio y estudios, mientras que la suya lo es sólo bajo este último concepto. Además, aunque aquí me veáis como humilde estudiante, no he nacido de la hez del populacho romano; mis casas y los lugares públicos de Roma están llenos de estatuas de mis antepasados; y en nuestros anales son muchos los triunfos en que fueron llevados a lo alto del Capitolio romano los Quintos; no creáis que esa gloria se ha marchitado con la antigüedad, sino que florece hoy más que nunca. Nada diré, porque me avergüenza, de mis riquezas, porque la honesta pobreza es antigua y amplio patrimonio de los nobles ciudadanos de Roma; pobreza que, si bien la opinión de gentes vulgares condena, vale más que los tesoros de que he sido favorecido, no porque los haya deseado ni buscado, sino por habérmelos prodigado la fortuna... Bien sé que todos deseabais tener aquí por pariente a un hombre como Gisippo, aunque en nada desmerece el tenerme a mí en Roma, considerando que en aquella ciudad contaréis conmigo como huésped solícito y óptimo, y poderoso protector, tanto para vuestros asuntos públicos como para los privados. ¿Quién, pues, a menos de estar cegado por la pasión, alabará más vuestros consejos que los de mi amigo Gisippo? Nadie. Por lo tanto, bien casada está Sofronia con

Tito Quinto Fulvio, hombre de nobleza muy antigua y rico ciudadano de Roma, amigo de Gisippo. Y quien de ello se extrañe, murmure o se queje, ni hace lo que debe, ni sabe lo que hace. Tal vez haya quien diga que no siente el que Sofronia sea esposa de Tito, sino el modo como tal cosa ha ocurrido, es decir, a escondidas, como un robo, sin que lo supiera amigo ni pariente alguno; pero no es ni un milagro ni una novedad. Dejo aparte a cuantos se han casado contra la voluntad de sus padres, o a los que han huido con sus amantes, siendo amigas antes que esposas, o forzaron la voluntad de aquéllos a quienes estaban subordinadas con una preñez prematura. Sofronia no se encuentra en ninguno de estos casos. Gisippo la entregó a Tito en forma ordenada, discreta, honesta. Otros dirán que la casó quien carecía de derecho para ello, pero esto no son sino femeninas lamentaciones, que no deben ser tenidas en cuenta. ¿Acaso no se vale la fortuna de nuevos y diversos medios para llegar a un fin determinado? ¿Qué me importa que juzgue una obra mía un zapatero o un filósofo, en secreto o en público, si el fin es bueno? Más debo preocuparme, si el zapatero no es discreto, de que no pueda ofenderme de nuevo y agradecerle lo hecho. Si Gisippo ha casado bien a Sofronia, es locura vuestra el ir quejándoos por ahí de él y de tal cosa; si desconfiáis de su prudencia, cuidad de que no vuelva a casar a nadie y agradecerle lo hecho. Además debéis saber que no busqué con fraude ni con astucia, manchar la honra y la pureza de vuestra sangre en la persona de Sofronia; y aunque la haya recibido secretamente como esposa, no le arrebaté su virginidad como ladrón, ni la quise tener sino honestamente, no rechazando como enemigo vuestro parentesco; sino que, muy prendado de su belleza y de su virtud, comprendiendo que, si la hubiera pretendido con todo aquel orden que deseáis vosotros, amándola como la amáis, no me la habríais concedido por temor de que me la llevara a Roma. Me vi obligado, pues, a emplear ese artificio oculto que ahora os puedo poner de manifiesto, y conseguí que Gisippo consintiera en hacer en mi nombre lo que no estaba dispuesto a realizar por sí mismo; después, aunque amaba ardientemente a Sofronia, no busqué su unión como amante, sino como esposo; y no me acerqué a ella antes de que con palabras y con el anillo nupcial la hube desposado, preguntándole antes si me quería por marido, y contestando ella que sí. Si ahora cree haber sido engañada, no es mía la culpa, sino suya, porque no me preguntó quién era yo. Este es todo el error cometido por Gisippo, mi leal amigo, que hizo que Sofronia pasara a ser ocultamente la esposa de Tito Quinto; por esto le insultáis, le criticáis y le amenazáis. ¿Qué más haríais si la hubiese entregado a un villano, a un míserable, a un esclavo? ¿Qué cadenas, qué cárcel, qué tormentos bastarían en tal caso? Pero dejemos esto: ha llegado el momento que todavía no esperaba, es decir, el de la muerte de mi padre, y me precisa volver a Roma; queriendo llevar conmigo a Sofronia os he revelado lo que tal vez aún os habría ocultado; si sois discretos llevaréis esto a bien, ya que, si hubiese querido engañaros y ultrajaros, os la podía dejar escarnecida; pero no permitan los dioses que en mente romana pueda jamás albergarse tanta vileza. Sofronia es mía por consentimiento de los dioses, por vigor de las leyes romanas, por la loable discreción de Gisippo y por mi amorosa astucia, cosa que vosotros, tal vez teniéndoos por más sabios que los dioses, queréis impedir brutalmente de dos maneras para mí muy enojosas: la una reteniendo a Sofronia, sobre la cual no tenéis derecho alguno, sino el que a mí me plazca; y la otra es tratar a Gisippo como enemigo. No pretendo ahora extenderme más sobre vuestro necio proceder, antes bien, como amigo os aconsejaré que renunciéis a vuestras ofensas, se den por terminados todos los disgustos, y que me sea restituida Sofronia para que yo pueda partir satisfecho como pariente vuestro, y viva siendo vuestro amigo: seguros de que tanto si lo hecho os place como si no, si tratáis de obrar de distinto modo, os quitaré Gisippo, y en cuanto llegue a Roma recobraré a la que es justamente mía. Y haciéndoos siempre despiadadamente la guerra, os haré conocer cuánto puede el justo enojo de un corazón romano.

Cuando así hubo hablado, Tito tomó a Gisippo por la mano, dando a entender lo poco que se preocupaba de cuantos en el templo quedaban, y salió del lugar sacudiendo la cabeza con amenazadores gestos. Los que dentro quedaban, inducidos unos por las razones de Tito y asustados otros por sus últimas palabras, juzgaron que lo mejor era recibir a Tito por amigo y familiar, puesto que Gisippo no había querido serlo, pensando considerar a Gisippo como amigo perdido y a Tito como enemigo conquistado. Por tanto, fueron a ver a este último y le dijeron que les placía que Sofronia fuese suya y que en adelante le tendrían por estimado pariente, y a Gisippo por buen amigo; y, abrazándole, se separaron de él y le enviaron a Sofronia, quien, obrando discretamente y haciendo de la necesidad virtud, volvió a Tito el amor que a Gisippo profesaba y se fue con él a Roma, donde fue recibida con grandes honores.

Gisippo quedó en Atenas, tenido por todos en poca estima, y poco tiempo después, a consecuencia de unas disensiones ciudadanas, fue condenado, mísero y pobre, con toda su familia, a perpetuo destierro. Convertido más que en pobre en mendigo, del modo menos triste que pudo se dirigió a Roma para comprobar si Tito se acordaba de él. Supo, al llegar, que su amigo vivía y gozaba del aprecio de toda Roma; preguntó por su casa, y se situó no lejos de la puerta hasta que apareció Tito, a quien, por el estado de miseria en que se hallaba, no se atrevió a presentarse, pero se dispuso de modo de dejarse ver por él, a fin de que, reconociéndole, lo mandara llamar. Pero habiendo pasado Tito junto a él sin verle, Gisippo creyó que le desdeñaba, y recordando lo que en otros tiempos había hecho por su amigo, entristecido y desesperado se apartó del lugar.

Era ya de noche y estaba aún en ayunas. No teniendo ni dinero ni sabiendo adónde ir, deseando más la muerte que la vida, se encaminó a un paraje solitario de la ciudad; vio una cueva y se metió en ella para pasar la noche; y, sobre la tierra desnuda, aguardó a que el sueño le cerrase los párpados.

Cuando empezaba a amanecer, penetraron en la cueva dos sujetos que durante aquella noche habían cometido un robo, y, discutiendo acerca del reparto del botín, el más fuerte mató al otro y escapó. Gisippo, que había oído y visto aquella escena, creyó haber hallado el medio de llegar a la muerte por él tan deseada, sin tener que dársela a sí mismo, por lo que, sin salir, de la gruta, permaneció junto al cadáver hasta que los guardias de la cohorte, enterados del suceso, entraron en ella y se llevaron a Gisippo.

Al ser interrogado, confesó haber matado a aquel hombre, sin poder después salir de la cueva, por lo que el pretor, que lo era Marco Varrón, le condenó a morir crucificado, según entonces se acostumbraba.

Tito, a quien el azar había llevado al pretorio, miró al rostro del mísero condenado, y tras oír el motivo de la sentencia, reconoció en él a su amigo Gisippo, asombrándose de su infortunio y preguntándose cómo había llegado hasta allí. Y deseando salvarle, como no viera otro medio que el de acusarse a sí mismo, se adelantó gritando:

—¡Marco Varrón! ¡El infeliz a quien acabas de condenar es inocente! ¡Bastante ofendí a los dioses con una culpa, matando al hombre que tus guardias hallaron muerto; no quiero ofenderlos de nuevo consintiendo que sufra un inocente el castigo que merezco!

Sorprendióse Marco Varrón, y lamentó no poco que todo el pretorio hubiese oído aquellas palabras, pero no pudiendo honrosamente dejar de hacer lo que las leyes ordenaban, hizo comparecer a Gisippo y, en presencia de Tito, le preguntó:

—¿Cómo has sido tan loco para confesar lo que no has hecho, yéndote en esto la vida? Has dicho que mataste anoche a aquel hombre, y he aquí que viene este otro y afirma que no eres tú sino él el asesino.

Gisippo miró al otro y reconoció en él a Tito, con lo que comprendió que su amigo quería pagarle con su propia salvación el favor que otrora le hiciera; por lo que, con lágrimas de piedad, dijo:

—Realmente lo maté yo, Marco Varrón; la piedad de Tito por mi suerte llega demasiado tarde.

Tito, por su parte, porfiaba:

—Pretor, ya ves que este hombre es forastero y fue hallado sin armas junto al cadáver; comprende que su miseria le induce a querer morir; déjale en libertad y castígame a mí, que he merecido la pena.

Maravillóse el pretor ante la insistencia de aquellos dos hombres, y presumió que ni uno ni otro era el culpable, con lo que comenzó a pensar en la manera de absolverlos. Y mientras esto meditaba, he aquí que un joven llamado Publio Ambusto, hombre endurecido en el vicio y muy conocido de todos por ladrón, entró en el pretorio, y —siendo él el verdadero asesino— tanto se enterneció al ver a dos inocentes que se acusaban de un delito que no habían cometido, que, llevado por la compasión, exclamó:

—Mis propias obras, pretor, me arrastran a resolver la dura cuestión de esos dos hombres; no sé qué dios me estimula e induce a manifestar mi crimen; sabe, pues, que ninguno de éstos es culpable, aunque uno y otro se acusen. Yo soy quien mató esta madrugada a aquel hombre. Este infeliz que aquí ves dormía tranquilamente en la cueva mientras yo repartía con mi compañero el producto de nuestros robos. No necesita Tito que le excuse; su fama es lo suficientemente conocida y bien se sabe que no es hombre de tal condición; déjalos, pues, en libertad a ambos, y aplícame la pena que imponen las leyes.

Después de oír Octaviano toda aquella cuestión, hizo conducir a los tres hombres a su presencia, para escuchar las razones que a cada uno movían a acusarse y ser condenado, y cuando cada uno hubo expuesto las suyas, perdonó a los dos primeros por inocentes y al tercero por amor a aquéllos.

Tito se llevó consigo a Gisippo, y tras reprenderle cariñosamente por su timidez y su desconfianza, lo abrazó y lo albergó en su propia casa, donde Sofronia, con piadosas lágrimas, le recibió como a un hermano. Después de reanimarle y atenderle debidamente, compartieron con él todos sus bienes y posesiones y Tito le dio por esposa a una hermana suya, muy joven, llamada Fulvia. Después le dijo:

—Desde este instante, Gisippo, puedes vivir aquí con nosotros, o marchar a Acaya, disfrutando de lo que te he dado.

Pero Gisippo, impelido por el destierro que sobre él pesaba y por el gran amor que suscitaba en él la grata amistad de Tito, decidió hacerse romano. Por lo cual, durante largo tiempo y con gran contento de todos, Gisippo con su esposa Fulvia y Tito con Sofronia, vivieron juntos, siendo cada día mayor, si esto era posible, la amistad y el amor entre ellos.

Santa cosa es la amistad, y no sólo digna de singular reverencia, sino de ser ensalzada con eterna alabanza, como discretísima madre de magnificencia y honestidad, caritativa, agradecida, enemiga de todo odio, y, sobre todo, de la avaricia, siempre dispuesta a hacer por los demás lo que quisiéramos que por nosotros hicieran. Pero estos sagrados efectos aparecen raras veces hoy. La misera concupiscencia de los mortales, que sólo atienden a sí mismos, ha desterrado esta virtud de la superficie de la tierra. ¿Qué amor, qué riqueza, qué parentesco que no fuese esa amistad, hubiera hecho sentir en el ánimo de Gisippo la compasión que le llevó a unirse a las lágrimas, a los suspiros de su amigo, y cederle como esposa a la mujer amada? ¿Qué leyes, qué temores, hubieran podido retraer a Gisippo del lecho de Sofronia, de no haber mediado la amistad? ¿Qué bienes, qué grandezas, qué recompensas hubieran logrado que Gisippo se aventurase a perder el cariño de sus parientes y el amor de la bellísima joven, o soportar las obscenas murmuraciones de una muchedumbre grosera, para satisfacer a su amigo? ¿Y quién, sino la amistad, hubiera impulsado a Tito a buscar la muerte para librar de ella a su amigo? ¿Quién, sino la amistad, hubiera inducido a Tito a la gran liberalidad de compartir sus bienes con Gisippo, a quien la fortuna había reducido a la más extrema miseria? ¿Y quién, sino la amistad, le habría incitado a entregar a su propia hermana como esposa a Gisippo, a quien veía entonces en extrema necesidad y pobreza?

Deseen, pues, los hombres multitud de consanguíneos y parientes, hermanos e hijos; aumenten con sus dineros el número de criados y siervos, y no reparen en si uno de ellos atiende más a cualquier ínfimo peligro propio que a la solicitud de evitar los grandes males al padre, al hermano o al señor, cuando el verdadero amigo hace todo lo contrario.

MICER TORELLO Y EL SULTAN

*Saladino, disfrazado de mercader, es recibido y
honrado por micer Torello. Hácese la cruzada, y al
partir Torello da un plazo a su mujer para que vuelva
a casarse si él no regresa; es hecho prisionero, y
gracias a su habilidad para amaestrar pájaros, es
llevado ante el Sultán, el cual, reconociéndole y
dándose a conocer, le honra y agasaja. Torello enferma,
y por artes mágicas es llevado a Pavía, llegando a
tiempo de presentarse en las segundas nupcias de su
esposa, que le reconoce y se vuelve con él a casa*

Filomena había puesto término a su relato y todos ensalzaban por
igual la gratitud de Tito, cuando el rey, reservando a Dioneo el
último cuento, tomó la palabra y dijo:

—Encantadoras damas, sin duda alguna Filomena está en lo cierto
en cuanto ha dicho acerca de la amistad. Y si nosotros estuviéramos
aquí para corregir los defectos humanos o reprenderlos, me exten-
dería en amplias consideraciones; pero como nuestro fin es otro, he
pensado demostraros con una historia, un poco larga quizá, pero
grata, las magnificencias de Saladino, para que, si por nuestros vicios
no podemos lograr la amistad de alguien, por lo menos recibamos
algún deleite en ser corteses, con la esperanza de que de ello se nos
siga alguna recompensa.

Según algunos afirman, en tiempo del emperador Felipe I los
cristianos hicieron una cruzada general para reconquistar la Tierra Santa. Sabedor de esto con alguna anticipación Saladino, señor
muy esforzado y sultán entonces de Babilonia, propúsose ver personalmente los preparativos de los caballeros cristianos para esta cruzada, a fin de prevenirse mejor. Y fingiendo que iba en peregrinación,
se puso en camino, disfrazado de mercader, llevando únicamente
consigo dos de sus mejores y más discretos amigos y tres criados.
Después de recorrer varias provincias cristianas y cabalgar por Lom-

bardía para pasar al otro lado de los montes, acaeció que, yendo de Milán a Pavía, y siendo ya de noche, se encontraron con un caballero de Pavía llamado micer Torello de Istria, que con sus criados, perros y halcones se trasladaba a una preciosa hacienda que poseía junto a Turín. Al verles micer Torello, comprendió que eran nobles extranjeros y les quiso obsequiar. Por lo cual, habiendo preguntado Saladino a uno de sus criados cuánto faltaba para llegar aún a Pavía y si llegarían a tiempo para poder entrar en la ciudad, Torello, sin dejar contestar al criado, respondió:

—Señores, no podéis llegar a tiempo a Pavía para poder entrar.

—Entonces —dijo Saladino—, dignaos indicarnos, puesto que somos extranjeros, dónde podemos hospedarnos mejor.

—Lo haré gustoso —repuso micer Torello—, ahora mismo estaba pensando en enviar a uno de mis criados para un asunto cerca de Pavía; él irá con vosotros y os conducirá a un lugar donde os albergaréis convenientemente.

Y aproximándose al más discreto de sus criados, le indicó lo que tenía que hacer y lo envió con ellos. Caminando lo más rápidamente que pudo, micer Torello llegó a su finca por el camino más corto e hizo preparar una magnífica cena, ordenando que dispusieran las mesas en el jardín. Hecho esto, salió a la puerta a esperar a los viajeros. El criado, hablando de varias cosas con los forasteros, les fue desviando del camino llevándoles por senderos apartados hasta las mismas puertas de la casa de su amo. Y al verlos micer Torello, adelantándose a su encuentro, les dijo sonriendo:

—Bien venidos seáis, señores.

Saladino, hombre perspicaz, comprendió en seguida que aquel caballero había temido que ellos no aceptaran su alojamiento si les hubiera invitado en el camino cuando se encontraron, y no habiendo ya posibilidad de negarse a pasar la noche en tan grata y gentil compañía, contestó al saludo y dijo:

—Si pudiésemos quejarnos de los hombres corteses, micer, ciertamente tendríamos motivo para censuraros, porque habiéndonos hecho alargar un poco el camino, casi nos obligáis a aceptar tan grande cortesía.

El caballero, discreto y buen conversador, respondió:

—La cortesía que de mí recibís, señores, nada es para lo que merecéis, según comprendo por vuestro aspecto. Estoy seguro de que no habíais de hallar en las afueras de Pavía la hospitalidad conveniente a vuestro rango; por ello os ruego no toméis a mal el haberos separado algo de vuestro camino, a cambio de hallar un poco menos de incomodidad.

Entretanto, los criados de la casa acomodaron las cabalgaduras de los recién llegados, y micer Torello les acompañó a las habitaciones que para ellos había dispuesto; luego les obsequió con generosos vinos y les entretuvo con su agradable charla hasta la hora de la cena.

Saladino, sus acompañantes y los criados conocían el latín, por lo cual entendían y eran comprendidos perfectamente, pareciéndoles que aquel caballero era el más apreciable, afable y gentil del mundo, y cuya conversación era más agradable que la de ningún otro caballero.

Por su parte, micer Torello estaba convencido de que aquellos viajeros eran grandes señores y más dignos de lo que antes creyera, por lo que lamentaba interiormente no poder agasajarles aquella noche con más fastuoso convite, lo que pensó remediar al día siguiente. Así, tras informar a uno de sus criados de lo que pensaba hacer, le mandó a Pavía, que no estaba muy distante y alguna de cuyas puertas no se cerraba, para que informara a su esposa, dama muy discreta y de gran ánimo. Después llevó a sus huéspedes al jardín y les preguntó quiénes eran, de dónde venían y a qué lugar iban, a lo que Saladino contestó:

—Somos mercaderes de Chipre, de donde venimos ahora, y nos dirigimos a París, para asuntos nuestros.

Y entonces dijo micer Torello:

—Pluguiera a Dios que nuestro país produjera tantos gentiles caballeros cuanto excelentes mercaderes veo que salen de Chipre.

En ésta y otras conversaciones llegó la hora de la cena, por lo que micer Torello rogó a sus huéspedes que honraran su mesa; y aunque la cena había sido improvisada, no por ello dejaron de ser bien y decorosamente servidos. Poco después, al observar micer Torello que los forasteros parecían cansados, les llevó a descansar en mullidos lechos y él mismo se fue a dormir.

Entretanto, el criado enviado a Pavía cumplió fielmente el encargo que le había sido hecho y dio su embajada a la señora, la cual mandó llamar en seguida a los sirvientes y amigos de micer Torello y dispuso todo lo necesario para un gran convite. Con luminarias de antorchas hizo invitar a los más nobles ciudadanos para que acudieran al banquete y después dispuso ordenadamente cuanto su marido le había pedido.

Llegado el día, levantáronse los forasteros y micer Torello les acompañó a caballo hasta un vado cercano, por el que podían volver a su camino; y como Saladino le preguntara acerca de algún cómodo hospedaje en Pavía, micer Torello dijo que él mismo les acompañaría, pues tenía que regresar a la ciudad.

Los forasteros se alegraron y se pusieron todos en camino. Llegaron a la ciudad cuando sonaba la hora de tercia, y, convencidos de que les llevaba a la mejor posada, siguieron hasta la casa de micer Torello, donde ya habían acudido más de cincuenta de los mejores ciudadanos para recibir a los nobles extranjeros, a los que en seguida rodearon para tenerles las riendas y ayudarles a desmontar.

Cuando Saladino y sus compañeros vieron aquello, comprendieron inmediatamente de qué se trataba y dijo Saladino:

—Micer Torello, esto no es lo que habíamos pedido. Anoche ya hicisteis bastante, mucho más de lo que merecemos, por lo que, sin compromiso alguno, podíais dejarnos seguir nuestro camino.

Micer Torello repuso:

—De lo que anoche hice, señores, más que a vosotros debo agradecerlo a la fortuna, pues os encontré en el camino en hora en que forzosamente teníais que venir a mi modesta finca; en cuanto a esta mañana os quedaré muy obligado, y conmigo todos estos caballeros que os rodean, si queréis hacernos la merced de comer con nosotros.

Vencidos Saladino y sus acompañantes por tanta gentileza, descabalgaron, y, agasajados por todos fueron llevados a las habitaciones que ricamente les habían preparado; luego se sentaron todos a la mesa, donde les sirvieron excelentes manjares, con tanta esplendidez, que al mismo emperador que hubiese llegado en aquel momento no pudiera hacérsele mayor honra.

A pesar de que Saladino y los suyos eran grandes señores, acostumbrados a ver magníficas cosas, quedaron atónitos ante ésta, que les parecía una de las mayores, atendida la calidad del caballero de quien sabían que era ciudadano, pero no gran señor.

Terminado el convite y después de conversar un rato, como el calor era grande, los caballeros de Pavía se retiraron a descansar, con licencia de micer Torello; éste quedó a solas con sus tres huéspedes, y entrando con ellos en una sala, y para que no dejasen de ver cuanto él más estimaba, mandó llamar a su amable y virtuosa esposa. Esta, que era hermosísima y esbelta e iba ricamente ataviada, se presentó a los forasteros en medio de sus dos hijitos, que parecían dos ángeles, y les saludó afablemente. Los viajeros se pusieron en pie al verla, la saludaron con el mayor respeto, invitáronla a sentarse a su lado y acariciaron a los niños. Después que hubieron entablado agradable conversación, como micer Torello hubiese salido por unos instantes, les preguntó de dónde eran y a dónde iban, a lo que los forasteros contestaron lo mismo que habían dicho a su marido.

Entonces la dama, con jovial semblante, les dijo:

—Veo que lo que yo, como mujer, había pensado, será útil: os ruego, por lo tanto, me hagáis el especial favor de no rehusar el pequeño regalo que haré traeros; antes bien, considerando que las mujeres suelen dar pequeños dones, proporcionados a lo escaso de su posibilidad, tomadlo en atención al buen ánimo de quien da, más que a la magnitud de la dádiva.

Y habiendo mandado traer para cada uno de ellos dos túnicas, no para simples ciudadanos sino para grandes señores, y tres jubones y calzas de seda, añadió:

—Dignaos aceptar estas prendas; son iguales a las que viste mi marido; considerando que estáis lejos de vuestras esposas, el camino que lleváis hecho y el que os falta recorrer, y que los mercaderes sois hombres limpios y delicados, aunque poco valgan, podrán seros de alguna utilidad.

Los viajeros comprendieron que micer Torello no quería descuidar ningún detalle de la cortesía; y al ver la riqueza de las túnicas, que no eran propias de mercaderes, temieron que micer Torello les hubiera reconocido; por lo que uno de ellos dijo:

—Estos presentes, señora, son de mucho valor y no deberíamos aceptarlos sin más ni más, si a ello no nos obligaran vuestros ruegos, a los cuales no podemos negarnos.

A todo esto, llegó micer Torello; y su esposa, despidiéndose de ellos, se alejó, ordenando que se proveyera asimismo a los criados de todo lo necesario.

Micer Torello logró, tras muchos ruegos, que se quedaran con él todo aquel día, y después que hubieron descansado, vistiéronse de nuevo y cabalgaron por la ciudad con su huésped, hasta que, llegada la hora de la cena, se sentaron a la mesa en compañía de muchos nobles, y cuando fue tiempo, fueron a reposar.

Al amanecer levantáronse y fueron en busca de sus monturas, pero, en vez de los fatigados rocines que traían, hallaron dispuestos tres hermosos y excelentes palafrenes, habiéndose provisto igualmente a los criados de caballos frescos y vigorosos. Visto esto por Saladino, dijo a sus compañeros:

—¡Voto a Dios que jamás hubo hombre más completo, más cortés, más previsor que el dueño de esta casa! Si los reyes cristianos son tales en su puesto como lo es este caballero, será inútil al sultán de Babilonia resistir, no ya a uno, cuanto más a tantos que se preparan.

Y convencidos de que era imposible dejar de aceptar, le dieron cortésmente las gracias y montaron a caballo. Micer Torello, en unión de muchos compañeros suyos, les acompañó un buen trecho fuera de la ciudad; y aun cuando Saladino sentía tener que separarse de micer Torello (tanto era lo que de él se había prendado), como tenían que darse prisa, le rogó que se volviera atrás. También a éste le dolía tener que separarse de los forasteros, pero dijo:

—Lo haré, señores, pues así os place; pero debo advertiros que no sé quiénes sois ni saberlo quiero, como a vosotros no os plazca manifestármelo; pero seáis lo que seáis, esta vez no me haréis creer que sois mercaderes. Andad con Dios.

Saladino, después que se hubo despedido de todos los compañeros de micer Torello, le respondió:

—Señor, todavía puede suceder que os hagamos ver mercancía nuestra para afirmaros en esta opinión. Y ahora, quedad también con Dios.

Saladino partió con sus compañeros, con grandísimo deseo, si la vida se lo permitiera y la guerra no le era adversa, de hacer a micer Torello el mismo agasajo que había recibido en su casa.

Y después que, no sin gran fatiga, hubo recorrido todo el Piamonte, embarcóse y regresó a Alejandría con sus compañeros, y, perfectamente informado, se dispuso a la defensa.

Micer Torello volvió a Pavía, y, por más que hiciera conjeturas acerca de quiénes podían ser aquellos extranjeros, no consiguió averiguarlo ni sospecharlo.

Llegó la época fijada para la cruzada, y haciéndose por doquier grandes preparativos, micer Torello, no obstante las súplicas y lágrimas de su esposa, se dispuso a tomar parte en el empresa. Y cuando hubo arreglado sus asuntos y estaba pronto a montar a caballo, dijo a su mujer, a la que amaba entrañablemente:

—Como ves, esposa mía, voy a esta cruzada, tanto para honra de mi persona como para la salvación de mi alma. Te encomiendo nuestras cosas y nuestro honor, y como de ir estoy seguro pero de la vuelta no tengo certeza, por tantas cosas como pueden ocurrir, quiero pedirte una gracia: sea cual fuere mi suerte, si dejaras de tener noticias de mi vida, espera un año, un mes y un día sin volverte a casar, a contar desde este día de mi partida.

La dama que lloraba copiosamente, respondió:

—No sé, esposo mío, cómo soportaré el dolor en que marchándoos me dejáis sumida, pero si mi vida es más fuerte que mi dolor y llegaseis a morir, vivid y morid seguro de que yo viviré y moriré esposa de micer Torello y de su memoria.

—No dudo —repuso micer Torello—, de que harás lo que me prometes en cuanto esté de tu parte; pero eres joven, hermosa, de ilustre familia, y tu virtud es mucha y es conocida por doquier; por lo que estoy seguro de que muchos grandes y gentiles caballeros te pedirán a tus hermanos y a tus parientes, en cuanto se deje de saber de mí; y aunque lo intentaras, no podrías oponerte a sus mandatos. Esta es la razón por la que te pido ese plazo y no otro mayor.

—Haré cuanto pueda para cumplir lo que os he prometido —replicó la dama—, y si acaso hubiere de hacer otra cosa, estad seguro de que os obedeceré en lo que me ordenáis. Pero pido a Dios que no os ponga ni a vos ni a mí en tal situación.

Dicho esto, abrazó llorando a su marido; y, sacándose del dedo un anillo, se lo entregó diciendo:

—Si acaso muero antes de volver a veros, recordadme siempre que contempléis este anillo.

Micer Torello tomó el anillo, montó a caballo, se despidió de todos los suyos y partió.

Llegado a Génova con sus compañeros embarcó en una galera, y en poco tiempo arribó a Acre, donde se unió al ejército cristiano. Casi inmediatamente se declaró una violenta epidemia, con gran mortandad, que, extendiéndose por bastante tiempo, cual si fuese arte o fortuna de Saladino, casi todo el resto de los cristianos que de ella se habían librado cayó prisionero, siendo distribuidos por distintas ciudades. Micer Torello se hallaba entre ellos y fue conducido a Alejandría.

Como no era conocido y temía darse a conocer, apremiado por la necesidad se dedicó a adiestrar pájaros para la caza, arte en que era gran maestro.

Por esta circunstancia llegó Saladino a tener noticias de él, por lo cual le sacó de la cárcel y se lo quedó como halconero. Micer Torello, a quien Saladino no le daba otro nombre que el de *cristiano*, sin que ni uno ni otro se reconocieran, sólo tenía puesto el pensamiento en Pavía, y muchas veces intentó huir, aunque inútilmente. Como llegaran algunos genoveses como embajadores a Saladino para el rescate de algunos conciudadanos suyos y se dispusieran luego a partir, micer Torello pensó en escribir a su esposa para que supiera que estaba vivo, y que volvería a su lado lo más pronto que pudiera y que le aguardase. Así lo hizo, y encarecidamente rogó a uno de los embajadores a quien conocía que hiciera llegar aquellas letras a manos del abad de San Pedro en Ciel d'Oro, que era tío suyo.

Así las cosas, acaeció que hablando Saladino con él de sus pájaros, micer Torello sonrió e hizo con la boca un gesto que, inesperadamente, recordó a Saladino el gesto que micer Torello solía hacer; púsose a mirarle fijamente y parecióle que era él, por lo cual, dejando a un lado la conversación de los pájaros, le preguntó:

—Dime, cristiano, ¿de qué país de Poniente eres tú?

—Señor —contestó micer Torello—, soy lombardo, de una ciudad llamada Pavía, hombre pobre y de baja condición.

Esta respuesta confirmó las sospechas de Saladino, y, lleno de alegría, se dijo: «Dios me ha proporcionado la ocasión de manifestar a este hombre cuánto estimé su cortesía». Y sin decir otra cosa, mandó reunir todas sus ropas en una habitación, y, llevando a ella al cautivo, le dijo:

—Mira, cristiano, si entre estas ropas hay alguna que conozcas.

Micer Torello comenzó a mirarlas y vio las que su esposa había regalado a Saladino; pero considerando imposible que fuesen las mismas, respondió:

—No reconozco, señor, ninguna de estas túnicas, aunque hay dos muy parecidas a alguna que yo vestí y que fueron regaladas a tres mercaderes que se alojaron en mi casa.

No pudiendo contenerse más tiempo, Saladino le abrazó con ternura, exclamando:

—Vos sois micer Torello de Istria, y yo uno de los mercaderes a quienes vuestra esposa regaló esta túnica. Ahora ha llegado el momento de justificar vuestra creencia acerca de mi mercancía, según al partir de vuestra casa os dije que podría suceder.

Al oír tales palabras, micer Torello se alegró y se avergonzó a un mismo tiempo. Estaba contento por haber tenido en su casa a semejante huésped; y se sentía avergonzado por haberle recibido, según su opinión, tan mezquinamente.

Pero Saladino le dijo:

—Puesto que Dios os ha enviado aquí, micer Torello, pensad que desde ahora no soy el señor, sino vos.

Y después de abrazarle con gran alegría, el sultán le hizo vestir una túnica real, y llevándole a presencia de los más importantes cortesanos hizo grandes elogios de su valor y ordenó que todos aquellos que en algo estimaran su gracia, le honraran como si se tratase de él mismo, lo que en adelante hicieron todos, especialmente los dos que habían acompañado a Saladino a Pavía.

La súbita transición en que se vio micer Torello le hizo olvidar un poco las cosas de Lombardía, especialmente porque creía que sus cartas habrían llegado puntualmente a manos de su tío.

El mismo día en que tantos cristianos cayeron prisioneros de Saladino, enterraron en el campamento a cierto caballero provenzal, llamado micer Torello de Dignes. Como micer Torello de Istria era muy conocido en todo el ejército por su nobleza, cuantos oyeron decir: «Micer Torello ha muerto», creyeron que se trataba del de Istria, y no del de Dignes; y debido a la rapidez con que después fueron hechos prisioneros, no hubo ocasión de desvanecer ese error, por lo que varios italianos volvieron a sus casas con esta noticia, e incluso hubo entre ellos algunos tan presuntuosos, que se atrevieron a decir que habían visto su cadáver y asistido a su entierro.

Sabida esta noticia por la esposa y por los parientes de micer Torello, fueron todos presa de grandísimo duelo, que se extendió a cuantos en Pavía le habían conocido. Largo sería de explicar cuánta fue la tristeza de su esposa, quien, después de haber llorado varios meses su tribulación, y cuando ya su pesar comenzaba a desvanecerse, siendo muchos los nobles de Lombardía que la solicitaban, sus hermanos y parientes la instaron vivamente para que se casara de nuevo. Muchas veces se negó a ello sumida en copioso llanto, pero al fin tuvo que ceder a lo que deseaban los suyos, aunque a condición de que no se casaría hasta que se cumpliera el plazo prometido a su esposo.

Mientras así estaban las cosas en Pavía y cuando faltaban ocho días para terminar el plazo señalado, micer Torello vio en Alejandría a cierto hombre, a quien ya había visto en la galera con la comitiva de los embajadores genoveses que se dirigían a Génova; por lo que le hizo llamar y le preguntó qué tal les había ido el viaje y cuándo llegaron a Génova. El interpelado respondió:

—Señor, mal viaje tuvo la galera, pues en Creta, donde yo me quedé, supe que cuando ya estaba cerca de Sicilia levantóse un furioso viento del Norte, que la arrojó a las costas de Berbería y que nadie se salvó; en ese naufragio perecieron dos hermanos míos.

Micer Torello dio entero crédito a las palabras de aquel buen hombre, que eran muy ciertas, y recordando que dentro de pocos días vencía el plazo señalado a su esposa y sabiendo que ninguna noticia de su estado había llegado a Pavía, tuvo por cierto que la dama volvería a casarse, lo que le causó tan gran dolor que, perdiendo todo apetito de comer, se metió en el lecho dispuesto a morir.

Al saber esto, Saladino, que le tenía gran cariño, fue a visitarle, y tras muchos ruegos e insistencias logró conocer la causa de su dolor y de su mal, con lo que le reconvino por no habérselo dicho antes; luego le rogó que se consolara, porque él haría todo lo posible para que estuviera en Pavía antes de concluir el plazo. Y le explicó cómo pensaba hacerlo. Micer Torello, dando fe a las palabras de Saladino, y porque había oído decir que aquello era posible y se había realizado muchas veces, le rogó que se apresurara a hacer lo ofrecido.

El sultán ordenó a un nigromante, cuya ciencia ya había experimentado, que buscara el medio para que micer Torello fuera llevado sobre un lecho y en una sola noche a Pavía. Contestó el nigromante que así se haría, pero que el caballero debía ir dormido, para mayor seguridad. Una vez dispuestas todas estas cosas, Saladino volvió a ver a su amigo, y encontrándolo con buen ánimo para ser trasladado en una noche a Pavía si tal cosa era posible, y a morir si no lo era, le dijo:

—Si tan tiernamente amáis a vuestra esposa y teméis que pase a ser de otro, sabe Dios que no os lo censuraré jamás, pues de cuantas mujeres conozco, no creo haber visto nunca ninguna más digna de elogio y de ser amada. Me habría gustado, ya que la fortuna os trajo aquí, que por todo el resto de nuestra vida hubiésemos compartido juntos este reino; pero el Cielo no ha querido concederme semejante satisfacción. Y ya que vos queréis estar en Pavía al término de vuestro plazo, o morir en caso contrario, hubiera querido conocer antes vuestras intenciones, para mandaros a vuestra casa con todo el honor y la grandeza que vuestra virtud merece; pero ya que ni esto me ha sido concedido, y vos deseáis estar pronto allí, debo enviaros en la forma que os he dicho.

A lo cual micer Torello contestó:

—Vuestras palabras y cuanto por mí habéis hecho, me han dado sobradas pruebas de vuestra gran benevolencia, que nunca he merecido en tan alto grado; de cuanto decís, y aunque no lo dijerais, vivo y moriré satisfecho; y puesto que ya todo está decidido, os ruego mandéis hacerlo pronto, porque mañana expira el plazo fijado como límite de mi esperanza.

Saladino contestó que todo se haría, y al día siguiente, porque deseaba despedirse de él aquella noche, mandó disponer en el palacio un bellísimo lecho, hecho con preciosos cojines forrados de terciopelo y paños de oro, y adornado con una colcha bordada de gruesas perlas y rica pedrería, que más tarde en nuestra tierra fue estimado como preciado tesoro, y dos almohadas adecuadas a lo que tal lecho requería. Cuando todo estuvo dispuesto, ordenó que micer Torello fuese vestido con una túnica a la sarracena, la más rica y bella que jamás se hubiese visto, y a la cabeza le puso uno de sus grandes turbantes.

A hora avanzada, fue Saladino con varios de sus cortesanos a la estancia en que se hallaba micer Torello, y sentándose a su lado, casi con lágrimas, le dijo:

—Se acerca la hora en que debo separarme de vos, micer Torello; y ya que no puedo acompañaros ni hacer que os acompañen, porque no lo permite la calidad del viaje que vais a emprender, conviene que me despida de vos ahora, y a eso he venido. Pero antes de encomendaros a Dios, os ruego que, por el amor y la amistad que media entre nosotros, me recordéis siempre y que, si es posible, vengáis a verme al menos una vez, antes de que terminen nuestros días, para que al menos en esa ocasión pueda, después de haberme alegrado con vuestra presencia, remediar el defecto a que ahora me obliga la prisa de vuestra partida; y mientras ese día llegue, deseo que me visitéis a menudo con cartas, que yo haré por vos con más amor que por ningún otro hombre.

Micer Torello no pudo contener las lágrimas, e impedido por los sollozos, dijo con breves palabras que le sería imposible olvidar los beneficios y la virtud de su señor, y que cumpliría con el mayor amor sus deseos, en cuanto el tiempo se lo permitiera. Saladino le abrazó tiernamente, y con abundantes lágrimas le dijo:

—Id con Dios.

Y salió de la estancia. Después se despidieron de micer Torello todos los cortesanos y fueron a reunirse con el sultán en la sala donde estaba preparado el lecho.

Era ya bastante tarde y el nigromante esperaba con impaciencia el momento de poner en obra su acción; un médico trajo entonces un narcótico que hizo beber a micer Torello, dándole a entender que se lo daba para fortalecerle, y a poco de beberlo el caballero quedó profundamente dormido. Entonces le trasladaron al lecho por orden de Saladino, el cual colocó a su lado una corona de gran valor que, como claramente comprendieron todos, iba dedicada por el sultán a la esposa de micer Torello. Después puso en un dedo del caballero una sortija con un rubí tan brillante que parecía una antorcha encendida, y cuyo valor apenas podía calcularse; le ciñó luego a la cintura una espada, cuya guarnición estaba profusamente tachonada de piedras preciosas, y asimismo le prendió del pecho un broche en el que lucían perlas nunca vistas, y otras muchas piedras; finalmente, a ambos lados del cuerpo le colocó dos grandes recipientes de oro, llenos de doblones y muchas redes de perlas, anillos, cinturones y otras joyas que sería largo enumerar. Hecho esto, volvió a besar a micer Torello, y ordenó al nigromante que comenzara su obra, con lo que, en presencia de Saladino, el lecho en que reposaba micer Torello y todas aquellas joyas comenzó a elevarse.

Dormían todos aún en Pavía cuando en la iglesia de San Pedro en Ciel d'Oro se posó el lecho que llevaba a micer Torello con todas sus riquezas. Después de tocar maitines, entró en la iglesia el sacristán con una luz en la mano, y lo primero que vio fue el riquísimo lecho, lo cual, además de maravillarle, le produjo gran pavor, por lo que, asustado, huyó hasta encontrar al abad y los monjes, que le preguntaron la razón de su carrera. Y el buen hombre se la explicó.

—¡Bah! —exclamó el abad—. No eres ningún niño para asustarte de esta manera. Vamos a ver qué es eso que tanto miedo te ha causado.

Y encendiendo algunas luces, el abad y los monjes entraron en la iglesia, donde vieron aquel rico y maravilloso lecho en que dormía el caballero; y mientras, temerosos ellos también, vacilaban en acercarse al dormido, sucedió que, habiendo ya pasado el efecto del narcótico, micer Torello despertó y dejó escapar un suspiro. Al ver tal cosa, los monjes, asustados, salieron corriendo, con el abad al frente, gritando: «¡Señor, ayúdanos!»

Micer Torello abrió los ojos y comprendió que había llegado al lugar a donde le enviara el sultán, de lo que tuvo gran alegría. Luego se sentó en el lecho, y mirando la magnificencia que le rodeaba, le pareció que la de Saladino era mayor que cuanta hasta entonces había visto.

Sin moverse del lecho, al ver que los monjes huían y comprendiendo la razón de ello, llamó al abad por su nombre, rogándole que no dudara, que él era su sobrino Torello. Al oír tales palabras, aumentó el miedo del abad, porque le tenía por muerto desde mucho tiempo atrás, hasta que, como micer Torello siguiera llamándole, se sobrepuso algo, hizo la señal de la cruz y se acercó a él.

Y micer Torello le dijo entonces:

—¿De qué dudáis, padre mío? Gracias a Dios, estoy vivo y he vuelto del otro lado del mar.

A pesar de que llevaba la barba crecida y vestía aquellos ropajes árabes, el abad reconoció pronto a micer Torello, y, del todo tranquilizado ya, le cogió de la mano y le dijo:

—Bien venido seas, hijo mío. —Y a continuación añadió—: No debe asombrarte nuestro miedo, porque todos en esta ciudad creen que has muerto, hasta el extremo de que tu esposa, la señora Adela, cediendo a las súplicas y amenazas de sus parientes, y en contra de su propia voluntad, va a casarse de nuevo. Esta misma mañana debe ir a reunirse con el nuevo esposo, y todo está dispuesto para la boda.

Micer Torello se levantó del magnífico lecho, y, haciendo grandes reverencias al abad y a los monjes, les rogó que a nadie hablaran de su regreso hasta que él hubiera hecho lo que deseaba. Luego mandó guardarle las joyas y relató al abad cuanto hasta entonces le había ocurrido, de lo que el buen clérigo, dichoso con aquella excelente fortuna, dio muchas gracias a Dios, junto con el caballero. Después micer Torello preguntó al abad quién era el pretendiente de su esposa, y al saberlo, el caballero dijo:

—Antes de que mi regreso sea conocido, quiero ver con mis propios ojos cuál es la actitud de mi esposa ante esas nuevas nupcias; y por ello, aunque no sea costumbre que los religiosos asistáis a tales convites, os ruego me acompañéis.

El abad accedió a ello, y en cuanto se hizo de día mandó decir al nuevo esposo que deseaba asistir al convite con un compañero, a lo que el novio contestó que le placía.

A la hora del convite, micer Torello, sin despojarse de sus vestiduras árabes, fue a casa del nuevo esposo en compañía del abad, siendo objeto de las miradas de todos, aunque ninguno le reconociera. El abad decía a cuantos le preguntaban que se trataba de un sarraceno que el sultán enviaba como embajador al rey de Francia.

Micer Torello fue colocado en una mesa, frente a su esposa, a la que contemplaba con gran gusto y alegría, y le pareció ver que su rostro estaba turbado por aquellas bodas. Ella también le miraba, aunque no por haberle reconocido, pues se lo impedían sus grandes barbas y la seguridad de su muerte, sino debido a sus extraños vestidos.

Cuando llegó el momento en que micer Torello quiso probar si su esposa se acordaba de él, sacó el anillo que ella le diera cuando partió de su lado, llamó a un joven servidor, y le dijo:

—Dile de mi parte a la nueva esposa que en mi tierra es costumbre, cuando un forastero asiste a un convite de bodas, que la nueva esposa, en señal de agradecimiento, le envíe llena de vino la misma copa en que ella bebe, y cuando el forastero ha bebido el vino que le place, se la devuelve cubierta de nuevo (1) y la prometida bebe el vino que queda.

El servidor cumplió su embajada, y la dama, mujer prudente y discreta, convencida de que el sarraceno debía ser un gran personaje, llenó de vino la copa de oro que tenía delante y se la mandó. Micer Torello se metió el anillo en la boca, y mientras bebía lo dejó caer dentro de la copa, y dejando en ella un poco de vino, se la devolvió a la señora Adela, la cual la recibió y llevósela a los labios para cumplir la costumbre árabe, con lo que pudo ver el anillo. A pesar de su sorpresa, la dama no dijo una sola palabra, sino que quedó mirándole fijamente; y cuando hubo reconocido la joya que ella diera a su esposo en el momento de la partida, volvió sus ojos al que consideraba forastero, y, empujando la mesa como si hubiera enloquecido, gritó:

—¡Es mi señor! ¡En verdad es micer Torello! y corriendo hacia donde él estaba, sin cuidarse de sus vestidos ni de cuanto ante ella había, se inclinó hacia su esposo y le abrazó estrechamente, sin que nada ni nadie pudiera separarla, hasta que micer Torello le dijo que se dominara, pues sobrado tiempo tendría para acariciarle.

Irguióse entonces la dama, mientras los comensales expresaban su gran alegría por el retorno del caballero, pero micer Torello les rogó que guardaran silencio, y empezó a contarles cuanto había ocurrido desde el día de su partida hasta entonces, y terminó diciendo que no debía parecerle mal al noble señor que creyéndole muerto se disponía a casarse con su esposa, que, al resucitar, recobrara a la señora Adela. El prometido, aunque algo disgustado por el cariz que tomaron las cosas, como buen amigo respondió que estaba dispuesto a hacer lo que a micer Torello más pluguiera. La señora Adela dejó

---

(1)   En esos banquetes se usaban copas de metal precioso, con cubierta o tapadera.

la corona y el anillo recibidos del nuevo esposo, y se puso en el dedo la sortija hallada en la copa, y en la cabeza la corona de Saladino. Y abandonando la casa en que se hallaban, con toda la pompa de las bodas se dirigieron a la de micer Torello, donde obsequiaron a todos los parientes y amigos que contemplaban al recién llegado como un ser milagroso. Con parte de las joyas micer Torello compensó todos los gastos de aquella fiesta, y dio otra parte al abad; y mandando a Saladino nuevas de su feliz regreso, por muchos años vivió dichoso en compañía de su esposa.

Así terminaron las penalidades de micer Torello y su amada mujer, y ese fue el premio de sus alegres y prontas cortesías, que siguieron haciendo mientras vivieron. Otro muchos que pueden hacerlas, tan mal se empeñan en ellas que se las hacen pagar bastante más de lo que valen, antes de haberlas hecho, por lo que no deben maravillarse si no obtienen la esperada recompensa.

LA PACIENCIA DE GRISELDA

*El marqués de Saluzzo, inducido por los suyos a tomar
esposa, escoge a la hija de un villano, de la que
tiene dos hijos, a los que finge matar. Después, dando
a entender que se ha cansado de ella y que ha tomado
otra mujer, se trae a su casa a su propia hija,
haciendo creer a todos que es su nueva esposa;
expulsa de su casa a la anterior, pero viendo que ésta
todo lo soporta, vuelve a ella y le muestra su amor
más que nunca, enseñándole a sus hijos, ya mayores, y
honrándola como a marquesa*

Terminada la larga historia del rey, que a todos gustó mucho, a
juzgar por sus gestos, Dioneo dijo, sonriendo:

—El buen hombre que en la siguiente noche esperaba hacer bajar
el rabo al fantasma, habría dado menos de dos dineros por todos los
elogios que vosotros dedicáis a micer Torello.

Y en seguida, sabiendo que sólo quedaba él para hablar, continuó
así:

—Afables señoras mías, la jornada de hoy ha sido dedicada a
reyes, sultanes y otras gentes de alcurnia; por eso, y a fin de no
apartarme demasiado del tema, voy a contar la historia de un marqués; no es una acción magnífica como las oídas, sino una loca
bestialidad, aunque tuviera dichoso fin. A nadie aconsejo que imite
el ejemplo de ese personaje, pues es gran lástima que tan bien le
salieran las cosas.

Hace ya bastante tiempo, entre los marqueses de Saluzzo hubo
un joven —el mayor de la casa— llamado Gualtieri, soltero y sin
hijos, que empleaba todo su tiempo en cazar pájaros y otros animales,
sin pensar en casarse y formar una familia, cosa por la que había que
considerarle muy inteligente. Esa actitud no complacía sus vasallos,
que le suplicaron muchas veces que contrajera matrimonio, a fin de
que no quedase él sin heredero y ellos sin señor, ofreciéndose a

encontrarle una joven de tal padre y tal madre que pudieran tenerse de ella las mejores esperanzas y a todos contentara.

Gualtieri les respondió:

—Amigos míos, me forzáis a una cosa que estaba resuelto a no hacer jamás, porque sé cuán difícil es hallar una mujer que se avenga a las propias costumbres y cuán abundantes son las contrarias; porque pienso que es durísima la vida de quien toma mujer que no le convenga. Y eso que decís de que por las costumbres de los padres y las madres pueden conocerse las de las hijas, de lo cual deducís encontrarme una de mi agrado, no es más que una tontería, pues no sé cómo conoceremos las costumbres de los padres, ni cómo descubriremos los secretos de las madres de tales jóvenes; y aunque las supiéramos, sucede muy a menudo que las hijas no se parecen en nada a sus padres. Pero ya que deseáis ligarme con tales cadenas, consentiré en ello, y para que de nadie tenga que quejarme más tarde si las cosas salieran mal, quiero elegirla yo mismo, asegurándoos que, sea quien fuere la elegida, si no la honráis como señora vuestra, experimentaréis con propio daño cuán grave es el haberme hecho casar contra mi deseo.

A lo que los excelentes vasallos respondieron que se conformaban, con tal de que se casara.

Hacía algún tiempo que al marqués habíanle gustado mucho las buenas maneras de una pobre jovencita que vivía en un lugar cercano a su casa, y, pareciéndole muy hermosa, creyó que la vida con ella sería bastante feliz, por lo que, sin buscar más, resolvió casarse con ella; y mandando llamar al padre, que era hombre muy pobre, acordaron que Gualtieri la tomaría por esposa. Hecho esto, reunió a todos sus amigos de la comarca y les dijo:

—Habéis querido, amigos míos, que me disponga a tomar esposa, y a ello me he decidido, más por complaceros que porque yo tenga deseos de casarme. Ya sabéis lo que me prometisteis, esto es, que os contentaríais y honraríais como a señora vuestra a la mujer que yo eligiera. Ha llegado el tiempo en que yo mantendré mi promesa y vosotros debéis ser fieles a la vuestra. He hallado una joven, que place a mi corazón, que vive bastante cerca de aquí, con la que pienso unirme para traerla dentro de pocos días a mi casa; por lo tanto, pensad cómo organizaréis las fiestas de la boda y la recibiréis con los mayores honores, para que yo esté satisfecho de vuestra promesa, como vosotros quedaréis contentos de la mía.

Todos contestaron contentísimos que les placía, y que, fuera quien fuera la novia, la tendrían por señora y como a tal la honrarían. Desde aquel momento dispusiéronse todos a preparar los festejos, en lo que Gualtieri les ayudó no poco. Dispuso éste unas espléndidas nupcias y a ellas invitó a muchos amigos, parientes y caballeros de los alrededores; además, mandó confeccionar buen número de magníficos vestidos, según la medida de una joven que se parecía a aquella con la que había de casarse, compró también cinturones, sortijas, una preciosa corona y cuanto podía necesitarse.

Llegado el día dispuesto para las bodas, Gualtieri montó a caballo hacia la hora de tercia, con toda la comitiva; una vez estuvo todo dispuesto, dijo a sus compañeros:

—Ha llegado ya el momento de ir a buscar a la novia, amigos míos.

Y puestos en camino, pronto llegaron al vecino lugar, y al acercarse a la casa del padre de la muchacha, encontraron a ésta que volvía con un cántaro de agua de la fuente, con gran prisa, porque deseaba asistir a la boda de Gualtieri. En cuanto éste la vio, la llamó por su nombre, que era Griselda, y le preguntó dónde estaba su padre, a lo que ella respondió, ruborosa:

—Está en casa, señor.

Entonces Gualtieri, descabalgando y ordenando que le aguardaran, entró en la pobre casa, donde encontró al padre de la joven, llamado Giannucole.

—He venido —le dijo— para tomar a Griselda por esposa, pero antes quiero preguntarle algo en tu presencia.

Y en seguida preguntó a la joven si, tomándola él por esposa, se esforzaría siempre en complacerle y no se enojaría por cosa alguna que él dijera o hiciera, y si sería obediente y muchas otras cosas por el estilo, a todas las cuales contestó ella afirmativamente.

Oído esto, Gualtieri la tomó de la mano, la condujo fuera de la casa, y en presencia de su comitiva y de otras muchas personas la hizo desnudar y luego vestir los nuevos trajes que para ella había hecho, colocando por último sobre sus cabellos despeinados la hermosa corona. Y volviéndose a los presentes, que contemplaban con asombro aquella escena, dijo:

—Esta es, señores, la que he elegido por mujer, si ella me quiere por marido.

Luego, volviéndose a la muchacha que estaba muy avergonzada, le preguntó:

—Griselda, ¿me recibes por esposo?

Contestó ella que sí, si ésta era su voluntad, y Gualtieri repuso:

—Y yo te recibo por mujer.

Y en presencia de todos la desposó; luego, haciéndola montar una bella cabalgadura, la llevó con toda honra a su casa, donde celebraron las bodas y una fiesta tan grande y hermosa como si se hubiera traído a la hija del rey de Francia.

Pareció como si la joven esposa al cambiar de vestidos hubiese cambiado al mismo tiempo su ánimo y sus costumbres. Como hemos dicho, era hermosa y bien formada; y entonces se volvió atractiva, tan graciosa y tan gentil, que más parecía la hija de un gran señor que del pobre Giannucole, lo que llenaba de asombro a cuantos antes la habían conocido. Además, se mostraba tan obediente a su marido y tan pronta en servirle, que Gualtieri se consideraba el más feliz de los mortales. Asimismo era tan benévola para con los vasallos de su marido, que ni uno solo dejaba de amarla y honrarla de buen grado y rogar a Dios por su bien. Quienes al principio habían tachado de necio a Gualtieri por casarse con aquella joven, aseguraban entonces que era el hombre más inteligente y discreto que en el mundo hubiera, pues nadie más que él habría podido conocer mejor la elevada virtud oculta bajo las pobres ropas de campesina. Y al poco tiempo, no solamente en el marquesado sino en otros lugares, dio Griselda tan buena cuenta de sí, que todos hablaban de su valer y su prudencia. Tampoco pasó mucho tiempo sin que quedara preñada, y parió una niña, de lo que Gualtieri hizo gran fiesta.

Pero entonces se le entró en la mente el loco pensamiento de querer probar la paciencia de su esposa con cosas intolerables; comenzó primero a zaherirla con palabras, fingiéndose enojado, y diciendo que sus vasallos no estaban contentos de ella por su baja condición, y porque no paría hijos varones; y que de la niña nacida poco antes no hacían sino murmurar. A lo que Griselda, sin alterar sus buenos propósitos, repuso:

—Señor, haz de mí lo que creas que mayor honra y consuelo pueda darte, que de todo estaré contenta, pues comprendo que soy inferior a ellos y que no era digna del alto honor que por tu cortesía me hiciste.

Muy del agrado de Gualtieri fue esta respuesta, convencido de que a su esposa no la guiaba la soberbia, por muchos que fueran los honores que le hicieran.

Algún tiempo después, insinuando con vagas palabras que sus

vasallos no podían sufrir a su hija, amaestró a un criado que, con tristísimo rostro, se presentó a la dama y le dijo:

—Señora, si no quiero morir, debo hacer prontamente y con toda exactitud lo que mi señor me ordena; y es que tome a vuestra hija y que...

Y no dijo más.

La pobre Griselda, al oír tales palabras y ver el afligido rostro del criado, comprendió que aquel hombre tenía el encargo de dar muerte a la niña, por lo que, sacándola de inmediato de la cuna, besándola y bendiciéndola con gran dolor de su corazón, la entregó al criado, al que dijo:

—Haz lo que tu señor te haya ordenado, pero no la abandones donde puedan devorarla las fieras y las aves, a no ser que así te lo haya mandado él.

Cogió en brazos a la niña el criado y fue a contar a Gualtieri cuanto le había dicho su señora, con lo que, maravillado, el marqués mandó a la niña con el criado a Bolonia, a casa de una parienta suya, a la que rogó que, ocultando la identidad de la tierna criatura, la educara con toda diligencia.

Transcurrió algún tiempo y Griselda volvió a quedar preñada, y a su debido tiempo parió un niño, que fue alegremente recibido por Gualtieri; pero como si no le bastara lo que hasta entonces había hecho, hirió nuevamente a su esposa con grandísimo dolor; y un día, con el rostro descompuesto, le dijo:

—Desde que pariste a este hijo no tengo paz con mis hombres, señora, que se quejan de que un día tendrán por señor a un nieto de Giannucole, por lo que temo que, si no quiero que me expulsen de mis dominios, habré de hacer con el niño lo mismo que con la niña, y repudiarte y tomar nueva esposa.

Con paciente espíritu escuchó Griselda estas palabras, a las que contestó:

—Sólo debes pensar en contentarte a ti mismo, señor, y satisfacer tus deseos; no te preocupes por mí, que nada deseo sino darte contento.

Al poco tiempo, Gualtieri mandó por el niño igual que había hecho con la niña, y lo envió a educar a Bolonia, Griselda ni dijo de todo ello otras palabras ni hizo cosa distinta de lo que había hecho cuando le arrebataron a su hija, lo cual maravilló en gran manera a Gualtieri, convenciéndole de que ninguna otra mujer sería capaz de hacer lo que la suya hacía. Y si no fuera porque la viera amantísima de sus hijos hasta que él mandaba arrebatárselos, hubira creído que aquella actitud se debía a negligencia y al deseo de evitarse el cuidado de los niños.

Mientras tanto, los vasallos, que creían verdaderamente que habían mandado dar muerte a sus hijos, murmuraban violentamente y le tenían por el más cruel de los hombres, a la vez que mostraban la mayor consideración hacia ella.

Cuando hubieron transcurrido varios años desde el nacimiento de la hija mayor, creyó Gualtieri que era llegado el momento de probar por última vez la paciencia de su esposa, y empezó a decir a algunos de sus amigos que ya no podía sufrir más a aquella mujer, y que reconocía lo mal y precipitadamente que había obrado al casarse con ella, por lo que deseaba conseguir cuanto antes que el Papa le diera licencia para dejar a Griselda y casarse de nuevo, lo cual le fue duramente reprochado por los otros, a lo que no contestó otra cosa sino que convenía hacerlo así.

Al saber Griselda estas nuevas, pensó que ninguna otra cosa le esperaba que volver a la casa de su padre y a la custodia de rebaños, como antes había hecho, y ver a otra mujer en compañía de aquel hombre a quien tanto amaba. Con estos pensamientos sentía vivísima tristeza, pero así como había sabido sufrir los otros reveses de la fortuna, con igual firmeza de ánimo se aprestó a padecer el que se le anunciaba.

No transcurrió mucho tiempo sin que Gualtieri mandara traer de Roma ficticias cartas del Papa, con las que hizo creer a sus vasallos que se le concedía dispensa para dejar a Griselda y contraer nuevas nupcias, por lo que, llamando a su esposa a su presencia, delante de muchos hombres le dijo:

—Señora, por especial licencia del Papa puedo tomar otra esposa y dejarte, y como mis antepasados han sido nobles caballeros y señores de estas tierras, mientras que los tuyos no son sino campesinos, he dispuesto que no seas más mi mujer y vuelvas a la casa de tu padre Giannucole con la dote que trajiste. Después traeré aquí a otra esposa que he hallado, más conveniente para mí.

Cuando la pobre mujer oyó tales palabras, una grandísima tristeza invadió su alma, pero contuvo las lágrimas que afloraban a sus ojos y contestó:

—Siempre supe que mi baja condición no guardaba proporción ni conveniencia con vuestra nobleza, señor y dueño mío, y que lo que en vuestra compañía he sido, sólo a Dios y a vos lo debo. Desde que me pusisteis en este estado, jamás lo tuve como propio sino como prestado, y como ahora deseáis que os lo devuelva, a mí me place hacerlo. Aquí tenéis, pues, el anillo con que me desposasteis; tomadlo. Queréis que lleve conmigo la dote que traje, pero para ello ni vos necesitaréis empleado que me pague ni yo bolsa con que llevarlo ni bestia de carga tampoco, pues no he olvidado que desnuda me trajisteis a esta casa; y si creéis honesto que muestre a todos ese cuerpo en cuyo seno he llevado los hijos por vos engendrados, desnuda me iré; pero os ruego que, en premio a la virginidad que traje y no me llevo, permitáis al menos que lleve una camisa sobre mi propia dote.

A pesar de que sentía más deseos de llorar que de otra cosa, Gualtieri, endurecido el rostro con gran dolor de su corazón, dijo:

—Puedes llevarte una camisa.

Cuantos aquella escena presenciaron rogaron a Gualtieri que permitiera a Griselda llevar un vestido, para que nadie viera salir de su casa tan mísera y pobre a quien había sido su esposa durante más de trece años, pero todas las súplicas fueron inútiles; y así la pobre mujer, en camisa y descalza, y sin toca alguna en la cabeza, salió de la casa del marqués y fue a la de su padre, con gran dolor de cuantos la veían.

Giannucole, que nunca había creído que su hija fuera la esposa de Gualtieri y que cada día esperaba que ocurriera lo que entonces ocurría, guardaba los vestidos que Griselda se había quitado el día que el marqués la desposara; por lo que los sacó cuando su hija llegó y Griselda pudo ponérselos, y volvió a las pequeñas faenas de la casa paterna, como siempre había hecho, sufriendo con ánimo firme la crueldad de la fortuna.

Cuando Griselda hubo partido de su casa, Gualtieri hizo creer a sus vasallos que había escogido por esposa a la hija de uno de los condes de Pánago, y luego de hacer grandes preparativos para las bodas, mandó llamar a Griselda y le dijo:

—Ya sabes que traigo a mi casa a mi nueva esposa, y quiero que su llegada sea todo lo honrosa que merece; no ignoras tampoco que no tengo aquí mujeres que sepan preparar las alcobas y hacer todas las cosas precisas para tan gran fiesta; por eso, pues tú conoces mejor que nadie estos menesteres de la casa, puedes ordenar lo que debe hacerse e invitar a las damas que te parezca, recibiéndolas como si fueras dueña de la casa. Después de las bodas, podrás volver junto a tu padre.

Estas palabras se clavaron como puñales en el corazón de Griselda, que no había podido ahogar el amor que sentía por Gualtieri, pero, sobreponiéndose a aquel nuevo golpe adverso de la fortuna, repuso:

—Haré cuanto mandéis, señor mío.

Y entrando con sus burdos pañizuelos en aquella misma casa de la que poco antes había salido en camisa, empezó a limpiar las estancias y a ponerlo todo en orden, colgando tapices y arreglando las sillas en las salas y viendo a la cocina y a todo lo demás, como si fuera una simple criada de la casa, con lo que al poco tiempo todo estaba ordenado y dispuesto para la fiesta.

Después, de parte de Gualtieri, hizo invitar a todas las damas de la región, y se dispuso a esperar el día de la boda. Y llegado éste, llevando sus pobres vestidos, recibió con rostro risueño las mujeres que, ricamente ataviadas, iban llegando a la casa.

Con todo secreto y diligencia había Gualtieri hecho educar a sus hijos en Bolonia, en la casa de una parienta casada con uno de los condes de Pánago, y cuando su hija contaba doce años y era la más bella joven que se hubiera jamás visto —y el niño tenía seis—, mandó a un familiar suyo a aquella ciudad para que volviera con sus hijos a Saluzzo, en honesta y honrosa compañía, encargándole dijera a todos que la joven era la nueva esposa de su señor, sin que nadie pudiera sospechar su verdadera identidad.

El buen caballero cumplió cuanto le ordenara el marqués, y unos días más tarde se puso en camino con los dos jóvenes y una galana compañía, llegando a Saluzzo hacia la hora de comer, cuando todos los campesinos y muchas otras gentes de la comarca se habían reunido para ver a la nueva esposa de Gualtieri. Cuando la muchacha, recibida por las damas, entró en la gran sala donde estaban dispuestas las mesas para el convite, Griselda se adelantó y con alegre rostro la saludó diciéndole:

—Bien venida seáis, señora mía.

Las otras damas, que en vano habían rogado a Gualtieri que permitiera que Griselda se retirara a otra estancia, o, por lo menos, la vistiera con mejores ropas, para que no se presentara con sus burdos vestidos, fueron sentándose a la mesa. Todos miraban a la recién llegada, y algunos hombres decían que Gualtieri había hecho un buen cambio. Entre todos, Griselda alababa mucho a la nueva esposa y a su hermanito.

Convencido de haber probado ya lo bastante la paciencia de su esposa, a quien en nada lograba cambiar la novedad de las cosas, y sabiendo que esto no ocurría por estupidez de la mujer, cuya prudencia sobradamente conocía, Gualtieri pensó que había llegado el momento de sacarla de la amargura que seguramente se ocultaba bajo el inalterable rostro; por lo que, pidiéndole que se le acercara, le preguntó en presencia de todos:

—¿Qué te parece mi nueva esposa?

—Me parece muy bien, señor mío —repuso Griselda—, y si, como creo, es tan inteligente como bella, seréis el más feliz señor de la tierra. Pero os suplico que no la hiráis a ella con las heridas que infligisteis a la que fue vuestra primera mujer, pues no creo pudiera sufrirlas, porque es muy joven y ha sido educada en medios refinados, mientras que la otra creció siempre entre mil penalidades.

Al ver que Griselda creía realmente que la jovencita había de ser su esposa, a pesar de lo cual hablaba de aquella manera, Gualtieri hizo que se sentara a su lado y le dijo:

—Ya es hora de que recibas el fruto de tu larga paciencia, Griselda, y que quienes me han juzgado inhumano, cruel y brutal sepan que cuanto hice tenía un fin previsto, puesto que a ti deseaba enseñarte a ser señora, a ellos a tenerla y a mí mismo a conseguir perpetua paz mientras hubiese de vivir contigo. Desde que me casé temí que mi mujer mediara en mis cosas, por lo que te sometí a una larga prueba y te herí como tú sabes. Sin embargo, nunca has dejado de cumplir mis deseos, y como he obtenido de ti el consuelo que yo esperaba, quiero devolverte ahora todo cuanto en tantos años te quité, restañando con la mayor dulzura las heridas que te hice. Recibe, pues, con alegre ánimo a esta joven, a la que crees mi esposa, y a su hermano, porque son tus hijos y los míos, a los cuales tú y muchos otros creisteis que yo había cruelmente asesinado. Y yo soy tu marido, que te ama más que a cosa alguna en el mundo, y estoy seguro de que nadie mejor que yo puede gloriarse de ser tan feliz con su mujer.

Tras estas palabras, la abrazó y besó cariñosamente, y levantándose junto con ella, de cuyos ojos manaban abundantes lágrimas de alegría, fueron a donde, grandemente asombrada, estaba su hija, y la abrazaron tiernamente, igual que a su hermano, sacando a todos del engaño en que habían vivido.

Las damas, presas de gran contento, llevaron a Griselda a una de las estancias, donde le quitaron sus pobres ropas y la vistieron con uno de sus nobles trajes, y como señora la condujeron nuevamente a la sala, donde hicieron con los hijos maravillosa fiesta.

Todos estaban contentísimos con lo sucedido, y muchos días duraron el solaz y la alegría. Las gentes consideraron a Gualtieri como hombre prudente, por más que creyeran duras y crueles las pruebas a que sometió a su esposa, y en especial alabaron la gran prudencia y sabiduría de Griselda. Unos días después regresó el conde Pánago a Bolonia, y Gualtieri recibió a Giannucole como suegro en su casa, en la que vivió con gran consuelo hasta el fin de sus días. Y el propio marqués, tras haber casado honrosamente a su hija, vivió con gran felicidad muchos años, honrando siempre a su esposa Griselda.

¿Qué podemos decir ahora sino que también en las casas humildes llueven las gracias del Cielo, igual que en las mansiones reales, en las que tantos hay que mejor estarían guardando cerdos que entregados al gobierno de los hombres? ¿Quién, a no ser Griselda, hubiera sufrido no sólo sin lágrimas sino con alegría las duras pruebas que le impuso Gualtieri? No le hubiera estado mal empleado al marqués caer en una de ellas, de manera que cuando Griselda salía del palacio en camisa alguien le hubiera sacudido a él la piel, dándole así un hermoso vestido.

CONCLUSION

Había ya terminado el cuento de Dioneo y las mujeres seguían hablando de él, unas de un modo y otras de otro; éstas alababan, las otras vituperaban ciertos pasajes de la historia. Entonces el rey, mirando a lo alto y viendo que el sol se acercaba ya a su ocaso, sin levantarse de su asiento empezó a decir:

—Supongo que sabréis, galanas señoras, que la prudencia de los mortales no consiste sólo en recordar las cosas pasadas o conocer las presentes, sino, con unas y otras, prever las futuras, lo cual se reputa como grandísimo juicio de los hombres sabios. Mañana se cumplirán quince días desde nuestra salida de Florencia, para guardar nuestra vida y salud, huyendo de las melancolías, dolores y angustias tan frecuentes en nuestra ciudad desde el principio de estos pestilentes tiempos. Según mi parecer, hemos logrado en forma muy honesta nuestro propósito, porque si bien se han contado algunas historias alegres e incluso capaces de inducir a concupiscencia, y aunque hayamos comido y bebido bien y tocado la música y cantado, cosas todas ellas que podrían sugerir a las mentes más débiles pensamientos poco honestos, no he sabido de ningún acto ni palabra ni cosa alguna que mereciera ser reprobado. Por mi parte, afirmo que siempre he visto y oído continua honestidad, fraternal amistad de unos con otros y gran concordia en todos, lo cual, indudablemente, redunda en nuestro servicio y honor. Por esta razón, y para que al prolongarse nuestra costumbre actual no se engendre algún efecto de fastidio o displacer, y para que nadie pueda criticar el que nos quedemos aquí

311

más tiempo del necesario, y dado que cada uno de nosotros ha gobernado una jornada, teniendo en ella la parte de honor de que todavía disfruto yo, creo que es conveniente, si ello os place, que regresemos a la ciudad; sin olvidar, según habréis observado, que, dado que la fama de nuestro grupo se ha propagado por los alrededores, podría multiplicarse nuestro número de manera que desapareciese todo el placer obtenido hasta ahora. Por lo que os acabo de exponer, si aprobáis mi consejo, retendré la corona que me habéis dado hasta la hora de nuestra marcha, que sería mañana; pero si tomáis otra determinación, dispuesto estoy a coronar a quien haya de regirnos durante la siguiente jornada.

Muchos comentarios provocaron entre las damas y los jóvenes las palabras de Dioneo, pero finalmente tuvieron por útil y discreto el consejo del rey y determinaron hacer lo que él decía, por lo que, haciendo llamar al mayordomo, el rey dispuso lo que a la mañana siguiente habría de hacerse; y, dando licencia al grupo, todos pasearon hasta la hora de la cena.

Como hasta entonces habían acostumbrado, damas y mancebos se entregaron a diversos deleites, y al llegar la hora de cenar se sentaron a la mesa con gran contento. Después comenzaron a danzar y a cantar, y mientras Lauretta conducía la danza, Fiammetta entonó una balada, en la que cantaba su amor a un desconocido amante.

Después de aquella balada se cantaron otras, y cuando la noche estaba ya casi en su mitad, por deseo del rey fueron todos a descansar.

Levantáronse sin tardanza al amanecer el nuevo día, y como el mayordomo había ya enviado todas las cosas a Florencia, volvieron a la ciudad guiados por el discreto rey. Las doncellas quedaron en Santa María la Nueva, de donde habían salido, y de ellas despidiéronse los jóvenes, que marcharon a sus otros placeres. Y ellas, cuando les pareció oportuno, regresaron a sus casas.

EPILOGO DEL AUTOR

Nobilísimas jóvenes para cuya consolación he acometido tan fatigosa empresa, creo que, ayudado por la divina gracia, más por vuestras piadosas palabras que por mis méritos, he podido llevar a feliz término lo que os prometí al principio de la presente obra, de todo lo cual doy gracias a Dios, en primer lugar, y luego a vosotras, y descanso a la pluma y a la fatigada mano. Pero antes de concedérselo, quiero responder, como si fueran tácitas preguntas, a ciertas cosas que alguna de vosotras, o las mujeres que esto leyeren, podrían decir, pues estoy convencido de que estos cuentos míos no gozarán del privilegio de salvarse de la envidia, como no los tienen otros libros, lo cual, si la memoria no me es infiel, creo haber demostrado al principio de la cuarta jornada.

Por ventura habrá alguna de vosotras que me acuse de haber usado excesiva licencia al escribir estos cuentos, porque licencia sería obligaros tantas veces a vosotras, discretísimas damas, a decir y escuchar cosas que no convienen a honestas mujeres. Pero yo niego esta acusación, porque no hay cosa, por deshonesta que sea, que no pueda decirse con honestas palabras, lo cual me parece haber hecho con bastante conveniencia. Sin embargo, aun concediendo que así sea, pues no pretendo litigar con vosotras ya que llevaría todas las de perder, digo que tengo muchas razones para explicar por qué lo he hecho así.

En primer lugar, debo decir que si en algún cuento hay un poco de licencia, es porque la naturaleza de la fábula así lo requería; y si alguien entendido las examinara, convendría conmigo en que, siendo así tales historias, no habría podido contarlas de diversa forma. Y si en alguna de ellas se encuentra quizá alguna parte con palabras algo más libres de lo que la gazmoñería consintiera, esas palabrejas que irritan a las personas para quienes pesan más las palabras que los actos y que se las ingenian para aparecer hipócritamente buenas, debo decir que no desdice de mí tanto el haberlas escrito cuanto de otros hombres y mujeres decir todo el día cosas como *agujero y clavo, almirez y pistadero o salchicha y mortadela*, y otras por ese estilo.

Sean cuales fueren, las cosas dichas pueden, como todas las demás, dañar y ser provechosas, según sea el oyente. ¿Quién no sabe que el vino es óptimo para los sanos y nocivo para quienes tienen fiebre? ¿Habrá que decir por ello que el vino es malo? ¿Quién no sabe que el fuego es utilísimo y necesario a los mortales? Pero ¿diremos que es malo, porque a veces arrasa casas y ciudades? Asimismo, las armas defienden la vida de quienes en paz quieren vivir, y muchas veces matan a los hombres no por malicia de ellas mismas, sino de quienes las usan criminalmente. Nunca una mente corrompida escuchó limpiamente algo; y así como las cosas honestas no aprovechan al malicioso, las que no son honestas no pueden contaminar a las personas bien dispuestas. ¿Qué libros, qué palabras y qué letras son más santas que las de las Sagradas Escrituras? Y, sin embargo, ha habido quien, leyéndolas, se ha perdido a sí mismo y ha perdido a los demás.

En sí mismo, todo es bueno para algo, pero si se lo usa mal puede causar grandes daños. Esto mismo digo de mis cuentos. A quien quiera sacar de ellos un mal consejo o una pésima acción, no se lo evitarán, si acaso lo tienen o torcidamente se les saca; y a quien busque utilidad o fruto, no se lo negarán estos cuentos, ni se hallarán en ellos cosas que no sean útiles y honestas, si se leen en el debido tiempo y por las personas para quienes han sido escritos.

También habrá quienes digan que sería mejor, que faltaran algunas de las historias que aquí hay, con lo cual estoy de acuerdo, pero es el caso que yo no podía ni debía escribir sino las contadas en la reunión ya dicha; por lo que si quienes las contaron no hubieran dicho sino historietas bellas y agradables, sólo bellos y agradables cuentos habría escrito yo. Y aun cuando quisiera suponerse que yo soy el inventor de estos cuentos, lo cual no es cierto, digo que no me avergüenzo de que no todos sean bellos, puesto que, fuera de Dios, no se halla maestro alguno que todo lo haga bien y cumplidamente;

ni siquiera el propio Carlomagno, que fue el primer creador de los Pares de Francia, supo hacer tantos como para formar con ellos un ejército.

En una multitud de diversas cosas hay que atender a la calidad, pero no hubo nunca campo tan bien cultivado que no nacieran en él abrojos y espinas mezclados con las mejores hierbas; sin tener en cuenta que, al narrar estas historias a unas jovencitas como vosotras, hubiera sido gran tontería el andar buscando cosas muy exquisitas y cuidar discretísimamente la mesura en el lenguaje. Deje, quien lea estos cuentos, los que hieran y quédese con los que le plazcan, porque todos, para que nadie pueda llamarse a engaño, llevan al principio resumido lo que contienen dentro.

No dudo que habrá quienes digan que algunos de estos cuentos son excesivamente largos; pero a ellos contesto que sería locura que se pusiera a leer estas historias quien tenga otra cosa que hacer. Y aunque ha transcurrido mucho tiempo desde que empecé a escribir hasta este momento en que doy definitivo descanso a mi pluma, jamás me ha abandonado la idea de dedicar este libro a las que estuvieran ociosas y no a las demás; que a quien lee por pasatiempo nada puede parecerle largo, si en realidad lo hace aquélla para quien el autor lo ha escrito. Las cosas breves aprovechan mucho más a los estudiantes, que no para pasar el tiempo trabajan, pero no a vosotras, gentilísimas mujeres, a quienes sobra todo el tiempo que no empleáis en los placeres del amor. Y dado que ninguna de vosotras irá a estudiar a Atenas, a Bolonia o a París, conviene hablaros con más detención que a quienes han afilado ya sus ingenios en el estudio.

Tampoco faltarán quienes se quejen de que estos cuentos están llenos de motes, burlas y chanzas, cosas todas ellas que mal se avienen con un hombre ponderado y grave como el que este libro ha escrito. A las mujeres que así digan, debo agradecerles el que, movidas por excelente celo, defiendan mi buena fama. Pero también quiero contestar a sus razones: admito que soy ponderado y que lo he sido durante muchos años de mi existencia; y para quienes no me tienen por grave, diré que, por el contrario, soy tan leve que floto sobre el agua. Pero puesto que las prédicas que hoy hacen los frailes para obligar a los hombres a arrepentirse de sus pecados están, las más de las veces, llenas de tales burlas, motes y chanzas, creí que estas mismas cosas no estarían de más en mis cuentos, escritos para alejar la melancolía de las mujeres.

¿Quién se preocupará de las que digan que mi lengua es mala y venenosa porque digo la verdad a los frailes en algunos de mis cuentos? Perdonar debo a quienes tal cosa afirman, pues estoy seguro de que les mueve piadosa causa, pues los frailes son buenas personas y huyen de las incomodidades por amor de Dios, muelen y siembran a mansalva y no andan diciéndolo por todas partes; y si no fuera porque todos ellos despiden cierto tufillo cabruno, sería muy agradable discutir con ellos. Sin embargo, confieso que todas las cosas de este mundo cambian de continuo, que ninguna es estable, y que lo mismo puede haberle sucedido a mi lengua; y como no creo a mi propio juicio, ya que en lo posible huyo de tal vanidad en mis cosas, diré que no hace mucho tiempo me dijo cierta vecina mía que tengo la lengua más dulce del mundo; a fuer de sincero, debo admitir que cuando tal cosa ocurrió quedaban algunos de estos cuentos por escribir. Y como quienes arguyen tales razones lo hacen con animosidad y hastío, quiero que lo ya dicho les baste por respuesta.

Y ahora dejando a cada una de vosotras que diga y crea lo que mejor le parezca, ha llegado el momento de poner fin a las palabras, dando humildemente gracias a Aquel que, tras largo trabajo, me ha conducido al deseado término; y vosotras, nobilísimas y discretas mujeres, quedad en paz en Su gracia y acordaos de mí, si algún provecho habéis sacado al leer estas páginas.

INDICE